A INSUSTENTÁVEL LEVEZA DO SER

MILAN KUNDERA

A INSUSTENTÁVEL LEVEZA DO SER

Tradução
Teresa Bulhões Carvalho da Fonseca

33ª reimpressão

Copyright © Milan Kundera, L'Insoutenable Légèreté de l'Être 1984
Proibida toda e qualquer adaptação da obra

Grafia atualizada segundo o Acordo Ortográfico da Língua Portuguesa de 1990, que entrou em vigor no Brasil em 2009.

Título original
Nesnesitelná Lehkost Bytí

Tradução autorizada pelo autor, com base na versão francesa de François Kérel

Capa
Jeff Fisher

Preparação
Márcia Copola

Revisão
Renato Potenza Rodrigues
Vivian Miwa Matsushita

Atualização ortográfica
Verba Editorial

Dados Internacionais de Catalogação na Publicação (CIP)
(Câmara Brasileira do Livro, SP, Brasil)

Kundera, Milan, 1929-
   A insustentável leveza do ser / Milan Kundera; tradução Teresa Bulhões Carvalho da Fonseca. — 1ª ed. — São Paulo : Companhia das Letras, 2008.

   Título original: Nesnesitelná Lehkost Bytí.
   ISBN 978-85-359-1251-7

   1. Romance tcheco I. Título.

08-04654   CDD-891.863

Índice para catálogo sistemático:
1. Romances : Literatura tcheca 891.863

2023

Todos os direitos desta edição reservados à
EDITORA SCHWARCZ S.A.
Rua Bandeira Paulista, 702, cj. 32
04532-002 — São Paulo — SP
Telefone: (11) 3707-3500
www.companhiadasletras.com.br
www.blogdacompanhia.com.br

SUMÁRIO

Primeira parte: A leveza e o peso *7*
Segunda parte: A alma e o corpo *41*
Terceira parte: As palavras incompreendidas *79*
Quarta parte: A alma e o corpo *129*
Quinta parte: A leveza e o peso *169*
Sexta parte: A Grande Marcha *237*
Sétima parte: O sorriso de Karenin *273*

Sobre o autor *309*

Primeira parte
A LEVEZA E O PESO

1

O eterno retorno é uma ideia misteriosa e, com ela, Nietzsche pôs muitos filósofos em dificuldade: pensar que um dia tudo vai se repetir como foi vivido e que tal repetição ainda vai se repetir indefinidamente! O que significa esse mito insensato?

O mito do eterno retorno afirma, por negação, que a vida que desaparece de uma vez por todas, que não volta mais, é semelhante a uma sombra, não tem peso, está morta por antecipação, e por mais atroz, mais bela, mais esplêndida que seja, essa atrocidade, essa beleza, esse esplendor não têm o menor sentido. Essa vida é tão importante quanto uma guerra entre dois reinos africanos do século XIV, que não alterou em nada a face do mundo, embora trezentos mil negros tenham encontrado nela a morte depois de suplícios indescritíveis.

Será que essa guerra entre dois reinos africanos do século XIV se modifica pelo fato de se repetir um número incalculável de vezes no eterno retorno?

Sim: ela se tornará um bloco que se forma e perdura, e sua brutalidade não terá remissão.

Se a Revolução Francesa devesse se repetir eternamente, a historiografia francesa se mostraria menos orgulhosa de Robespierre. Mas como ela trata de algo que não voltará, os anos sangrentos não passam de palavras, teorias, discussões, são mais leves que uma pluma, já não provocam medo. Existe uma diferença infinita entre um Robespierre que apareceu uma só vez na história e um Robespierre que voltaria eternamente para cortar a cabeça dos franceses.

Digamos, portanto, que a ideia do eterno retorno designa uma perspectiva em que as coisas não parecem ser como nós as conhecemos: elas aparecem para nós sem a circunstância atenuante de sua fugacidade. Com efeito, essa circunstância atenuante nos impede de pronunciar qualquer veredicto. Como condenar o que é efêmero? As nuvens alaranjadas do crepúsculo douram todas as coisas com o encanto da nostalgia; até mesmo a guilhotina.

Não faz muito tempo, surpreendi-me experimentando uma sensação incrível: folheando um livro sobre Hitler, fiquei emocionado com algumas fotos dele; lembravam-me o tempo de minha infância; eu a vivi durante a guerra; diversos membros de minha família foram mortos nos campos de concentração nazistas; mas o que era a sua morte diante dessa fotografia de Hitler que me lembrava um tempo passado da minha vida, um tempo que não voltaria mais?

Essa reconciliação com Hitler trai a profunda perversão moral inerente a um mundo fundado essencialmente sobre a inexistência do retorno, pois nesse mundo tudo é perdoado por antecipação e tudo é, portanto, cinicamente permitido.

2

Se cada segundo de nossa vida deve se repetir um número infinito de vezes, estamos pregados na eternidade como Cristo na cruz. Essa ideia é atroz. No mundo do eterno retorno, cada gesto carrega o peso de uma responsabilidade insustentável. É isso que levava Nietzsche a dizer que a ideia do eterno retorno é o mais pesado dos fardos (*das schwerste Gewicht*).

Mas será mesmo atroz o peso e bela a leveza?

O mais pesado dos fardos nos esmaga, verga-nos, comprime-nos contra o chão. Na poesia amorosa de todos os séculos, porém, a mulher deseja receber o fardo do corpo masculino. O mais pesado dos fardos é, portanto, ao mesmo tempo a imagem da realização vital mais intensa. Quanto mais pesado é o fardo, mais próxima da terra está nossa vida, e mais real e verdadeira ela é.

Em compensação, a ausência total de fardo leva o ser humano a se tornar mais leve do que o ar, leva-o a voar, a se distanciar da terra, do ser terrestre, a se tornar semirreal, e leva seus movimentos a ser tão livres como insignificantes.

O que escolher, então? O peso ou a leveza?

Foi a pergunta que Parmênides fez a si mesmo no século VI antes de Cristo. Segundo ele, o universo está dividido em pares de contrários: a luz/a escuridão; o grosso/o fino; o quente/o frio; o ser/o não ser. Ele considerava que um dos polos da contradição é positivo (o claro, o quente, o fino, o ser), o outro, negativo. Essa divisão em polos positivo e negativo pode nos parecer de uma facilidade pueril. Exceto em um dos casos: o que é positivo, o peso ou a leveza?

Parmênides respondia: o leve é positivo, o pesado é negativo. Teria ou não teria razão? A questão é essa. Só uma coisa é certa. A contradição pesado/leve é a mais misteriosa e a mais ambígua de todas as contradições.

3

Há muitos anos penso em Tomas. Mas foi sob a luz dessas reflexões que o vi claramente pela primeira vez. Eu o vi de pé, diante de uma janela de seu apartamento, os olhos fixos na parede do prédio defronte, do outro lado do pátio, sem saber o que fazer.

Conhecera Tereza três semanas antes numa cidadezinha

da Boêmia. Não tinham passado nem sequer uma hora juntos. Ela o acompanhara à estação e esperara até o momento de ele subir no trem. Cerca de dez dias depois, veio vê-lo em Praga. Nesse dia mesmo fizeram amor. À noite, ela teve um acesso de febre e passou uma semana inteira com gripe na casa dele.

Ele sentiu então um amor inexplicável por aquela moça que para ele era quase uma desconhecida. Tinha a impressão de que se tratava de uma criança que fora deixada numa cesta e abandonada nas águas de um rio para que ele a recolhesse na margem da sua cama.

Tereza ficou com ele uma semana, depois, já curada, voltou para a cidade onde morava, a duzentos quilômetros de Praga. É aí que se situa o momento a que me referia e em que vejo a chave da vida de Tomas: está de pé à janela, os olhos fixos na parede do prédio defronte, do outro lado do pátio, refletindo:

Devia propor que ela viesse se instalar em Praga? Essa responsabilidade o assustava. Se a convidasse agora, ela viria para junto dele e lhe ofereceria toda a sua vida.

Ou seria melhor desistir? Nesse caso, Tereza continuaria como garçonete num restaurante de uma cidadezinha do interior e ele não a veria nunca mais.

Queria que ela ficasse? Sim ou não?

Fixa, do outro lado do pátio, a parede defronte, e procura uma resposta.

Volta, mais uma vez e sempre, à imagem daquela mulher deitada no divã; ela não lhe lembrava ninguém de sua vida de outros tempos. Não era nem amante nem esposa. Era uma criança que ele retirara de uma cesta e que depositara na margem da sua cama. Ela havia adormecido. Ele se ajoelhara ao seu lado. Sua respiração febril se acelerava e ele ouviu um leve gemido. Encostou o rosto no dela e sussurrou palavras reconfortantes enquanto ela dormia. Alguns instantes depois, sua respiração se acalmou e seu rosto se levantou maquinalmente em direção ao dele. Sentiu nos lábios o cheiro um pouco acre da febre e o aspirou como se quisesse se impregnar da intimidade do corpo dela. Imaginou então que fazia muitos anos que ela estava na sua casa e que morria. De repente, pareceu-lhe evidente que não sobreviveria à morte dela. Deitou-se ao seu lado para morrer com ela. Movido por essa visão, enfiou o rosto no travesseiro, junto ao dela, e assim ficou por muito tempo.

Agora, Tomas está de pé à janela e relembra esse instante. O que se revelava assim, senão o amor?

Mas seria amor? Estava convencido de que queria morrer ao lado dela, e esse sentimento era claramente exagerado: ele a estava vendo então apenas pela segunda vez! Não seria mais a reação histérica de um homem que, compreendendo em seu foro íntimo a inaptidão para o amor, começa a representar para si próprio a comédia do amor? Ao mesmo tempo, seu subconsciente era tão covarde que ele escolhera para sua comédia essa modesta garçonete do interior que praticamente não tinha chance de entrar na vida dele.

Olhava os muros sujos do pátio e compreendia que não sabia se era histeria ou amor.

E, nessa situação em que um verdadeiro homem saberia agir imediatamente, ele se recriminava por hesitar e assim negar ao instante mais belo de sua vida (está de joelhos à cabeceira da moça, convencido de não poder sobreviver à morte dela) qualquer significação.

Torturava-se com recriminações, mas terminou por se persuadir de que no fundo era normal que não soubesse o que queria:

Nunca se pode saber o que se deve querer, pois só se tem uma vida e não se pode nem compará-la com as vidas anteriores nem corrigi-la nas vidas posteriores.

Seria melhor ficar com Tereza ou continuar sozinho?

Não existe meio de verificar qual é a decisão acertada, pois não existe termo de comparação. Tudo é vivido pela primeira vez e sem preparação. Como se um ator entrasse em cena sem nunca ter ensaiado. Mas o que pode valer a vida, se o primeiro ensaio da vida já é a própria vida? É isso que leva a vida a parecer sempre um esboço. No entanto, mesmo *esboço* não é a palavra certa, pois um esboço é sempre o projeto de alguma coisa, a preparação de um quadro, ao passo que o esboço que é a nossa vida não é o esboço de nada, é um esboço sem quadro.

Tomas repete para si mesmo o provérbio alemão: *einmal ist keinmal*, uma vez não conta, uma vez é nunca. Poder viver apenas uma vida é como não viver nunca.

4

Mas um dia, numa pausa entre duas cirurgias, uma enfermeira o avisou de que o chamavam ao telefone. Escutou a voz de Tereza no aparelho. Estava telefonando da estação. Ele ficou contente. Infelizmente, tinha um compromisso naquela noite, e só a convidou para ir à casa dele no dia seguinte. Depois de desligar, lamentou não lhe ter dito que viesse logo. Ainda havia tempo de desmarcar o compromisso! Ele tentava imaginar o que Tereza faria em Praga durante aquelas longas trinta e seis horas que faltavam para o encontro deles e teve vontade de pegar o carro e sair à sua procura pelas ruas da cidade.

Ela chegou na noite do dia seguinte. Usava uma bolsa a tiracolo com uma alça comprida, ele a achou mais elegante do que na última vez. Trazia um livro grosso na mão: *Anna Karenina* de Tolstói. Tinha maneiras joviais, até mesmo um pouco ruidosas, e se esforçava para lhe mostrar que estava passando inteiramente por acaso, graças a uma circunstância especial: fora a Praga por motivos profissionais, talvez (suas palavras eram muito vagas) em busca de um novo emprego.

Em seguida, viram-se deitados lado a lado no divã, nus e exaustos. Já era noite. Ele perguntou onde ela estava hospedada, ofereceu-se para levá-la de carro. Ela respondeu, embaraçada, que iria procurar um hotel e que tinha deixado a mala no guarda-volumes da estação.

Na véspera, ele temera que ela lhe oferecesse toda a sua vida se a convidasse para vir para a casa dele em Praga. Agora, ao ouvi-la contar que sua mala estava no guarda-volumes da estação, disse consigo mesmo que ela havia posto a vida naquela mala e a guardara na estação antes de oferecê-la a ele.

Entrou com ela no carro, estacionou diante do prédio, foi à estação, retirou a mala (era grande e infinitamente pesada) e a levou junto com Tereza para sua casa.

Como é que ele se decidira tão depressa, quando tinha hesitado durante quase quinze dias, sem lhe mandar nem mesmo um cartão-postal?

Ele próprio estava surpreso. Agia contra seus princípios. Dez anos antes, quando se divorciara da primeira mulher, viveu o divórcio numa atmosfera de alegria, como outros comemoram o casamento. Compreendeu então que não nascera para viver ao lado de uma mulher, fosse quem fosse, e que só poderia ser um celibatário. Esforçava-se, portanto, cuidadosamente para organizar seu sistema de vida de maneira tal que nenhuma mulher jamais viesse se instalar com uma mala na casa dele. Por isso, só tinha um divã. Ainda que o divã fosse largo, ele dizia às companheiras que era incapaz de adormecer com alguém na mesma cama e as levava sempre de volta para casa depois da meia-noite. Aliás, a primeira vez que Tereza ficou na sua casa com gripe, ele não dormiu com ela. Passou a primeira noite numa poltrona grande, e nas outras noites foi para o hospital; ali, em seu consultório, havia uma espreguiçadeira que utilizava nos plantões noturnos.

No entanto, dessa vez, adormeceu ao lado dela. De manhã, ao acordar, percebeu que Tereza, que ainda dormia, segurava sua mão. Teriam ficado de mãos dadas a noite inteira? Era difícil acreditar.

Ela respirava profundamente enquanto dormia, segurava sua mão (com força, ele não conseguia se desvencilhar do aperto) e a mala pesadíssima estava ao lado da cama.

Ele não ousava retirar a mão por medo de acordá-la, e se virou com muito cuidado para poder observá-la melhor.

Mais uma vez, ocorreu-lhe que Tereza era uma criança colocada numa cesta e abandonada ao sabor da corrente. Como deixar derivar pelas águas turbulentas de um rio a cesta que abriga uma criança? Se a filha do faraó não tivesse retirado das águas a cesta do pequeno Moisés, não teria havido o Velho Testamento e toda a nossa civilização! No começo de tantos mitos antigos, existe sempre alguém que salva uma criança abandonada. Se Pólibo não tivesse recolhido o pequeno Édipo, Sófocles não teria escrito sua mais bela tragédia!

Tomas não sabia então que as metáforas são uma coisa perigosa. Não se brinca com as metáforas. O amor pode nascer de uma simples metáfora.

5

Tomas vivera apenas dois anos com a primeira mulher e tivera um filho com ela. No julgamento do divórcio, o juiz confiou à mãe a guarda do filho, condenando Tomas a lhes pagar um terço de seu salário. Concedeu-lhe também o direito de ver o filho duas vezes por mês.

Mas cada vez que Tomas deveria ir vê-lo, a mãe desmarcava o encontro. Se lhes houvesse dado presentes suntuosos, com certeza poderia tê-lo visto mais facilmente. Compreendeu que devia pagar à mãe pelo amor do filho, e pagar antecipadamente. Ele se imaginava mais tarde querendo inculcar na cabeça do filho suas ideias, as quais eram diametralmente opostas às da mãe. Só de pensar nisso, já se sentia cansado. Um domingo em que a mãe mais uma vez o impediu no último minuto de sair com o filho, ele decidiu que nunca mais o veria.

Afinal, por que se prenderia a essa criança mais do que a qualquer outra? Não estavam ligados por nada, a não ser por uma noite imprudente. Depositaria escrupulosamente o dinheiro, mas que não viessem exigir dele que, em nome de vagos sentimentos paternos, brigasse por seus direitos de pai!

É óbvio que ninguém estava preparado para aceitar semelhante raciocínio. Os próprios pais de Tomas o reprovaram e declararam que se ele se recusava a se interessar pelo seu filho, eles também parariam de se interessar pelo deles. Continuavam, assim, a manter com a nora relações de uma cordialidade ostensiva, gabando-se aos amigos de sua atitude exemplar e de seu senso de justiça.

Em pouco tempo conseguiu, portanto, se livrar de uma esposa, de um filho, de uma mãe e de um pai. Só lhe restava de herança o medo das mulheres. Ele as desejava, mas tinha medo delas. Entre o medo e o desejo, era preciso encontrar um acordo; era o que ele chamava de "amizade erótica". Afirmava a suas amantes: só uma relação isenta de sentimentalismo, em que nenhum dos parceiros se arrogue direitos sobre a vida e a liberdade do outro, pode trazer felicidade para ambos.

Para ter certeza de que a amizade erótica jamais cede à agressividade do amor, só se encontrava com as amantes permanentes após longos intervalos. Achava esse método perfeito e o elogiava aos amigos: "É preciso observar a regra de três. Pode-se ver a mesma mulher a intervalos bem próximos, mas nunca mais de três vezes. Ou então pode-se vê-la durante longos anos, mas com a condição de deixar passar pelo menos três semanas entre cada encontro".

Esse sistema dava a Tomas a possibilidade de não romper com as amantes permanentes e de ter ao mesmo tempo muitas amantes efêmeras. Nem sempre era compreendido. De todas as suas amigas, era Sabina quem o compreendia melhor. Ela era pintora. Dizia: "Gosto muito de você, porque você é o contrário do kitsch. No reino do kitsch, você seria um monstro. Não existe roteiro de filme americano ou russo em que você pudesse ser algo além de um caso repugnante".

Foi, portanto, a Sabina que ele pediu que o ajudasse a encontrar trabalho para Tereza em Praga. Como exigiam as regras não escritas da amizade erótica, ela prometeu fazer o possível e, efetivamente, não demorou a arranjar um emprego para a moça no laboratório fotográfico de uma revista. O cargo não exigia qualificação específica, mas elevou o status de Tereza, que deixava de ser garçonete para trabalhar na imprensa. Sabina foi pessoalmente apresentá-la à redação, e Tomas disse consigo mesmo que nunca tivera melhor amiga.

6

A convenção não escrita da amizade erótica implicava que o amor fosse excluído da vida de Tomas. Se ele desrespeitasse essa condição, suas outras amantes se sentiriam imediatamente numa posição inferior e se revoltariam.

Sublocou, portanto, um estúdio para Tereza e sua pesada mala. Queria cuidar dela, protegê-la, alegrar-se com sua presença, mas não via necessidade alguma de mudar o próprio modo de vida. Assim, não queria que soubessem que ela dormia na casa dele. O sono compartilhado era o corpo de delito do amor.

Com as outras mulheres, ele nunca dormia. Quando ia vê-las em casa, era fácil, podia ir embora quando quisesse. Era mais delicado quando elas vinham à casa dele e ele tinha que lhes explicar que as levaria de volta depois da meia-noite pois sofria de insônia e não conseguia dormir com outra pessoa. Não estava longe da verdade, mas a razão principal era pior e não ousava confessá-la às companheiras: no instante que se seguia ao amor, sentia um desejo irresistível de ficar só. Achava desagradável acordar em plena noite ao lado de um ser estranho; repugnava-lhe o despertar matinal do casal; não tinha vontade de ser ouvido escovando os dentes no banheiro, nem o atraía a intimidade de um café da manhã a dois.

Por isso ficou tão surpreso quando, ao acordar, viu que Tereza segurava firmemente sua mão! Olhou para ela e custou a compreender o que estava acontecendo. Evocou as horas que tinham se passado e acreditou respirar o perfume de uma felicidade desconhecida.

Desde então, ambos se alegravam de antemão com o sono compartilhado. Eu diria mesmo que, para eles, o objetivo do ato sexual não era o prazer, mas o sono que lhe sucedia. Ela, sobretudo, não podia dormir sem ele. Se por acaso ficava sozinha em seu estúdio (o qual se tornava cada vez mais apenas um álibi), não conseguia pregar olho a noite toda. Nos braços dele, mesmo no auge da agitação, sempre se acalmava. Ele contava a meia-voz histórias que inventava para ela, bobagens, palavras tranquilizadoras ou engraçadas que repetia num tom monótono. Na cabeça de Tereza, essas palavras se transformavam em visões confusas que a conduziam ao primeiro sonho. Tomas tinha pleno poder sobre o sono da moça, que adormecia no momento que ele havia escolhido.

Quando dormiam, ela o segurava como na primeira noite: apertava-lhe firmemente o pulso, um dos dedos, ou o tornozelo. Quando Tomas queria se afastar sem acordá-la, tinha que usar de astúcia. Livrava o dedo (o pulso, o tornozelo) do seu aperto, o que sempre a despertava um pouco, pois ela o vigiava atentamente, mesmo dormindo. Para acalmá-la, punha-lhe na mão, no lugar de seu pulso, um objeto qualquer (um pijama enrolado, um chinelo, um livro) que ela em seguida apertava energicamente como se fosse uma parte de seu corpo.

Um dia em que acabara de fazê-la dormir e portanto ela estava na antecâmara do primeiro sono, de onde ainda podia responder às suas perguntas, ele lhe disse: "Bem! Agora, vou indo". "Para onde?", perguntou ela. "Vou sair", disse ele com voz severa. "Vou com você", disse ela levantando-se da cama. "Não, não quero. Vou para sempre", disse ele, saindo do quarto. Ela se levantou e o seguiu até a entrada, piscando. Estava de camisola curta, sem nada por baixo. Seu rosto permanecia imóvel, sem expressão, mas os movimentos eram enérgicos. Da entrada, ele passou para o corredor (o corredor comum do edifício) e fechou a porta na frente dela. Tereza a abriu com um gesto brusco e o seguiu, convencida no seu estado de sonolência de que ele queria partir para sempre e ela devia retê-lo. Ele desceu um andar, parou no patamar e ficou esperando por ela. Tereza foi ter com ele, segurou-o pela mão e o trouxe para junto de si, na cama.

Tomas dizia consigo mesmo: deitar-se com uma mulher e dormir com ela, eis duas paixões não apenas diferentes mas quase contraditórias. O amor não se manifesta pelo desejo de fazer amor (esse desejo se aplica a uma multidão inumerável de mulheres), mas pelo desejo do sono compartilhado (esse desejo diz respeito a uma só mulher).

7

No meio da noite, ela começou a gemer enquanto dormia. Tomas a acordou, mas ao ver seu rosto ela disse com raiva: "Vá embora! Vá embora!". Depois ela lhe contou o sonho: estavam em algum lugar com Sabina. Num quarto enorme. No meio dele havia uma cama, parecia o palco de um teatro. Tomas lhe ordenou que ficasse num canto enquanto fazia amor com Sabina. Ela olhava, e esse espetáculo lhe causava um sofrimento insuportável. Para sufocar a dor da alma com uma dor física, enfiou agulhas sob as unhas. "Senti uma dor atroz", disse ela, apertando os pulsos como se suas mãos tivessem sido realmente machucadas.

Ele a estreitou contra si e lentamente (ela não parava de tremer) ela adormeceu em seus braços.

No dia seguinte, pensando nesse sonho, ele se lembrou de uma coisa. Abriu a escrivaninha e tirou um pacote de cartas de Sabina. Um instante depois, deu com este trecho: "Gostaria de fazer amor com você no meu ateliê como se fosse no palco de um teatro. Haveria pessoas em torno e elas não teriam o direito de se aproximar. Mas não poderiam tirar os olhos de cima de nós...".

O pior era que a carta tinha data. Era uma carta recente, escrita numa época em que Tereza já morava com Tomas fazia muito tempo.

Censurou-a: "Você mexeu nas minhas cartas!".

Sem tentar negar, ela disse: "Mande-me embora então!".

Mas ele não mandou. Ele a via, ali, enfiando agulhas sob as unhas, encostada na parede do ateliê de Sabina. Pegou seus dedos, acariciou-os, levou-os aos lábios e os beijou como se neles houvesse vestígios de sangue.

Mas, a partir desse momento, tudo pareceu conspirar contra ele. Não se passava praticamente nenhum dia sem que ela descobrisse alguma coisa nova sobre suas aventuras clandestinas.

Primeiro, negava tudo. Quando as provas eram muito evidentes, tentava demonstrar que não havia nenhuma contradição entre sua vida polígama e seu amor por Tereza. Não era coerente: ora negava suas infidelidades, ora as justificava.

Um dia, telefonou a uma amiga para marcar um encontro. Quando desligou, ouviu um barulho estranho no quarto vizinho, como o de dentes tiritando.

Ela viera a sua casa por acaso e ele não sabia. Tinha um frasco de calmante na mão, bebia no gargalo e, como sua mão tremia, o vidro do frasco batia em seus dentes.

Lançou-se sobre ela como para salvá-la de um afogamento. O frasco de valeriana caiu fazendo uma grande mancha no tapete. Ela se debatia, querendo escapar, e ele a segurou durante quinze minutos como numa camisa de força, até que se acalmasse.

Ele sabia que se encontrava numa situação injustificável, já que fundada sobre uma desigualdade total:

Muito antes que ela descobrisse sua correspondência com Sabina, tinham ido juntos a um cabaré com alguns amigos. Comemoravam o novo emprego de Tereza. Ela havia deixado o laboratório de fotografia e se tornara fotógrafa da revista. Como ele não gostava de dançar, um de seus jovens colegas do hospital se encarregou de Tereza. Eles evoluíam magnificamente pela pista e Tereza parecia mais linda do que nunca. Ele estava estupefato de ver com que precisão e docilidade ela se antecipava uma fração de segundo à vontade de seu par. Essa dança parecia proclamar que sua dedicação, seu desejo ardente de satisfazer o que lia nos olhos de Tomas, não estavam necessariamente ligados à pessoa de Tomas, mas estavam prontos para responder ao apelo de qualquer homem que encontrasse em seu lugar. Não havia nada mais fácil do que imaginar Tereza e esse jovem colega como amantes. Era inclusive essa facilidade com que podia imaginá-los assim que o magoava. O corpo de Tereza era perfeitamente pensável num abraço amoroso com qualquer corpo masculino, e essa ideia o deixava de mau humor. Tarde da noite, quando voltaram, ele lhe revelou que estava com ciúme.

Esse ciúme absurdo, nascido de uma possibilidade de todo teórica, era a prova de que ele considerava a fidelidade dela uma condição sine qua non. Mas, então, como poderia ter raiva dela por causa do ciúme que ela sentia de suas amantes mais do que reais?

8

Durante o dia ela se esforçava (mas sem realmente conseguir) para acreditar no que Tomas dizia e para ficar alegre como sempre estivera até então. Mas o ciúme, domado durante o dia, manifestava-se ainda mais violentamente nos sonhos, que terminavam sempre por um gemido que ele não podia interromper sem acordá-la.

Os sonhos se repetiam como temas com variações ou como episódios de uma novela de televisão. Um sonho que voltava sempre, por exemplo, era o sonho dos gatos que lhe saltavam no rosto e enfiavam as garras em sua pele. Na verdade, esse sonho pode ser explicado facilmente: em tcheco, *gato* é gíria que significa "mulher bonita". Tereza se sentia ameaçada pelas mulheres, por todas as mulheres. Todas as mulheres eram, em potencial, amantes de Tomas, e Tereza tinha medo.

Num outro ciclo de sonhos, ela era conduzida à morte. Uma noite em que ele a acordou quando urrava de terror, ela lhe contou este sonho: "Era uma grande piscina coberta. Éramos mais ou menos vinte. Somente mulheres. Estávamos todas completamente nuas e tínhamos que andar bem devagar em suas bordas. Havia uma cesta suspensa do teto, com um homem dentro. Ele usava um chapéu de abas largas que lhe escondia o rosto, mas eu sabia que era você. Você nos dava ordens. Você gritava. Tínhamos que cantar enquanto desfilávamos e flexionar os joelhos. Quando uma mulher não conseguia dobrá-los, você lhe dava um tiro de revólver e ela caía morta dentro d'água. Nesse momento, todas as outras começavam a rir e se punham a cantar com mais força. E você não tirava os olhos de nós, e se uma de nós fazia um movimento em falso, você atirava. A piscina estava cheia de cadáveres boiando. E eu sabia que não teria mais forças para fazer minha próxima flexão e que você ia me matar!".

O terceiro ciclo de sonhos contava o que lhe aconteceria depois que morresse.

Ela estava deitada num carro fúnebre do tamanho de um caminhão de mudança. Em torno dela, só havia cadáveres de mulheres. Havia tantos que era preciso deixar a porta de trás aberta para que as pernas ficassem do lado de fora.

Tereza gritava: "Não estou morta! Estou com todos os meus sentidos!".

"Nós também estamos com todos os nossos sentidos", zombavam os cadáveres.

Eles tinham exatamente a mesma risada das mulheres vivas que, em outros tempos, divertiam-se em lhe dizer que ela ficaria com os dentes estragados, os ovários doentes e cheia de rugas, mas que era normal, porque elas também estavam com os dentes estragados, os ovários doentes e cheias de rugas. E agora, com a mesma risada, explicavam que ela estava morta e que essa era a ordem natural das coisas!

De repente, ela sentiu vontade de fazer xixi. Gritou: "Mas estou com vontade de fazer xixi! É a prova de que não estou morta!".

De novo, riram às gargalhadas: "É normal que você tenha vontade de fazer xixi! Você terá ainda por muito tempo essas sensações. É como as pessoas que tiveram a mão amputada, continuam a senti-la por muito tempo. Nós não temos mais urina, mas mesmo assim continuamos a sentir vontade de mijar".

Tereza se agarrou a Tomas na cama: "E elas todas me chamavam de 'você', como se me conhecessem há muito tempo, como se fossem minhas companheiras, e eu tinha medo de ser obrigada a ficar com elas para sempre!".

9

Todas as línguas derivadas do latim formam a palavra *compaixão* com o prefixo *com-* e a raiz *passio*, que originariamente significa "sofrimento". Em outras línguas, por exemplo em tcheco, em polonês, em alemão, em sueco, essa palavra se traduz por um substantivo formado com um prefixo equivalente seguido da palavra *sentimento* (em tcheco: *sou-cit*; em polonês: *wspol-czucie*; em alemão: *Mit-gefühl*; em sueco: *medkänsla*).

Nas línguas derivadas do latim a palavra *compaixão* significa que não se pode olhar o sofrimento do próximo com o coração frio; em outras palavras: sente-se simpatia por quem sofre. Uma outra palavra que tem mais ou menos o mesmo sentido, *piedade* (em inglês *pity*, em italiano *pietà* etc.), sugere até uma espécie de indulgência para com o ser que sofre. Ter piedade de uma mulher é se sentir mais favorecido do que ela, é se inclinar, abaixar-se até ela.

É por isso que a palavra *compaixão* em geral inspira desconfiança; designa um sentimento considerado de segunda ordem que não tem muito a ver com o amor. Amar alguém por compaixão não é amar de verdade.

Nas línguas que formam a palavra *compaixão* não com a raiz *passio*, "sofrimento", mas com o substantivo *sentimento*, a palavra é empregada mais ou menos no mesmo sentido, mas dificilmente se pode dizer que designa um sentimento mau ou medíocre. A força secreta de sua etimologia banha a palavra numa outra luz e lhe dá um sentido mais amplo: ter compaixão (co-sentimento) é poder viver com alguém sua infelicidade, mas é também sentir com esse alguém qualquer outra emoção: alegria, angústia, felicidade, dor. Essa compaixão (no sentido de *soucit*, *wspolczucie*, *Mitgefühl*, *medkänsla*) designa, portanto, a mais alta capacidade de imaginação afetiva, a arte da telepatia das emoções. Na hierarquia dos sentimentos, é o sentimento supremo.

Quando Tereza sonhava que enfiava agulhas sob as unhas, ela se traía, revelando assim a Tomas que mexia em suas gavetas às escondidas. Se alguma outra mulher tivesse feito isso com ele, nunca mais ele teria lhe dirigido a palavra. Como Tereza sabia disso, dizia: "Mande-me embora!". Ora, ele não somente não a mandou embora, como lhe tomou a mão e beijou a ponta de seus dedos, pois, naquele momento, ele próprio sentia a dor que ela experimentava sob as unhas, como se os nervos dos dedos de Tereza estivessem diretamente ligados ao cérebro dele.

Aquele que não possui o dom diabólico da compaixão (co-sentimento) só pode condenar friamente o comportamento de Tereza, pois a vida particular do outro é sagrada e não se abrem as gavetas onde ele guarda sua correspondência pessoal. Mas como a compaixão se tornara o destino (ou a maldição) de Tomas, parecia-lhe que era ele mesmo que tinha se ajoelhado em frente à gaveta de sua escrivaninha e que não conseguia tirar os olhos das frases escritas pela mão de Sabina. Compreendia Tereza, e não somente era incapaz de lhe querer mal, como a amava ainda mais.

10

Os gestos de Tereza se tornavam cada vez mais bruscos e incoerentes. Haviam se passado dois anos desde que descobrira as infidelidades de Tomas e tudo ia de mal a pior. Não havia saída.

Ele não podia pôr fim a suas amizades eróticas? Não. Isso o teria destruído. Não tinha força para controlar o apetite por outras mulheres. Além do mais, isso lhe parecia inútil. Ninguém melhor do que ele sabia que suas aventuras não representavam nenhum risco para Tereza. Por que se privar delas? Essa eventualidade lhe parecia tão absurda quanto deixar de ir a jogos de futebol.

Mas seria possível ainda falar de prazer? Assim que ele saía para encontrar uma de suas amantes, sentia aversão por ela e jurava a si próprio que aquela seria a última vez que a veria. Tinha a imagem de Tereza diante dos olhos, e precisava se embriagar depressa para não pensar mais nela. Desde que a conhecera, já não podia fazer amor com outras mulheres sem a ajuda do álcool! Mas o hálito impregnado de álcool era justamente o indício por meio do qual Tereza descobria ainda mais facilmente suas infidelidades.

Fora apanhado numa armadilha: mal ia visitá-las, perdia a vontade, mas se ficava um dia sem elas, logo telefonava para marcar um encontro.

Ainda era na casa de Sabina que se sentia melhor, pois sabia que ela era discreta e que não precisava ter medo de ser descoberto. No ateliê pairava como que uma lembrança de sua vida passada, sua vida idílica de solteiro.

Talvez nem ele mesmo se desse conta de como mudara: tinha medo de voltar tarde para casa porque Tereza o esperava. Certa vez, Sabina percebeu que ele olhava o relógio durante o ato de amor e que se esforçava para precipitar o fim.

Depois, num passo displicente, ela começou a passear nua pelo ateliê, postando-se em seguida com ar provocante diante de uma tela inacabada e olhando cheia de desejo na direção de Tomas, que enfiava as roupas, apressado.

Acabara de se vestir, mas conservava um pé descalço. Olhou em volta, depois ficou de quatro procurando alguma coisa debaixo da mesa.

Disse ela: "Quando olho para você, tenho a impressão de que está se confundindo com o eterno tema de meus quadros. O encontro de dois mundos. Uma dupla exposição. Por trás da silhueta de Tomas, o libertino, transparece o rosto inacreditável do romântico apaixonado. Ou então é o contrário: através da silhueta do Tristão, que só pensa em sua Tereza, percebe-se o belo universo traído do libertino".

Tomas se ergueu e ouviu distraidamente as palavras de Sabina:

"O que está procurando?", perguntou ela.

"Uma meia."

Ela revistou o quarto com ele, em seguida ele ficou de novo de quatro e recomeçou a procurar debaixo da mesa.

"Não há nenhuma meia aqui", disse Sabina. "Você não estava com ela quando chegou."

"Como, não estava com ela!", gritou Tomas, olhando o relógio. "Claro que não vim com uma meia só!"

"Não duvido nada! Você anda muito distraído ultimamente. Está sempre com pressa, olhando o relógio, não é de espantar que tenha se esquecido de calçar uma meia."

Já estava resolvido a calçar o sapato sem a meia.

"Está frio lá fora", disse Sabina. "Vou lhe emprestar uma meia!"

Estendeu-lhe uma meia branca rendada, comprida, que estava na última moda.

Ele sabia muito bem que era uma vingança. Ela escondera sua meia para puni-lo por ter olhado o relógio durante o amor. Com o frio que fazia, sua única alternativa foi se submeter. Voltou para casa com sua meia numa perna e na outra uma meia branca, de mulher, enrolada no tornozelo.

Sua situação não tinha saída: aos olhos das amantes estava marcado pelo estigma infamante de seu amor por Tereza, aos olhos de Tereza pelo estigma infamante de suas aventuras com as amantes.

11

Para aplacar seu sofrimento, casou-se com ela (puderam finalmente cancelar o contrato de sublocação, ela não morava mais no estúdio fazia muito tempo) e lhe deu um cachorrinho de presente.

A mãe era o são-bernardo de um colega de Tomas. O pai era o policial do vizinho. Ninguém queria os filhotes mestiços e seu colega estava com o coração partido diante da ideia de matá-los.

Tomas tinha que escolher entre os cãezinhos e sabia que os que não escolhesse iriam morrer. Estava na situação de um presidente da República quando tem quatro condenados à morte e só pode conceder o indulto a um deles. Finalmente, escolheu um dos cãezinhos, uma fêmea, com o corpo do policial e a cabeça parecida com a da mãe são-bernardo. Levou-o para Tereza. Ela segurou o bichinho, apertou-o de encontro aos seios, e o animal imediatamente fez xixi em sua blusa.

Em seguida, foi preciso escolher um nome. Tomas queria que se soubesse, só pelo nome, que era o cachorro de Tereza, e se lembrou do livro que ela trazia debaixo do braço no dia em que chegara a Praga sem avisar. Propôs que o cachorro se chamasse Tolstói.

"Não podemos chamá-lo de Tolstói", replicou Tereza, "porque é uma menina. Podemos chamá-la de Anna Karenina."

"Não podemos chamá-la de Anna Karenina, uma mulher jamais teria um focinho tão engraçado", disse Tomas. "Talvez Karenin. É isso, Karenin. Foi exatamente assim que sempre imaginei."

"Será que o fato de se chamar Karenin não vai perturbar sua sexualidade?"

"É possível", disse Tomas, "que uma cadela cujos donos chamam sempre por um nome de cão fique com tendências lésbicas."

O mais curioso é que a previsão de Tomas se realizou. De um modo geral, as cadelas se apegam mais ao dono que à dona, mas com Karenin acontecia o contrário. Resolveu se encantar com Tereza. Tomas lhe era grato por isso. Fazia festa na cabeça dela e dizia: "Você está certa, Karenin, é exatamente o que eu esperava de você. Como não consigo isso sozinho, você tem que me ajudar".

Mas, mesmo com a ajuda de Karenin, não conseguiu fazê-la feliz. Compreendeu isso cerca de dez dias depois da ocupação de seu país por tanques russos. Em agosto de 1968, o diretor de uma clínica de Zurique que Tomas conhecera durante um congresso internacional lhe telefonava de lá todos os dias. Temia por Tomas e lhe oferecia um cargo.

12

Se Tomas recusava sem hesitar a oferta do médico suíço, era por causa de Tereza. Supunha que ela não queria partir. Afinal, ela passou os sete primeiros dias da ocupação numa espécie de transe quase semelhante ao da felicidade. Estava na rua com uma máquina fotográfica e distribuía seus filmes aos jornalistas estrangeiros, que brigavam para obtê-los. Um dia em que se mostrou muito temerária e fotografou de perto um oficial que apontava o revólver para os manifestantes, foi presa e teve que passar a noite no quartel-general russo. Ameaçaram fuzilá-la, mas assim que foi posta em liberdade voltou às ruas para tirar fotos.

Assim, qual não foi a surpresa de Tomas quando ela lhe perguntou, no décimo dia da ocupação: "Diga a verdade, por que é que você não quer ir para a Suíça?".

"E por que eu iria?"

"Aqui, eles têm contas a ajustar com você."

"E com quem eles não têm?", replicou Tomas com um gesto resignado. "Mas diga-me: você poderia viver no exterior?"

"E por que não?"

"Depois de ter visto que você estava disposta a sacrificar a vida por este país, não sei como você poderia deixá-lo agora."

"Depois que Dubcek voltou, tudo está mudado", disse Tereza.

Era verdade: a euforia geral durara apenas os sete primeiros dias da ocupação. Os dirigentes tchecos haviam sido levados pelo exército russo como criminosos, ninguém sabia onde estavam, todos temiam por suas vidas, e o ódio pelos russos embriagava como uma bebida alcoólica. Era a festa inebriante do ódio. As cidades da Boêmia estavam cobertas de milhares de cartazes pintados à mão realçados com inscrições sarcásticas, epigramas, poemas e caricaturas de Brejnev e de seu exército, do qual todos zombavam como se fossem uma trupe de palhaços analfabetos. Mas nenhuma festa pode durar eternamente. Enquanto isso, os russos forçaram os dirigentes tchecos, que tinham sido sequestrados, a assinar um acordo em Moscou. Com o acordo Dubcek voltou a Praga e leu seu discurso pelo rádio. Seis dias de sequestro o haviam enfraquecido a tal ponto que ele mal podia falar, gaguejava e tomava fôlego, fazendo pausas intermináveis, que duravam até meio minuto, no meio das frases.

O acordo salvou o país do pior: das execuções e das deportações em massa para a Sibéria, temidas por todos. Mas uma coisa ficou clara logo em seguida: a Boêmia seria forçada a se curvar diante do conquistador. Ela iria eternamente gaguejar, vacilar, tomar fôlego como Alexander Dubcek. A festa terminara. Entrava-se no cotidiano da humilhação.

Tereza explicou tudo isso a Tomas, e ele sabia que era verdade mas que sob essa verdade se ocultava ainda uma outra razão, mais fundamental, que levava Tereza a querer deixar Praga: aí ela era infeliz.

Vivera os mais belos dias de sua vida quando fotografara os soldados russos nas ruas de Praga, expondo-se ao perigo. Foram os únicos dias em que a novela de seus sonhos havia se interrompido e em que suas noites tinham sido tranquilas. Com seus tanques, os russos lhe trouxeram a serenidade. Agora que a festa terminara, tinha de novo medo de suas noites e queria fugir delas. Descobrira que existiam circunstâncias em que podia se sentir forte e satisfeita, e desejava partir para o exterior na esperança de reencontrar circunstâncias análogas.

"Você não se importa que Sabina tenha emigrado para a Suíça?", perguntou Tomas.

"Genebra não é Zurique", disse Tereza. "Lá ela certamente me incomodará menos do que me incomodava em Praga."

Aquele que quer deixar o lugar onde vive não está feliz. O desejo de Tereza de emigrar soou como uma sentença para Tomas. Submeteu-se, e um pouco mais tarde estava com Tereza e Karenin na maior cidade da Suíça.

13

Comprou uma cama para pôr num apartamento vazio (não tinham ainda como comprar outros móveis) e se atirou ao trabalho com o frenesi de um homem que começa vida nova depois dos quarenta anos.

Telefonou para Sabina em Genebra diversas vezes. Por sorte, ela tivera um vernissage nessa cidade oito dias antes da invasão russa e os apreciadores suíços de pintura, levados pela onda de simpatia por seu pequeno país, haviam comprado todos os quadros dela.

"Graças aos russos, fiquei rica!", disse ela às gargalhadas no telefone, e convidou Tomas para ir a sua casa, seu novo ateliê, que, garantiu, não era nada diferente daquele que Tomas conhecera em Praga.

Ele gostaria de ter ido vê-la, mas não encontrava nenhum pretexto para explicar essa viagem a Tereza. Assim, foi Sabina que veio a Zurique. Hospedou-se num hotel. Tomas foi vê-la depois do trabalho, fez-se anunciar pela recepção e foi para o quarto dela. Ela abriu a porta e se plantou diante dele sobre suas belas pernas compridas, apenas de calcinha e sutiã. Tinha um chapéu-coco no alto da cabeça. Ficou olhando para Tomas demoradamente, sem se mexer, e sem dizer nada. Tomas também permaneceu imóvel, em silêncio. Depois, percebeu que estava muito emocionado. Tirou-lhe o chapéu da cabeça e o colocou na mesinha de cabeceira. Fizeram amor sem dizer uma só palavra.

Voltando do hotel para o apartamento de Zurique (mobiliado fazia muito tempo com uma mesa, cadeiras, poltronas e um tapete), ele dizia consigo mesmo, com um sentimento de felicidade, que carregava seu modo de viver como um caracol carrega sua casa. Tereza e Sabina representavam os dois polos de sua vida, polos distantes, inconciliáveis, mas ambos belos.

Mas como ele carregava consigo por toda parte seu sistema de vida, tal qual um apêndice de seu corpo, Tereza tinha sempre os mesmos sonhos.

Estavam em Zurique havia seis ou sete meses quando uma noite em que voltou tarde encontrou uma carta em cima da mesa. Ela lhe anunciava que tinha voltado a Praga. Fora embora porque não sentia forças para viver no exterior. Sabia que ali deveria ser um apoio para Tomas e sabia também que era incapaz disso. Acreditara ingenuamente que a vida no exterior iria transformá-la. Havia imaginado que depois do que vivera durante os dias da invasão não seria mais mesquinha, que se tornaria adulta, sensata, corajosa, mas se superestimara. Ela era um peso para ele e era justamente isso que não queria ser. Queria evitar as consequências disso antes que fosse tarde demais. E lhe pedia desculpas por ter levado Karenin com ela.

Ele tomou soníferos muito fortes mas só adormeceu de madrugada. Felizmente era um sábado e podia ficar em casa. Pela centésima vez, recapitulou toda a situação: as fronteiras entre a Boêmia e o resto do mundo já não estavam abertas como na época em que tinham partido. Nem telegramas nem telefonemas poderiam trazer Tereza de volta. As autoridades não a deixariam mais sair. Custava a acreditar, mas a partida de Tereza era definitiva.

14

A ideia de que não podia fazer absolutamente nada o deixava mergulhado num estado de estupor, mas ao mesmo tempo o tranquilizava. Ninguém o obrigava a tomar uma decisão. Não tinha necessidade de fixar os olhos na parede do prédio defronte e ficar se indagando se queria ou não queria viver com ela. Tereza tinha decidido tudo por si mesma.

Foi almoçar num restaurante. Sentia-se triste, mas durante a refeição o desespero inicial diminuiu, como se tivesse perdido o vigor e só restasse a melancolia. Deu uma olhada para trás, para os anos passados com ela, e disse consigo mesmo que o caso deles não poderia ter terminado melhor. Se fosse inventado, não teria sido possível concluí-lo de outro modo:

Um dia, Tereza chegou a sua casa sem avisar. Um dia, partiu da mesma maneira. Chegara com uma mala pesada. Com uma mala pesada partira.

Pagou a conta, saiu do restaurante e foi dar uma volta pelas ruas, cheio de uma melancolia cada vez mais radiosa. Tinha atrás de si sete anos de vida com Tereza e agora constatava que esses anos eram mais belos na lembrança do que no momento em que foram vividos.

O amor entre ele e Tereza certamente era belo, mas também cansativo: era preciso sempre esconder alguma coisa, dissimular, fingir, retificar o que dizia, levantar-lhe o moral, consolá-la, provar continuamente que a amava, suportar as reprovações de seu ciúme, de seu sofrimento, de seus sonhos, sentir-se culpado, justificar-se e se desculpar. Agora, o cansaço tinha desaparecido e só restara a beleza.

A noite de sábado começava; pela primeira vez passeava sozinho em Zurique e aspirava profundamente o perfume da liberdade. A aventura o espreitava em cada esquina. O futuro se tornava de novo um mistério. Ele voltava à vida de solteiro, essa vida que antigamente estava certo de ser o seu destino pois era a única em que poderia ser tal qual era realmente.

Vivera acorrentado a Tereza durante sete anos e ela havia seguido com o olhar todos os seus passos. Era como se ela tivesse prendido bolas de ferro nos tornozelos dele. Agora, subitamente seu passo estava mais leve. Ele quase planava. Encontrava-se no espaço mágico de Parmênides: saboreava a doce leveza do ser.

(Tinha vontade de telefonar para Sabina em Genebra, de entrar em contato com uma das mulheres de Zurique que conhecera nos últimos meses? Não, não tinha a menor vontade. Sabia que no momento em que se encontrasse com outra mulher, a lembrança de Tereza lhe causaria uma dor insuportável.)

15

Esse estranho encantamento melancólico durou até domingo à noite. Na segunda-feira tudo mudou. Tereza irrompeu no seu pensamento: sentia o que se passara com ela ao escrever a carta de adeus; sentia como as mãos dela tremiam; podia vê-la carregando numa das mãos a mala pesada e na outra a guia de Karenin; imaginava-a girando a chave na fechadura do apartamento de Praga e sentia em seu próprio coração a desolação que lhe aflorou ao rosto quando abriu a porta.

Durante esses dois belos dias de melancolia, sua compaixão (essa maldição da telepatia sentimental) tinha repousado.

A compaixão dormia como um mineiro dorme no domingo depois de uma semana de dura labuta para poder voltar a trabalhar no fundo da mina na segunda-feira.

Tomas examinava um doente e era Tereza que ele via em seu lugar. Chamava-se à razão: Não pense nisso! Não pense nisso! Dizia para si mesmo: Estou doente de compaixão e é por isso que é bom que ela tenha partido e que nunca mais torne a vê-la. Não é dela que tenho que me libertar, mas da minha compaixão, dessa doença que eu não conhecia antigamente e cujo bacilo ela inoculou em mim!

No sábado e no domingo Tomas tinha sentido a doce leveza do ser chegar até ele vinda da profundeza do futuro. Na segunda-feira, sentiu-se oprimido por um peso que jamais conhecera. Todas as toneladas de ferro dos tanques russos não eram nada comparadas com esse peso. Não existe nada mais pesado que a compaixão. Mesmo nossa própria dor não é tão pesada quanto a dor co-sentida com outro, por outro, no lugar de outro, multiplicada pela imaginação, prolongada por centenas de ecos.

Ele se autocensurava, intimava-se a não ceder à compaixão, e a compaixão o escutava, baixando a cabeça como um culpado. A compaixão sabia que ela abusava de seus direitos mas se obstinava discretamente, o que levou Tomas, cinco dias após a partida de Tereza, a anunciar ao diretor da clínica (aquele mesmo que telefonara todos os dias para Praga após a invasão russa) que tinha que voltar imediatamente. Estava envergonhado. Sabia que o diretor acharia sua conduta irresponsável e imperdoável. Mil vezes teve vontade de contar tudo a ele, de lhe falar de Tereza e da carta que ela deixara em cima da mesa. Mas não fez nada disso. Um médico suíço só teria podido ver na maneira de agir de Tereza um comportamento histérico e desagradável. E Tomas não queria que pensassem mal de Tereza.

O diretor ficou realmente ofendido.

Tomas levantou os ombros e disse: "Es muß sein. Es muß sein".

Era uma alusão. O último movimento do último quarteto de Beethoven é composto sobre estes dois motivos:

Grave

Muß es sein?
(Tem que ser assim?)

Allegro

Es muß sein!   *Es muß sein!*
(Tem que ser assim!)   (Tem que ser assim!)

Para que o sentido dessas palavras ficasse absolutamente claro, Beethoven escreveu antes do último movimento as palavras: "Der schwer gefaßte Entschluß" — a decisão gravemente pesada.

A alusão a Beethoven era para Tomas um meio de voltar a Tereza, pois fora ela quem o forçara a comprar os discos dos quartetos e das sonatas de Beethoven.

Essa alusão era, aliás, mais oportuna do que ele imaginava, pois o diretor era melômano. Com um sorriso sereno, disse suavemente, imitando o som da melodia de Beethoven: "Muß es sein? Tem que ser assim?".

Tomas disse mais uma vez: "Sim, tem que ser assim! Ja, es muß sein!".

16

Ao contrário de Parmênides, Beethoven parecia considerar o peso como algo positivo. "Der schwer gefaßte Entschluss", a decisão gravemente pesada está associada à voz do Destino ("Es muß sein!"); o peso, a necessidade e o valor são três noções intrinsecamente ligadas: só é grave aquilo que é necessário, só tem valor aquilo que pesa.

Essa convicção nasce da música de Beethoven e embora seja possível (se não provável) que ela seja mais da responsabilidade dos exegetas de Beethoven que do próprio compositor, todos nós a compartilhamos mais ou menos hoje em dia: para nós, o que faz a grandeza do homem é ele *carregar* seu destino como Atlas carregava nos ombros a abóbada celeste. O herói de Beethoven é um halterofilista que levanta pesos metafísicos.

Tomas se dirigia para a fronteira suíça e imagino que Beethoven em pessoa, triste e cabeludo, regia a banda do corpo de bombeiros local, que tocava para suas despedidas na fronteira uma marcha intitulada "Es muß sein!".

Mais tarde, depois de ter cruzado a fronteira tcheca, encontrou-se cara a cara com uma coluna de tanques russos. Foi obrigado a parar o carro num cruzamento e esperar cerca de meia hora até que passassem. Um tenebroso tripulante dos tanques, vestido de preto, postara-se no cruzamento e dirigia o tráfego como se todas as estradas da Boêmia pertencessem somente a ele.

"Es muß sein! Tem que ser assim", Tomas repetia para si mesmo, mas logo começou a ter dúvidas: teria mesmo que ser assim?

Sim, teria sido insuportável ficar em Zurique e imaginar Tereza sozinha em Praga.

Mas quanto tempo ficaria atormentado pela compaixão? Toda a vida? Um ano inteiro? Um mês? Ou só uma semana?

Como podia saber? Como podia verificar?

Em trabalhos práticos de física, qualquer aluno pode fazer experimentos para verificar a exatidão de uma hipótese científica. Mas o homem, por ter apenas uma vida, não tem nenhuma possibilidade de verificar a hipótese por meio de experimentos, por isso não saberá nunca se errou ou acertou ao obedecer a seu sentimento.

Estava nesse ponto de suas reflexões quando abriu a porta do apartamento. Karenin lhe saltou no rosto, o que facilitou o momento do reencontro. O desejo de se jogar nos braços de Tereza (desejo que ainda sentia ao entrar no carro em Zurique) desaparecera por completo. Estavam um diante do outro no meio de uma planície coberta de neve e os dois tremiam de frio.

17

Desde o primeiro dia da ocupação, os aviões russos voavam a noite toda no céu de Praga. Tomas se desacostumara desse barulho e não conseguia adormecer.

Virava-se de um lado para outro junto de Tereza, que dormia, e pensava no que ela lhe dissera alguns anos antes durante uma conversa insignificante. Falavam de seu amigo Z. e ela declarou: "Se não o tivesse encontrado, certamente teria me apaixonado por ele".

Já nessa época, essas palavras haviam mergulhado Tomas numa estranha melancolia. Na realidade, ele compreendeu subitamente que fora por acaso que Tereza se apaixonara por ele e não por seu amigo Z. Que, fora do seu amor consumado por Tomas, havia no reino das possibilidades um número infinito de amores não consumados por outros homens.

Todos acreditamos que é impensável que o amor de nossa vida possa ser uma coisa leve, uma coisa que não pese nada;

achamos que nosso amor é o que devia ser; que sem ele nossa vida não seria nossa vida. Convencemo-nos de que Beethoven em pessoa, triste e de cabelos revoltos, toca seu "Es muß sein!" para nosso grande amor.

Tomas se lembrou do comentário de Tereza sobre seu amigo Z., e constatou que a história de amor de sua vida não repousava no "Es muß sein!", mas antes em "Es könnte auch anders sein": isso poderia muito bem ter acontecido de outra maneira...

Sete anos antes, um caso difícil de meningite surgira *por acaso* no hospital da cidade onde Tereza morava, e o chefe do departamento em que Tomas trabalhava havia sido chamado com urgência para cuidar do caso. Mas, *por acaso*, o chefe do departamento estava com ciática, impossibilitado de se mexer, e mandou Tomas em seu lugar àquele hospital do interior. Havia cinco hotéis na cidade, mas Tomas se hospedou *por acaso* no hotel em que Tereza trabalhava. *Por acaso*, tinha um momento disponível antes da partida do trem e foi sentar no restaurante. *Por acaso* Tereza estava trabalhando e *por acaso* servia a mesa de Tomas. Foram necessários seis acasos para levar Tomas até Tereza, como se, por conta própria, nada o tivesse conduzido até ela.

Voltou para a Boêmia por causa dela. Uma decisão assim fatal repousava num amor tão fortuito que nem sequer teria existido se o chefe do departamento não tivesse tido uma ciática sete anos antes. E aquela mulher, aquela encarnação do acaso absoluto, estava agora deitada a seu lado, respirando profundamente enquanto dormia.

Era muito tarde. Tomas sentia que começava a lhe doer o estômago, como acontecia em momentos de angústia.

A respiração de Tereza mudou uma ou duas vezes para um ronco suave. Tomas já não experimentava a menor compaixão. Só sentia uma coisa: uma pressão na boca do estômago e o desespero de ter voltado.

Segunda parte
A ALMA E O CORPO

1

Seria tolice do autor afirmar ao leitor que seus personagens realmente existiram. Não nasceram de um corpo materno, mas de algumas frases evocativas ou de uma situação-chave. Tomas nasceu da frase *einmal ist keinmal*. Tereza nasceu de borborigmos.

A primeira vez que ela atravessou a soleira do apartamento de Tomas, suas entranhas foram tomadas por ruídos. Não é de espantar, ela não tinha almoçado nem jantado, contentando-se no final da manhã com um sanduíche comido na estação antes de subir no trem. Totalmente entregue à ideia de sua audaciosa viagem esqueceu de comer. Mas quando não cuidamos do corpo, tornamo-nos mais facilmente vítimas dele. Que suplício ouvir seu ventre tomar a palavra no momento em que se achava face a face com Tomas! Estava à beira das lágrimas. Passados dez segundos, felizmente, Tomas a abraçou, e ela pôde esquecer as vozes de seu ventre.

2

Tereza nasceu, portanto, de uma situação que revela brutalmente a inconciliável dualidade entre o corpo e a alma, essa fundamental experiência humana.

Outrora, o homem ouvia com assombro o som de batidas regulares que vinham do fundo de seu peito e se perguntava o que seria aquilo. Não podia se identificar com uma coisa tão estranha e desconhecida como o corpo. O corpo era uma gaiola e, dentro dela, uma coisa qualquer olhava, escutava, tinha medo, pensava e se espantava; essa coisa qualquer, essa sobra que subsistia, deduzido o corpo, era a alma.

Hoje, é claro, o corpo deixou de ser um mistério: sabemos que o que bate no peito é o coração, que o nariz nada mais é que a extremidade de um tubo que sai do corpo para levar oxigênio aos pulmões. O rosto nada mais é que o painel em que terminam todos os mecanismos físicos: a digestão, a visão, a audição, a respiração, a reflexão.

Depois que o homem conseguiu nomear todas as partes do corpo, o corpo o inquieta menos. Atualmente, cada um de nós sabe que a alma nada mais é que a atividade da matéria cinzenta do cérebro. A dualidade entre a alma e o corpo foi dissimulada por termos científicos e, hoje, não passa de um preconceito fora de moda que só nos faz rir.

Mas basta amar loucamente e ouvir o ruído dos intestinos para que a unidade da alma e do corpo, ilusão lírica da era científica, imediatamente se dissipe.

3

Ela tentava se ver através do próprio corpo. Por isso, passava longos momentos diante do espelho. E como temia ser surpreendida pela mãe, esses olhares traziam a marca de um vício secreto.

Não era a vaidade que a atraía para o espelho, mas o espanto de se descobrir nele. Esquecia que tinha diante dos olhos o painel dos mecanismos corporais. Acreditava ver sua alma se revelando para ela sob os traços do rosto. Esquecia que o nariz é a extremidade de um tubo que leva ar aos pulmões. Via nele a expressão fiel de sua natureza.

Contemplava-se demoradamente, e o que a contrariava às vezes era encontrar em seu rosto alguns traços da mãe. Então, olhava-se mais obstinadamente e dirigia sua vontade para se abstrair da fisionomia materna, fazer dela tábua rasa e só deixar subsistir em seu rosto aquilo que era ela mesma. Quando conseguia, era um momento inebriante: a alma subia à superfície do corpo, semelhante à tripulação que se lança do ventre do navio e invade o convés agitando os braços e cantando em direção ao céu.

4

Não só ela se parecia fisicamente com a mãe, mas tenho às vezes a impressão de que sua vida foi um mero prolongamento da vida da mãe, do mesmo modo que a trajetória de uma bola de bilhar é o prolongamento do gesto executado pelo braço do jogador.

Onde e quando tinha nascido esse gesto que, mais tarde, se metamorfoseou na vida de Tereza?

Sem dúvida no momento em que um comerciante de Praga elogiou pela primeira vez a beleza de sua filha, a mãe de Tereza. A mãe tinha então três ou quatro anos e ele lhe dizia que ela parecia a madona de Rafael. Ela nunca mais se esqueceu disso e, mais tarde, nos bancos do colégio, em vez de escutar o professor, ficava imaginando com que quadro podia parecer.

Quando chegou a época dos pedidos de casamento, teve nove pretendentes. Todos se ajoelhavam em círculo à sua volta. Ela ficava no meio como uma princesa e não sabia qual escolher: o primeiro era mais bonito, o segundo mais espirituoso, o terceiro mais rico, o quarto mais esportivo, o quinto de uma família melhor, o sexto lhe recitava versos, o sétimo viajara pelo mundo inteiro, o oitavo tocava violino e o nono era o mais viril dos homens. Mas todos se ajoelhavam da mesma maneira e todos tinham a mesma bolha nos joelhos.

Escolheu finalmente o nono, não porque fosse o mais viril, e sim porque na hora em que ela lhe sussurrava ao ouvido: "Tome cuidado! Muito cuidado!" quando estavam fazendo amor, ele, de propósito, não tomava cuidado, por isso ela teve que se apressar em escolhê-lo para marido, pois não encontrou a tempo um médico para lhe fazer um aborto. Assim nasceu Tereza. A família inumerável vinha de todos os cantos do país, debruçava-se sobre o berço e ceceava. A mãe de Tereza não ceceava. Ela calava. Pensava nos outros oito pretendentes e os achava todos muito melhores que o nono.

Como a filha, a mãe de Tereza gostava muito de se olhar no espelho. Um dia, notou rugas em volta dos olhos, e disse a si mesma que seu casamento tinha sido um erro. Encontrou um homem nada viril que tinha no seu passado várias trapaças e dois divórcios. Detestava os amantes com joelhos cobertos de bolhas. Tinha uma vontade furiosa de se ajoelhar. Caiu de joelhos diante do vigarista e largou o marido e Tereza.

O mais viril dos homens se tornou o mais triste dos homens. Estava tão triste que tudo lhe era indiferente. Dizia em qualquer parte e alto e bom som tudo o que pensava, e a polícia comunista, cansada de seus comentários inconvenientes, interrogou-o, condenou-o e o levou preso. Expulsa do apartamento lacrado pela justiça, Tereza foi para a casa da mãe.

Depois de algum tempo, o mais triste dos homens morreu na prisão, e a mãe, seguida de Tereza, partiu com o vigarista, instalando-se numa cidadezinha ao pé das montanhas. O padrasto era empregado de escritório, a mãe era balconista. Ela teve mais três filhos. Depois, num dia em que se olhava mais uma vez no espelho, percebeu que estava velha e feia.

5

Quando constatou que havia perdido tudo, procurou um culpado. Culpado, todo mundo era: culpado o primeiro marido, viril e mal amado, que não lhe dera ouvidos quando ela lhe sussurrava que tomasse cuidado; culpado o segundo marido, pouco viril e muito amado, que a carregara para longe de Praga, para uma cidadezinha do interior, e corria atrás de qualquer rabo de saia, por isso ela nunca deixava de ter ciúme. Diante desses dois maridos, ela estivera desarmada. O único ser humano que lhe pertencia e não podia lhe escapar, a refém que podia pagar por todos os outros, era Tereza.

Aliás, talvez fosse verdade que ela era a responsável pelo destino da mãe. Ela: o absurdo encontro de um espermatozoide do mais viril dos homens com um óvulo da mais bela das mulheres. Nesse segundo fatídico chamado Tereza, mamãe começara a maratona de sua vida desperdiçada.

Ela explicava incansavelmente a Tereza que ser mãe é sacrificar tudo. Suas palavras eram convincentes porque expressavam a experiência de uma mulher que havia perdido tudo por causa do filho. Tereza escutava e acreditava que o mais alto valor da vida era a maternidade, e que a maternidade era um grande sacrifício. Se a maternidade é o próprio Sacrifício, ser filha é a Culpa que jamais poderá ser resgatada.

6

Tereza, é claro, ignorava o episódio da noite em que a mãe havia sussurrado ao ouvido do mais viril dos homens que tomasse cuidado. A culpabilidade que ela sentia era indefinível como o pecado original. Fazia tudo para expiá-la. Como a mãe a tirara do colégio, ela trabalhava como garçonete desde os quinze anos, e tudo o que ganhava entregava à mãe. Estava disposta a tudo para merecer seu amor. Tomava conta da casa, cuidava dos irmãos e irmãs, passava o domingo inteiro esfregando e lavando. Uma pena, pois no colégio era a aluna mais talentosa da turma. Queria se elevar, mas onde fazê-lo naquela cidadezinha? Lavava roupa com um livro ao lado no tanque. Virava as páginas e o livro ficava coberto de gotas d'água.

Em casa, não existia pudor. Sua mãe ia e vinha no apartamento em roupas de baixo, às vezes sem sutiã, às vezes, nos dias de verão, completamente nua. O padrasto não andava nu, mas só ia ao banheiro quando sabia que Tereza estava no banho. No dia em que ela resolveu trancar a porta, a mãe fez uma cena: "Por que você se trancou? Quem você pensa que é? Ele não vai arrancar pedaços da sua beleza!".

(Essa situação mostra claramente que o ódio da mãe pela filha era mais forte que o ciúme que o marido lhe inspirava. A culpa da filha era infinita, englobava até as infidelidades do marido. A filha querer se emancipar e ousar reivindicar direitos — como o de se trancar no banheiro — era muito mais inaceitável para a mãe do que uma possível intenção sexual do marido para com Tereza.)

Um dia de inverno, a mãe andava nua no quarto com a luz acesa. Tereza correu para abaixar a veneziana, para que a mãe não pudesse ser vista do prédio defronte. Ouviu-a rir atrás de si. No dia seguinte, algumas amigas foram visitar sua mãe. Uma vizinha, uma colega da loja, uma professora do bairro e duas ou três mulheres que se reuniam regularmente. Tereza veio ficar um pouco com elas, acompanhada do filho de uma das senhoras, um rapaz de dezesseis anos. A mãe imediatamente aproveitou para contar como Tereza quisera proteger seu pudor. Ela ria, e todas as mulheres a imitavam. Depois, a mãe disse: "Tereza não quer admitir que o corpo humano possa mijar e peidar". Tereza ficou vermelha, mas sua mãe prosseguiu: "Que mal há nisso?". E imediatamente, respondendo ela mesma à pergunta, deu sonoros peidos. Todas as mulheres riram.

7

A mãe assoa estrepitosamente o nariz, conta às pessoas detalhes de sua vida sexual, exibe a dentadura. Sabe deslocá-la com um movimento de língua surpreendentemente ágil, deixando o maxilar superior cair sobre os dentes de baixo num largo sorriso; seu rosto de repente provoca arrepios.

Todo o comportamento dela é um gesto brusco com que ela renega sua juventude e sua beleza. Na época em que os nove pretendentes se ajoelhavam em círculo à sua volta, ela tomava um cuidado escrupuloso com sua nudez. Era com base no seu pudor que calculava o preço do próprio corpo. Se é despudorada agora, ela o é radicalmente como se quisesse, com esse despudor, riscar solenemente sua vida passada e gritar bem alto que a juventude e a beleza, que ela superestimara, não têm de fato nenhum valor.

Tereza me parece o prolongamento desse gesto com que a mãe se despede de sua vida de mulher bonita.

(E se a própria Tereza tem atitudes nervosas, se falta a seus gestos uma graciosa lentidão, não é de espantar: esse grande gesto de sua mãe, autodestruidor e violento, é ela, é Tereza.)

8

A mãe reclama justiça para si e quer que o culpado seja punido. Insiste para que a filha fique com ela no mundo do despudor, onde a juventude e a beleza não significam nada, onde o universo é apenas um gigantesco campo de concentração de corpos que se assemelham e cujas almas são invisíveis.

Agora, podemos compreender melhor o sentido do vício secreto de Tereza, de seus longos e repetidos olhares para o espelho. Era um combate com sua mãe. Era o desejo de não ser um corpo como os outros corpos, mas de ver na superfície de seu rosto a tripulação da alma surgir do ventre do navio. Não era fácil, porque a alma, triste, medrosa, assustada, escondia-se no fundo das entranhas de Tereza e tinha vergonha de se mostrar.

Foi assim no dia em que viu Tomas pela primeira vez. Ela se esgueirava por entre os bêbados no restaurante, seu corpo se vergava sob o peso das canecas de cerveja que levava numa bandeja, enquanto a alma estava na boca do estômago ou no pâncreas. Naquele momento, ouviu Tomas chamá-la. O chamado era importante, pois vinha de alguém que não conhecia nem sua mãe nem os bêbados de quem ela ouvia todo dia comentários obscenos e nada originais. Sua condição de desconhecido o elevava acima dos outros.

E mais uma coisa: havia um livro aberto sobre a mesa. Naquele café, ninguém jamais abrira um livro sobre a mesa. Para Tereza, o livro era o sinal de reconhecimento de uma irmandade secreta. De fato, contra o mundo de grosseria que a cercava, tinha uma só arma: os livros que tomava emprestados na biblioteca municipal; sobretudo os romances: lia-os em quantidade, de Fielding a Thomas Mann. Eles lhe ofereciam uma chance de evasão imaginária, arrancando-a de uma vida que não lhe trazia nenhuma satisfação, mas tinham também para ela um sentido como objetos: gostava de passear na rua com livros debaixo do braço. Eram para ela o que a elegante bengala era para um dândi do século passado. Eles a distinguiam das outras.

(A comparação entre o livro e a elegante bengala do dândi não é de todo exata. A bengala era o sinal distintivo do dândi, mas também fazia dele um personagem moderno e na moda. O livro distinguia Tereza das outras moças, mas fazia dela um ser fora de moda. É claro que ela era ainda muito jovem para poder captar o que havia de ultrapassado em sua pessoa. Achava idiotas os adolescentes que passavam por ela com rádios barulhentos. Não percebia que eram modernos.)

Portanto, o homem que acabava de chamá-la era ao mesmo tempo desconhecido e membro de uma irmandade secreta. Falava num tom cortês, e Tereza sentiu sua alma se projetar por todas as veias, todos os vasos capilares e todos os poros para ser vista por ele.

9

Durante a viagem de volta de Zurique a Praga, Tomas se sentiu mal diante da ideia de que seu encontro com Tereza tivesse sido o resultado de seis acasos improváveis.

Mas, muito pelo contrário, será que um acontecimento não se torna mais importante e carregado de significação se depende de um número maior de acasos?

Só o acaso pode nos parecer uma mensagem. Aquilo que acontece por necessidade, aquilo que é esperado e se repete cotidianamente é coisa muda apenas. Somente o acaso tem voz. Tenta-se ler no acaso como as ciganas leem no fundo de uma xícara os desenhos deixados pela borra do café.

A presença de Tomas no restaurante foi para Tereza a manifestação do acaso absoluto. Estava sozinho a uma mesa diante de um livro aberto. Levantou os olhos para ela e sorriu: "Um conhaque!".

Naquele momento, o rádio tocava uma música. Tereza foi buscar um conhaque no balcão e girou o botão do aparelho para aumentar o volume. Havia reconhecido Beethoven. Conhecia-o desde que um quarteto de Praga tinha vindo se apresentar na cidadezinha. Tereza (como sabemos, ela pretendia "elevar-se") foi ao concerto. A sala estava vazia. Viu-se sozinha com o farmacêutico e sua esposa. Havia, portanto, um quarteto de músicos no palco e um trio de ouvintes na sala, mas os músicos tiveram a gentileza de não cancelar o concerto e de tocar só para eles durante uma noite inteira os três últimos quartetos de Beethoven.

Em seguida o farmacêutico convidou os músicos para jantar e chamou a ouvinte desconhecida para se juntar a eles. Daquele dia em diante, Beethoven se tornou para ela a imagem do mundo "do outro lado", a imagem do mundo a que aspirava. Agora, enquanto voltava do balcão com um conhaque para Tomas, esforçava-se para ler nesse acaso: como era possível que, no exato instante em que se preparava para servir um conhaque àquele desconhecido que lhe agradava, ouvisse Beethoven?

O acaso tem seus sortilégios, a necessidade não. Para que um amor seja inesquecível, é preciso que os acasos se encontrem nele desde o primeiro instante como os pássaros nos ombros de são Francisco de Assis.

10

Pediu-lhe a conta. Fechou o livro (sinal de identificação de uma irmandade secreta) e ela sentiu vontade de saber o que ele estava lendo.

"Você pode incluir isso na minha conta do hotel?", perguntou ele.

"Claro. Qual é o número do seu quarto?"

Ele lhe mostrou uma chave presa numa placa de madeira em que havia um número 6 escrito em vermelho.

"Engraçado", disse ela. "Você está no 6."

"O que há de engraçado nisso?", perguntou ele.

Ela se lembrou que no tempo em que morava em Praga na casa dos pais, antes do divórcio deles, o número do prédio era 6. Mas respondeu outra coisa (e não podemos deixar de admirar sua astúcia): "Você está no quarto 6 e eu termino meu serviço às seis horas".

"E eu pego o trem às sete", disse o desconhecido.

Ela não sabia mais o que dizer, entregou-lhe a nota para que a assinasse e a levou para a recepção. Quando terminou o serviço, ele já havia deixado a mesa. Teria compreendido seu discreto recado? Saindo do restaurante, sentia-se nervosa.

Em frente, no centro da cidadezinha suja, havia uma praça sem graça e quase sem nada, que para ela sempre tinha sido um oásis de beleza: um gramado com quatro álamos, bancos, um salgueiro-chorão e pequenos arbustos de flores amarelas.

Ele estava sentado num banco amarelo de onde podia ver a entrada do restaurante. Era justamente o banco em que ela sentara na véspera com um livro sobre os joelhos! Compreendeu então (os pássaros dos acasos pousavam juntos nos seus ombros) que aquele desconhecido lhe estava predestinado. Ele a chamou, convidando-a para sentar ao lado dele. (Tereza sentiu a tripulação da alma se lançar sobre o convés de seu corpo.) Um pouco mais tarde, acompanhou-o até a estação e, no momento de deixá-la, ele lhe entregou um cartão de visita com seu número de telefone: "Se, por acaso, um dia você for a Praga...".

11

Muito mais do que aquele cartão de visita que ele lhe entregou no último momento, foi aquele chamado dos acasos (o livro, Beethoven, o número 6, o banco amarelo da praça) que deu a Tereza a coragem de sair de casa e de mudar seu destino. Talvez tenham sido aqueles poucos acasos (por sinal bem modestos e banais, realmente dignos daquela cidadezinha insignificante) que acionaram seu amor e se tornaram a fonte de energia em que ela se abasteceu até o fim.

Nossa vida cotidiana é bombardeada por acasos, mais exatamente por encontros fortuitos entre as pessoas e os acontecimentos, o que chamamos de coincidências. Existe coincidência quando dois acontecimentos inesperados se dão ao mesmo tempo, quando eles se encontram: Tomas aparece no restaurante no momento em que o rádio toca Beethoven. Na sua imensa maioria, essas coincidências passam completamente despercebidas. Se, em vez de Tomas, o açougueiro da esquina tivesse vindo sentar a uma mesa do restaurante, Tereza não teria notado que o rádio tocava Beethoven (se bem que o encontro de Beethoven com um açougueiro seja também uma coincidência curiosa). Mas o amor nascente aguçou nela o senso da beleza e ela jamais esquecerá aquela música. Toda vez que a ouvir, ficará emocionada. Tudo o que acontecer em torno dela nesse momento ficará aureolado com o brilho daquela música, e será belo.

No início do romance que Tereza levava debaixo do braço no dia em que viera para a casa de Tomas, Anna encontra Vronski em circunstâncias estranhas. Estão na plataforma de uma estação onde alguém acabara de cair debaixo de um trem. No fim do romance, é Anna que se atira debaixo de um trem. Essa composição simétrica, em que o mesmo motivo aparece no começo e no fim, pode parecer muito "romanesca". Admito que seja, mas somente com a condição de que romanesco não signifique para você uma coisa "inventada", "artificial", "sem semelhança com a vida". Porque é assim mesmo que são compostas as vidas humanas.

Elas são compostas como uma partitura musical. O homem, guiado pelo senso da beleza, transforma o acontecimento fortuito (uma música de Beethoven, uma morte numa estação) num motivo que mais tarde vai se inscrever na partitura de sua vida. Voltará a esse motivo, repetindo-o, modificando-o, desenvolvendo-o como faz o compositor com o tema de sua sonata. Anna poderia ter posto fim a seus dias de outra maneira. Mas o motivo da estação e da morte, esse motivo inesquecível associado ao nascimento do amor, atraiu-a no momento do desespero por sua beleza sombria. O homem, inconscientemente, compõe sua vida segundo as leis da beleza mesmo nos instantes do mais profundo desespero.

Não se pode, portanto, criticar o romance por seu fascínio pelos encontros misteriosos dos acasos (como o encontro de Vronski, Anna, a plataforma e a morte, ou como o encontro de Beethoven, Tomas, Tereza e o copo de conhaque), mas se pode, com razão, criticar o homem por ser cego a esses acasos, privando assim a vida da sua dimensão de beleza.

12

Encorajada pelos pássaros dos acasos que haviam pousado juntos nos seus ombros, ela tirou uma semana de férias sem avisar a mãe e subiu no trem. Ia sempre ao banheiro se olhar no espelho e implorar à sua alma que não abandonasse nem por um segundo o convés de seu corpo naquele dia decisivo da vida dela. Enquanto se olhava, ficou com medo: sentia que sua garganta estava irritada. Justamente naquele dia fatídico, ia ficar doente?

Mas já não havia como recuar. Telefonou para ele da estação e, no momento em que a porta se abriu, seu ventre emitiu de repente ruídos horríveis. Sentia vergonha. Era como ter sua mãe no ventre e ouvi-la dar gargalhadas para estragar seu encontro.

Primeiro achou que ele fosse mandá-la embora por causa daqueles barulhos inconvenientes, mas ele a tomou nos braços. Ficou grata por ele não ter se incomodado com seus borborigmos, e o abraçou com mais paixão ainda, os olhos velados de bruma. Em menos de um minuto, estavam fazendo amor. E então ela gritou. Já estava com febre. Era gripe. A extremidade do tubo que leva ar aos pulmões estava vermelha e entupida.

Depois voltou outra vez com uma mala pesada em que havia amontoado todos os seus pertences, resolvida a nunca mais voltar para a cidadezinha. Ele a convidou para ir à sua casa na noite seguinte. Ela passou a noite num hotel barato.

De manhã, deixou a mala no guarda-volumes da estação, e durante todo o dia perambulou pelas ruas de Praga com *Anna Karenina* debaixo do braço. À noite, tocou a campainha, ele abriu a porta; ela não largava o livro. Era como se este fosse seu bilhete de entrada para o universo de Tomas. Entendia que só tinha aquele miserável ticket como passaporte, e isso lhe dava vontade de chorar. Para evitar o choro tornou-se loquaz, falava alto e ria. Mas como da outra vez, mal entrou, ele a tomou nos braços e fizeram amor. Ela penetrou num nevoeiro onde não havia nada que se pudesse ver, nada que se pudesse ouvir além de seu próprio grito.

13

Não era um grunhido, não era um lamento, era realmente um grito. Ela gritava tão alto que Tomas afastava a cabeça de seu rosto, como se aquela voz urrando em seu ouvido fosse lhe estourar o tímpano. Aquele grito não era uma expressão de sensualidade. A sensualidade é a mobilização máxima dos sentidos: observa-se o outro intensamente, procurando captar seus menores ruídos. O grito de Tereza, ao contrário, queria atordoar os sentidos para impedi-los de ver e de ouvir. O que urrava nela era o idealismo ingênuo de seu amor, que queria abolir todas as contradições, abolir a dualidade entre o corpo e a alma, e talvez até abolir o tempo.

Estaria ela com os olhos fechados? Não, mas eles não olhavam para lugar nenhum, fixavam o vazio do teto e, por instantes, ela virava violentamente a cabeça ora para um lado ora para o outro.

Quando seu grito silenciou, ela adormeceu ao lado de Tomas, segurando-lhe a mão a noite inteira.

Desde os oito anos, já adormecia com uma das mãos apertando a outra, imaginando assim segurar o homem que ela amava, o homem da sua vida. É bem compreensível, portanto, que, enquanto dorme, segure com tanta obstinação a mão de Tomas: para isso ela se preparara, para isso ela treinara desde a infância.

14

Uma jovem que, em vez de "se elevar", tem que servir cerveja a bêbados e passar o domingo lavando a roupa suja de seus irmãos e irmãs, acumula dentro de si uma reserva imensa de vitalidade, inconcebível para pessoas que frequentam a universidade e bocejam diante dos livros. Tereza lera mais do que elas, sabia mais do que elas sobre a vida, mas nunca se dava conta disso. O que distingue o autodidata daquele que estudou não é a extensão dos conhecimentos, mas os diferentes graus de vitalidade e de confiança em si. O fervor com que Tereza, uma vez em Praga, atirou-se à vida era ao mesmo tempo voraz e frágil. Ela parecia temer que alguém pudesse lhe dizer um dia: "Seu lugar não é aqui! Volte para lá de onde veio!". Todo o seu apetite de viver estava suspenso por um fio: a voz de Tomas, que fizera subir às alturas a alma timidamente escondida nas entranhas de Tereza.

Arranjou um emprego no laboratório fotográfico de uma revista, mas não podia se contentar com isso. Queria ela mesma tirar fotos. Sabina, a amiga de Tomas, emprestou-lhe monografias de fotógrafos famosos, encontrou-se com ela num café e lhe explicou diante dos livros abertos o que aquelas fotos tinham de interessante. Tereza a ouviu com silenciosa atenção, coisa que um professor raramente vê no rosto de seus alunos.

Graças a Sabina, Tereza compreendeu o parentesco entre a fotografia e a pintura e obrigou Tomas a acompanhá-la a todas as exposições. Em pouco tempo conseguiu publicar suas próprias fotos na revista e deixou o laboratório para trabalhar entre os fotógrafos profissionais.

Naquela noite, foram a um cabaré comemorar com amigos sua promoção; dançaram. Tomas se entristeceu e, como ela insistisse em saber por que estava daquele jeito, ele lhe confessou, quando enfim voltaram, que estava com ciúme porque a vira dançar com um colega seu.

"É verdade que consegui fazê-lo ficar com ciúme?" Repetiu essas palavras uma dezena de vezes, como se ele tivesse anunciado que ela ganhara o Prêmio Nobel e ela não acreditasse.

Envolveu-lhe pela cintura e começou a dançar com ele pelo quarto. Não era absolutamente a dança mundana de pouco antes na pista do cabaré. Era uma espécie de dança campestre, uma série de passos extravagantes; ela levantava a perna muito alto, dava grandes saltos desajeitados e o arrastava pelos quatro cantos do quarto.

Infelizmente, pouco tempo depois ela é que ficou com ciúme. Para Tomas, o ciúme dela não foi o Prêmio Nobel, mas um fardo de que só se livraria um ano ou dois antes de morrer.

15

Ela desfilava nua em torno da piscina com uma multidão de outras mulheres nuas, Tomas estava no alto, de pé dentro de uma cesta suspensa do teto, uivava, obrigava-as a cantar e flexionar os joelhos. Quando uma mulher fazia um movimento em falso, ele a matava com um tiro de revólver.

Gostaria de voltar mais uma vez a esse sonho: o horror não começava no momento em que Tomas fazia o primeiro disparo. Desde o início, era um sonho horrível. Marchar nua entre outras mulheres nuas era para Tereza a imagem mais elementar do horror. No tempo em que morava com a mãe, não lhe era permitido trancar a porta do banheiro. Com isso, a mãe lhe dizia: seu corpo é como todos os outros corpos; você não tem direito ao pudor; não tem razão nenhuma para esconder uma coisa que existe de forma idêntica em milhões de exemplares. No universo de sua mãe, todos os corpos eram os mesmos, andavam a passo um atrás do outro. Desde a infância, a nudez era para Tereza o sinal da uniformidade obrigatória do campo de concentração; o sinal da humilhação.

Havia ainda um outro horror bem no início do sonho: todas as mulheres tinham que cantar! Não somente seus corpos eram os mesmos, igualmente desvalorizados, simples mecanismos sonoros sem alma, mas as mulheres ainda se alegravam com isso! Era a solidariedade jubilosa dos sem-alma. Ficavam felizes de ter se livrado do fardo da alma, essa ilusão da unicidade, esse orgulho ridículo, e de serem todas semelhantes. Tereza cantava com elas mas não se alegrava com isso. Cantava porque temia que, se não cantasse, as mulheres a matariam.

Mas o que significava o fato de Tomas matá-las a tiros de revólver e elas caírem uma após a outra, mortas, na piscina?

As mulheres que se alegravam de ser inteiramente semelhantes e indiferenciáveis celebravam na realidade sua morte futura, que tornava absoluta a semelhança entre elas. O estampido do tiro não era, portanto, a conclusão feliz de sua marcha macabra. Elas riam alegremente a cada tiro de revólver e, enquanto o cadáver afundava lentamente sob a superfície da água, cantavam ainda mais alto.

E por que era Tomas que atirava, e por que queria atirar também em Tereza?

Porque fora ele que pusera Tereza no meio daquelas mulheres. Era isso que o sonho estava encarregado de revelar a Tomas, já que Tereza não sabia como dizer isso a ele, viera viver com ele para escapar do universo materno, onde todos os corpos eram iguais. Viera viver com ele para que seu corpo se tornasse único e insubstituível. E eis que ele havia traçado, ele também, um sinal de igualdade entre ela e as outras: ele beijava a todas da mesma maneira, distribuindo as mesmas carícias, não fazendo nenhuma, nenhuma, mas nenhuma diferença mesmo entre o corpo de Tereza e os outros corpos. Ele a devolvera ao universo do qual ela pensara ter escapado. Ele a pusera para desfilar nua com outras mulheres nuas.

16

Tereza tinha alternadamente três séries de sonhos: o primeiro, em que gatos eram seviciados, dizia do que ela sofrera em sua vida; o segundo mostrava com inumeráveis variantes imagens de sua execução; o terceiro falava de sua vida depois da morte, onde sua humilhação se tornara um estado eterno.

Nesses sonhos, não havia nada a decifrar. A acusação que faziam a Tomas era tão evidente que ele era forçado a calar e a acariciar, cabisbaixo, a mão de Tereza.

Além de eloquentes, esses sonhos eram belos. Esse é um aspecto que escapou a Freud na sua teoria dos sonhos. O sonho não é apenas uma comunicação (às vezes uma comunicação codificada), é também uma atividade estética, um jogo da imaginação, e esse jogo tem em si mesmo um valor. O sonho é a prova de que imaginar, sonhar com aquilo que não aconteceu, é uma das mais profundas necessidades do homem. Eis aí a razão do perigo pérfido que se esconde no sonho. Se o sonho não fosse belo, poderia ser rapidamente esquecido. Mas Tereza voltava sem cessar a seus sonhos, repetia-os em pensamento, transformava-os em lendas. Tomas vivia sob o encanto hipnótico da beleza dilacerante dos sonhos de Tereza.

"Tereza, Tereza querida, você está se afastando de mim. Aonde quer ir? Todos os dias você sonha com a morte, como se realmente quisesse se ir...", disse-lhe um dia, à mesa de um bar.

Era dia claro, a razão e a vontade haviam retomado o comando. Uma gota de vinho tinto escorria lentamente pelo copo e Tereza dizia: "Tomas, não posso fazer nada. Compreendo tudo. Sei que você me ama. E bem sei que suas infidelidades não têm nada de dramático...".

Olhava para ele com amor, mas temia a noite que ia chegar, tinha medo de seus sonhos. Sua vida se partira em duas. A noite e o dia disputavam o poder sobre ela.

17

Aquele que quer continuamente "se elevar" deve contar ter vertigem um dia. O que é vertigem? Medo de cair? Mas por que temos vertigem num mirante cercado por uma balaustrada sólida? Vertigem não é medo de cair, é outra coisa. É a voz do vazio debaixo de nós, que nos atrai e nos envolve, é o desejo da queda do qual logo nos defendemos aterrorizados.

O desfile de mulheres nuas em torno da piscina, os cadáveres no carro mortuário, que se alegravam com o fato de que Tereza estivesse morta como eles, é o "embaixo" que a assustava, do qual ela já fugira uma vez, mas que a atraía misteriosamente. Era a sua vertigem: ela ouvia um chamado muito doce (quase alegre) para renunciar ao destino e à alma. Era o chamado à solidariedade com os sem-alma e, nos momentos de fraqueza, ela sentia vontade de responder a ele e de voltar para a mãe. Sentia vontade de chamar ao convés de seu corpo a tripulação da alma; de descer e sentar entre as amigas da mãe e de rir quando uma delas soltasse um sonoro peido; de desfilar nua com elas em torno da piscina e de cantar.

18

É verdade que antes de deixar a família Tereza estava em luta com a mãe, mas não nos esqueçamos que ao mesmo tempo ela a amava com um amor infeliz. Teria feito qualquer coisa pela mãe se esta lhe pedisse com a voz do amor. Nunca ter ouvido essa voz é que lhe dera forças para sair de casa.

Quando a mãe compreendeu que sua agressividade não tinha mais poder sobre a filha, passou a mandar cartas chorosas para Praga. Queixava-se do marido, do patrão, da saúde, dos filhos, e dizia que Tereza era o único ser que lhe restava no mundo. Tereza acreditou estar ouvindo enfim a voz do amor materno, pela qual ansiara durante vinte anos, e sentiu vontade de voltar para junto dela. E essa vontade era ainda mais intensa porque ela se sentia fraca. As infidelidades de Tomas lhe revelavam de repente sua impotência, e desse sentimento de impotência nascia a vertigem, um desejo imenso de cair.

A mãe lhe telefonou. Estava com câncer, dizia. Restavam-lhe alguns meses de vida. Diante dessa notícia, o desespero em que Tereza mergulhara por causa das infidelidades de Tomas se transformou em revolta. Traíra a mãe, recriminava-se, por causa de um homem que não a amava. Estava pronta a esquecer tudo o que a mãe lhe fizera sofrer. Agora podia compreendê-la. Estavam ambas na mesma situação: a mãe amava o marido como Tereza amava Tomas, e as infidelidades do padrasto a faziam sofrer exatamente como as de Tomas atormentavam Tereza. Se a mãe tinha sido cruel com ela, era unicamente porque se sentia infeliz demais.

Falou com Tomas sobre a doença da mãe e anunciou que iria tirar uma semana de licença para ir vê-la. Havia um desafio em sua voz.

Como se adivinhasse que era a vertigem que atraía Tereza para junto da mãe, Tomas lhe desaconselhou a viagem.

Telefonou para o dispensário da cidadezinha. Na Boêmia, os dossiês dos exames cancerológicos são muito detalhados e ele pôde verificar facilmente que a mãe de Tereza não tinha nenhum sintoma de câncer e que fazia mais de um ano que não consultava um médico dali.

Tereza obedeceu e não foi ver a mãe. Mas no mesmo dia caiu na rua. Seu andar se tornou hesitante; caía quase todos os dias, esbarrava nas coisas ou, na melhor das hipóteses, deixava cair o que tinha nas mãos.

Sentia um desejo irresistível de cair. Vivia numa vertigem contínua.

Quem cai diz: "Levante-me!". Pacientemente, Tomas a levantava.

19

"Gostaria de fazer amor com você no meu ateliê, como se fosse no palco de um teatro. Haveria pessoas em torno e elas não teriam direito de se aproximar mas não poderiam tirar os olhos de nós..."

À medida que o tempo passava, essa imagem perdia a crueldade inicial e começava a excitá-la. Muitas vezes, enquanto faziam amor, evocava essa situação baixinho ao ouvido de Tomas.

Ela dizia consigo mesma que havia um meio de escapar à condenação que lia nas infidelidades dele: que a levasse consigo! que a levasse para a casa das amantes! Com esse expediente, talvez seu corpo se tornasse de novo único e o primeiro entre todos. Seu corpo seria o alter ego de Tomas, seu braço direito e seu assistente.

Eles se abraçaram, e ela murmurou: "Vou despi-las para você, darei banho nelas e as levarei até você...". Queria que ambos se transformassem em criaturas hermafroditas e que os corpos das outras mulheres se tornassem o brinquedo comum dos dois.

20

Servir-lhe de alter ego em sua vida de polígamo. Tomas não queria compreender isso, mas ela não podia se livrar da ideia e tentava se aproximar de Sabina. Propôs-lhe fazer uma série de retratos.

Sabina a convidou para ir ao seu ateliê. Tereza conheceu enfim aquele quarto imenso com um grande divã quadrado no meio, como um estrado.

"É uma vergonha você nunca ter vindo aqui!", disse Sabina lhe mostrando os quadros encostados na parede. Apanhou uma tela antiga, que pintara quando era estudante. Representava o canteiro de obras de uns altos-fornos. Trabalhara nela numa época em que a Escola de Belas-Artes exigia o realismo mais rigoroso (a arte não realista era considerada uma tentativa de subversão do socialismo), e Sabina, movida pelo gosto de aceitar desafios, esforçou-se por ser mais rigorosa do que os professores. Em seu estilo de então, o traço do pincel era imperceptível, o que dava a suas telas a aparência de fotos em cores.

"Eu tinha estragado este quadro. Escorreu tinta vermelha na tela. Primeiro, fiquei furiosa, mas essa mancha começou a me agradar, porque poderia ser vista como uma fenda, como se o canteiro de obras não fosse um canteiro de obras de verdade mas apenas um velho cenário rachado em que o canteiro de obras estava pintado em *trompe l'oeil*. Comecei a me distrair com essa fenda, a aumentá-la, a imaginar o que poderia ser visto atrás dela. Foi assim que pintei meu primeiro ciclo de quadros, que chamei de Cenários. Evidentemente, ninguém podia vê-los. Eu seria expulsa da escola. No primeiro plano, havia sempre um mundo perfeitamente realista e, um pouco mais ao fundo, como atrás da cortina rasgada de um cenário de teatro, via-se algo mais, algo misterioso e abstrato."

Fez uma pausa, depois acrescentou: "Na frente estava a mentira inteligível, e atrás a incompreensível verdade".

Tereza escutava com aquela incrível atenção que um professor raramente tem oportunidade de ver no rosto de um aluno, e constatou que todos os quadros de Sabina, os antigos e os atuais, na realidade falavam sempre da mesma coisa, que eram todos o encontro simultâneo de dois temas, de dois mundos, que eram como fotografias nascidas de uma exposição dupla. Uma paisagem e, ao fundo, em transparência, uma lâmpada de cabeceira acesa. Uma mão rasgando por trás uma idílica natureza-morta com maçãs, nozes e uma árvore de Natal iluminada.

Sentia de repente admiração por Sabina e, como a artista era muito afetuosa, essa admiração não estava contaminada de medo ou desconfiança e se transformava em simpatia.

Por um instante esqueceu que tinha vindo tirar fotos. Sabina teve que lembrá-la. Tirando os olhos dos quadros, viu o divã colocado como um estrado no meio do quarto.

21

Havia uma mesinha de cabeceira ao lado do divã e, em cima dela, uma peça em forma de cabeça humana, um desses suportes que os cabeleireiros utilizam para expor perucas. Na casa de Sabina, essa cabeça não usava uma peruca, mas um chapéu-coco. Sabina sorriu: "Este chapéu-coco era do meu avô".

Chapéus como aquele, pretos, redondos, duros, Tereza só vira no cinema. Charles Chaplin usava sempre um. Sorriu também, pegou o chapéu e o examinou demoradamente. Depois disse: "Quer colocá-lo para que eu tire uma fotografia?".

Como única resposta, Sabina deu uma grande gargalhada. Tereza pôs o chapéu-coco de volta em seu lugar, pegou a máquina e começou a tirar fotos.

Depois de certo tempo, disse: "E se eu a fotografasse nua?".

"Nua?", perguntou Sabina.

"É", disse Tereza, repetindo corajosamente a proposta.

"Isso exige uma bebida", disse Sabina, e foi abrir uma garrafa de vinho.

Tereza sentia uma espécie de torpor, permanecia calada, enquanto Sabina andava pelo quarto de um lado para o outro, um copo de vinho na mão, e falava de seu avô, que fora prefeito de uma cidadezinha do interior; Sabina não o conhecera; tudo o que restara dele era aquele chapéu e uma fotografia em que se viam homens importantes numa tribuna; um dos homens importantes era o avô de Sabina; não se sabia muito bem o que estavam fazendo ali, talvez estivessem participando de uma cerimônia, talvez estivessem inaugurando um monumento em memória de um outro homem importante que também usava um chapéu-coco nas ocasiões solenes.

Sabina falou por muito tempo do chapéu-coco e do avô. Tendo esvaziado o terceiro copo, disse: "Espere um minuto!", e desapareceu na direção do banheiro.

Voltou vestida com um roupão. Tereza apanhou a máquina e a aproximou do olho. Sabina abriu o roupão.

22

Para Tereza a máquina servia ao mesmo tempo de olho mecânico para observar a amante de Tomas e de véu para dela esconder seu rosto.

Foi preciso um bom tempo para que Sabina enfim tirasse o roupão. A situação era mais difícil do que ela imaginara.

Depois de ter posado alguns minutos, aproximou-se de Tereza e disse: "Agora é minha vez de fotografá-la. Tire a roupa!".

Essas palavras, "tire a roupa", que Sabina ouvira tantas vezes da boca de Tomas, tinham ficado gravadas em sua memória. Era, portanto, a ordem de Tomas que a amante agora dirigia à esposa. As duas mulheres estavam assim ligadas pela mesma frase mágica. Era a maneira que ele tinha de fazer surgir de uma conversa insignificante uma situação erótica: não por meio de carícias, toques, elogios, pedidos, mas de uma ordem que proferia de repente, inesperadamente, em voz baixa embora enérgica, autoritária, e à distância. Nesse momento, ele jamais tocava aquela a quem se dirigia. Mesmo para Tereza, ele dizia muitas vezes, exatamente no mesmo tom: "Tire a roupa!". E ainda que dissesse isso docemente, ainda que apenas sussurrasse, era uma ordem, e ela sempre se sentia excitada só em obedecer. Ora, ela acabara de ouvir as mesmas palavras e o desejo de se submeter era tanto maior por ser uma estranha loucura obedecer a uma pessoa estranha, loucura ainda mais bela porque a ordem não era proferida por um homem, mas por uma mulher.

Sabina lhe tirou a máquina das mãos e Tereza se despiu. Ela estava de pé, nua e desarmada. Literalmente *desarmada*, porque privada da máquina, da qual se servia para esconder o rosto e que apontava para Sabina como uma arma. Estava à mercê da amante de Tomas. Essa bela submissão a inebriava. Quem dera que esses segundos em que estava nua diante de Sabina não terminassem nunca!

Acho que Sabina também sentiu o encanto insólito daquela situação em que tinha diante de si a mulher de seu amante, estranhamente dócil e tímida. Apertou duas ou três vezes o botão da máquina, depois, como que amedrontada por aquele feitiço e para dissipá-lo o mais rápido possível, riu alto.

Tereza fez a mesma coisa e as duas se vestiram.

23

Todos os crimes passados do Império russo foram perpetrados à sombra de uma discreta penumbra. A deportação de meio milhão de lituanos, o assassinato de centenas de milhares de poloneses, a eliminação dos tártaros da Crimeia, tudo isso ficou gravado na memória sem provas fotográficas, logo como uma coisa indemonstrável, sujeita a mais cedo ou mais tarde passar por mistificação. Ao contrário, a invasão da Tchecoslováquia, em 1968, foi fotografada, filmada e guardada nos arquivos do mundo inteiro.

Os fotógrafos e cinegrafistas tchecos compreenderam a oportunidade que lhes era oferecida para fazer a única coisa que ainda podia ser feita: preservar para o futuro distante a imagem da violação. Tereza passou aqueles sete dias nas ruas fotografando os soldados e oficiais russos em toda sorte de situações comprometedoras. Os russos foram apanhados de surpresa. Haviam recebido instruções precisas sobre a atitude a tomar caso disparassem contra eles ou jogassem pedras neles, mas ninguém lhes dissera como reagir diante da objetiva de uma máquina fotográfica.

Ela gastou centenas de filmes tirando fotos. Distribuiu mais ou menos a metade a jornalistas estrangeiros sob a forma de rolos a ser revelados (a fronteira continuava aberta, jornalistas chegavam do exterior, pelo menos para entrar e sair, e aceitavam agradecidos qualquer documentação). Muitas de suas fotos foram publicadas pela imprensa internacional nos mais diferentes jornais: nelas se viam tanques, punhos ameaçadores, prédios destruídos, mortos cobertos com uma bandeira tricolor ensanguentada, jovens de moto que circulavam a toda a velocidade em torno dos tanques agitando bandeiras tchecas na ponta de varas compridas, e meninas muito jovens vestindo minissaias incrivelmente curtas que provocavam os infelizes soldados russos sexualmente famintos beijando diante deles passantes desconhecidos. A invasão russa, repitamos, não foi somente uma tragédia; foi também uma festa do ódio cuja estranha euforia ninguém jamais compreenderá.

24

Levara para a Suíça umas cinquenta fotografias que ela mesma revelara com todo o cuidado e toda a arte de que era capaz. Foi oferecê-las a uma revista de grande tiragem. O redator-chefe a recebeu amavelmente (todos os tchecos traziam em volta da cabeça a auréola da sua desgraça, que comovia os bons suíços), convidou-a a sentar numa poltrona, examinou as fotos, elogiou-as e explicou que não tinham a menor chance de ser publicadas ("por mais bonitas que sejam!"); o acontecimento estava agora muito distante.

"Mas nada acabou em Praga!", indignou-se Tereza, tentando explicar em mau alemão que em seu país ocupado naquele mesmo momento, contra tudo e contra todos, conselhos operários se formavam nas fábricas, estudantes estavam em greve para protestar contra a ocupação e o país inteiro continuava a viver como bem entendia. Era justamente isso o inacreditável! E não interessava a mais ninguém!

O redator-chefe se sentiu aliviado quando uma mulher enérgica entrou na sala, interrompendo a conversa. Entregou-lhe uma pasta: "Estou lhe trazendo uma reportagem sobre uma praia de nudistas".

O redator-chefe era arguto o bastante para temer que aquela tcheca que fotografava tanques achasse frívola a imagem de pessoas totalmente nuas numa praia. Empurrou a pasta o mais longe possível para a ponta da sua mesa e se apressou em dizer à recém-chegada: "Apresento-lhe uma colega de Praga. Trouxe-me fotos esplêndidas".

A mulher apertou a mão de Tereza e pegou as fotos.

"Enquanto isso, dê uma olhada nas minhas!"

Tereza se debruçou sobre a pasta e retirou as fotografias.

O redator-chefe disse a Tereza com voz quase culpada: "Isso é exatamente o contrário do que você fotografou".

Tereza respondeu: "Não é não! É exatamente a mesma coisa".

Ninguém compreendeu aquela frase, e eu próprio custo um pouco a atinar com o que Tereza queria dizer ao comparar uma praia de nudistas à invasão russa. Ela examinava as provas e se deteve demoradamente numa foto em que se via em círculo uma família de quatro pessoas: a mãe completamente nua, com suas grandes tetas penduradas como as tetas de uma cabra ou de uma vaca, curvada sobre as crianças, e de costas, igualmente curvado para a frente, o marido, cujos testículos pareciam úberes em miniatura.

"Não lhe agradam?", perguntou o redator-chefe.

"Estão bem tiradas."

"Acho que o tema a chocou", disse a fotógrafa. "Basta olhar para você, para ver que não iria a uma praia de nudistas."

"Claro que não", disse Tereza.

O redator-chefe sorriu: "Vê-se logo de onde você veio. É uma loucura como os países comunistas são puritanos!".

A fotógrafa acrescentou com uma amabilidade maternal: "Corpos nus. E daí? É normal! Tudo o que é normal é belo!".

Tereza se lembrou da mãe andando nua pelo apartamento. Ainda ouvia a risada que a acompanhou quando correu para abaixar a veneziana, a fim de que não vissem sua mãe completamente nua.

25

A fotógrafa convidou Tereza para tomar um café no bar.

"Suas fotos são muito interessantes. Notei que você tem um senso fantástico do corpo feminino. Sabe a que estou me referindo! Àquelas garotas em poses provocantes!"

"Os casais se beijando em frente aos tanques russos?"

"É. Você daria uma excelente fotógrafa de moda. É claro que seria necessário primeiro entrar em contato com um modelo. De preferência, uma jovem que esteja começando, como você. Em seguida, você poderia fazer algumas fotos para apresentar a uma agência. Evidentemente, precisaria de um certo tempo para se tornar conhecida. Enquanto isso, talvez eu pudesse fazer alguma coisa por você. Apresentá-la ao jornalista responsável pela nossa seção de flores e jardins. Talvez ele esteja precisando de fotos. Cactos, rosas, coisas do tipo."

"Agradeço muito", disse Tereza sinceramente, percebendo que a mulher sentada diante dela estava cheia de boa vontade.

Mas em seguida disse consigo mesma: por que eu iria fotografar cactos? Sentia uma espécie de desânimo diante da ideia de recomeçar o que já havia feito em Praga: lutar por um emprego, por uma carreira, pela publicação de cada foto. Nunca fora ambiciosa por vaidade. Tudo o que queria era escapar ao mundo da mãe. Era isso, de repente viu com clareza: havia exercido a profissão de fotógrafa com muito entusiasmo, mas poderia colocar o mesmo entusiasmo em qualquer outra atividade, pois a fotografia tinha sido apenas uma maneira de "se elevar" e de viver perto de Tomas.

Disse: "Sabe, meu marido é médico e pode me sustentar. Não tenho necessidade de tirar fotos".

A fotógrafa respondeu: "Não entendo como você pode abrir mão da fotografia depois de ter feito coisas tão bonitas!".

É, as fotografias do dia da invasão eram outra coisa. Aquelas fotografias não foram feitas para Tomas. Ela as tirara movida pela paixão. Não pela paixão da fotografia. Mas pela paixão do ódio. Aquela situação não se repetiria mais. Aliás, as fotos que fizera com paixão ninguém mais queria, porque já não eram atuais. Só um cacto era eternamente atual. E os cactos não a interessavam.

Disse: "É muito gentil de sua parte. Mas prefiro ficar em casa. Não tenho necessidade de trabalhar".

A fotógrafa indagou: "E lhe satisfaz ficar em casa?".

Tereza respondeu: "Prefiro isso a fotografar cactos".

A fotógrafa disse: "Mesmo se você fotografar cactos, estará vivendo a *sua* vida. Se viver só para seu marido, não terá uma vida *sua*".

De repente, Tereza ficou irritada: "Minha vida é meu marido, não os cactos".

A fotógrafa falava com uma certa irritação: "Você quer dizer que é feliz?".

Tereza disse (ainda com irritação): "Claro que sou feliz!".

A fotógrafa replicou: "Uma mulher que diz isso é forçosamente muito...". Preferiu não ir até o fim.

Tereza completou: "Você quer dizer: forçosamente muito limitada".

A fotógrafa se controlou e disse: "Não, não diria 'limitada'. Diria 'anacrônica'".

Tereza disse com ar sonhador: "Tem razão. É exatamente isso que meu marido diz de mim".

26

Tomas, no entanto, passava dias inteiros na clínica e ela ficava sozinha em casa. E ainda feliz por ter Karenin e por poder dar longos passeios com ela! Quando voltava, sentava-se diante de uma gramática de alemão ou de francês. Mas ficava entediada e não conseguia se concentrar. Com frequência, pensava no discurso que Dubcek pronunciara no rádio ao voltar de Moscou. Já não se lembrava de nada do que ele dissera, mas tinha ainda nos ouvidos sua voz gaguejante. Pensava nele: soldados estrangeiros o tinham prendido em seu próprio país, ele, o chefe de um Estado soberano, haviam-no levado, haviam-no sequestrado por quatro dias em algum lugar nas montanhas da Ucrânia, tinham-no informado de que iriam fuzilá-lo como haviam fuzilado doze anos antes seu precursor húngaro, Imre Nagy, depois o levaram para Moscou, ordenaram-lhe que tomasse banho, fizesse a barba, pusesse uma roupa, uma gravata, comunicaram-lhe que seu destino não era mais o pelotão de fuzilamento, intimaram-no a se considerar de novo chefe de Estado, obrigaram-no a sentar-se a uma mesa em frente a Brejnev e o coagiram a negociar.

Voltou humilhado e se dirigiu a um povo humilhado. Estava humilhado a ponto de não poder falar. Tereza jamais esqueceria aquelas pausas atrozes no meio das frases. Estaria no limite das suas forças? Doente? Tinham-no drogado? Ou era apenas desespero? Se nada resta de Dubcek, restam ao menos aqueles longos silêncios atrozes durante os quais ele não podia respirar, durante os quais procurava recobrar o fôlego diante de um povo inteiro grudado no rádio. Aqueles silêncios continham todo o horror que se abatera sobre o país.

Era o sétimo dia da invasão, ela havia escutado aquele discurso na redação de um jornal que naqueles dias se tornara o porta-voz da resistência. Naquele momento, todos aqueles que estavam na sala ouvindo Dubcek o odiavam. Estavam magoados com o acordo que ele aceitara, sentiam-se humilhados com a humilhação dele, e sua fraqueza os ofendia.

Agora, em Zurique, pensando naquele instante, já não sentia desprezo por Dubcek. A palavra *fraqueza* não soava mais como uma sentença. Sempre se é fraco quando se é confrontado com uma força superior, mesmo que se tenha um corpo atlético como o de Dubcek. Aquela fraqueza, que então lhe parecia insuportável, repulsiva, e que a fizera deixar seu país, de repente a atraía. Compreendia que fazia parte dos fracos, do partido dos fracos, do país dos fracos e que devia ser fiel a eles, justamente porque eram fracos e procuravam recobrar o fôlego no meio das frases.

Era atraída por aquela fraqueza como pela vertigem. Era atraída porque ela mesma se sentia fraca. Estava de novo com ciúme e suas mãos começaram a tremer. Tomas percebeu e fez o gesto familiar: tomou-lhe as mãos para acalmá-la com uma pressão dos dedos. Ela fugiu.

"O que é que você tem?"

"Nada."

"O que é que eu posso fazer por você?"

"Quero que você seja velho. Que seja dez anos mais velho. Vinte anos mais velho!"

Com isso queria dizer: quero que você seja fraco. Que você seja tão fraco quanto eu.

27

Karenin nunca vira com bons olhos a mudança para a Suíça. Karenin detestava mudanças. Para um cão, o tempo não segue em linha reta, seu curso não é um contínuo movimento para a frente, cada vez mais longe, de uma coisa à coisa seguinte. Ele descreve um movimento circular, como o tempo dos ponteiros de um relógio, porque os ponteiros não seguem em frente loucamente, mas giram em círculo sobre o mostrador, dia após dia, seguindo a mesma trajetória. Em Praga, bastava comprar uma poltrona nova ou mudar um vaso de flores de lugar para que Karenin ficasse indignada. Seu sentido do tempo ficava perturbado. É o que aconteceria com os ponteiros se mudássemos sem cessar os números do mostrador.

No entanto, logo conseguiu restabelecer no apartamento de Zurique a antiga maneira de passar o tempo e os antigos rituais. De manhã, como em Praga, juntava-se a eles pulando na cama para inaugurar o dia, depois fazia com Tereza as primeiras compras matinais e exigia, como em Praga, seu passeio diário.

Karenin era o relógio da vida deles. Nos momentos de desespero, Tereza dizia consigo mesma que era preciso suportar por causa do cachorro, pois ele era ainda mais fraco que ela, talvez ainda mais fraco que Dubcek e que sua pátria abandonada.

Certo dia, quando voltavam do passeio, o telefone tocou. Ela atendeu e perguntou quem era.

Era uma voz de mulher perguntando por Tomas em alemão. A voz era impaciente e Tereza acreditou sentir nela um tom de desprezo. Quando ela disse que Tomas saíra e que não sabia a que horas voltaria, a mulher deu uma gargalhada do outro lado da linha e desligou sem se despedir.

Tereza sabia que não devia dar importância àquilo. Talvez fosse uma enfermeira do hospital, uma doente, uma secretária, qualquer pessoa. No entanto, estava preocupada e não conseguia se concentrar. Compreendeu que perdera o pouco da força que ainda tinha em Praga e que era absolutamente incapaz de suportar aquele incidente, que no fim das contas era bem insignificante.

Quem vive no exterior caminha num espaço vazio acima do solo sem a rede de proteção que o país de origem estende a todo ser humano, onde ele tem família, colegas, amigos, e onde é compreendido sem dificuldade no idioma que sabe falar desde a infância. Em Praga, ela dependia de Tomas, é verdade, mas somente de coração. Ali, dependia dele para tudo. O que seria dela ali se ele a abandonasse? Devia passar toda a vida com medo de perdê-lo?

Dizia consigo mesma que o encontro deles desde o começo repousava num erro. *Anna Karenina*, que ela segurava debaixo do braço naquele dia, era a falsa carteira de identidade de que se servira para enganar Tomas. Embora se amassem, criaram mutuamente para si um inferno. Era verdade que se amavam, e a prova disso é que a falta não vinha deles próprios, do comportamento deles ou de seu sentimento instável, mas da incompatibilidade entre ambos, porque ele era forte e ela era fraca. Ela era como Dubcek, que fazia uma pausa de meio minuto no meio de uma frase, ela era como sua pátria, que gaguejava, perdia o fôlego e não podia falar.

Mas era justamente o fraco que devia saber ser forte e partir quando o forte fosse fraco demais para poder ofender o fraco.

Era isso que dizia consigo mesma. Depois, apertando o rosto contra o crânio aveludado de Karenin: "Não fique com raiva de mim, Karenin, mas vamos ter que nos mudar mais uma vez".

28

Estava espremida num canto do compartimento, a mala pesada acima da cabeça, Karenin enrodilhada a seus pés. Pensava no cozinheiro do restaurante em que estivera empregada quando morava com a mãe. Ele não perdia uma oportunidade de lhe dar uma palmada nas nádegas e mais de uma vez, diante de todo mundo, convidara-a para dormir com ele. Era estranho que pensasse justamente nele. Ele encarnava para ela tudo o que lhe repugnava. Mas agora só tinha uma ideia, encontrá-lo novamente e lhe dizer: "Você dizia que queria dormir comigo. Bem, aqui estou!".

Tinha vontade de fazer alguma coisa que a impedisse de voltar atrás. Tinha vontade de destruir brutalmente todo o passado de seus sete últimos anos. Era a vertigem. Um atordoamento, um insuperável desejo de cair.

Eu poderia dizer que a vertigem é a embriaguez causada pela própria fraqueza. Temos consciência da nossa própria fraqueza e não queremos resistir a ela, mas nos abandonar a ela. Embriagamo-nos com nossa própria fraqueza, queremos ser mais fracos ainda, queremos desabar em plena rua à vista de todos, queremos estar no chão, ainda mais baixo que o chão.

Convencia-se de que não ficaria em Praga e de que não trabalharia mais como fotógrafa. Voltaria para a cidadezinha de onde a voz de Tomas a arrancara.

Mas, uma vez de volta a Praga, foi necessário permanecer um tempo para acertar detalhes práticos. Retardou a partida.

Assim, depois de cinco dias Tomas subitamente apareceu no apartamento. Karenin lhe saltava no rosto, poupando-os durante um longo momento da necessidade de se falarem.

Estavam os dois um em frente ao outro no meio de uma planície coberta de neve e tremiam de frio.

Depois se aproximaram como amantes que ainda não se beijaram.

Ele perguntou: "Tudo bem?".

"Sim."

"Você esteve no jornal?"

"Telefonei."

"E aí?"

"Nada. Esperava."

"O quê?"

Ela não respondeu. Não podia lhe dizer que era por ele que esperava.

29

Voltemos ao instante que já conhecemos. Tomas estava desesperado e com dor de estômago. Dormiu muito tarde.

Alguns instantes depois, Tereza acordou. (Os aviões russos ainda voavam no céu de Praga e se dormia mal com aquele barulho.) O primeiro pensamento dela foi: ele voltara por sua causa. Por sua causa, havia mudado de destino. Agora, não era mais ele o responsável por ela; de agora em diante, ela era responsável por ele.

Aquela responsabilidade lhe parecia acima de suas forças.

Depois se lembrou: ontem, ele aparecera à porta do apartamento e, alguns instantes depois, numa igreja de Praga soaram seis horas. A primeira vez que se encontraram, ela terminara o serviço às seis horas. Via-o diante de si, sentado num banco amarelo, e escutava o badalar dos sinos.

Não, não era superstição, era o senso da beleza, que de repente a libertava da angústia e a enchia de um desejo renovado de viver. Mais uma vez, os pássaros dos acasos haviam pousado nos seus ombros. Tinha lágrimas nos olhos e estava infinitamente feliz por ouvi-lo respirar a seu lado.

Terceira parte
AS PALAVRAS
INCOMPREENDIDAS

1

Genebra é uma cidade de chafarizes e fontes. Lá ainda se veem nos jardins públicos os quiosques onde antigamente as bandas tocavam. Até a universidade fica perdida no meio das árvores. Franz acabara de dar as aulas da manhã e saiu para a rua. A água pulverizada pelos esguichos automáticos caía sobre o gramado; ele estava de excelente humor. Da universidade, foi direto à casa de sua amiga, que morava a algumas ruas dali.

Ia visitá-la frequentemente, mas sempre como amigo atento, nunca como amante. Se tivesse feito amor com ela em seu ateliê de Genebra, teria passado de uma mulher a outra no mesmo dia, da esposa à amante, da amante à esposa, e, como em Genebra maridos e mulheres dormem à francesa na mesma cama, teria assim passado em poucas horas da cama de uma mulher para a cama da outra. A seu ver, isso teria sido humilhar a amante e a esposa e, finalmente, humilhar a si próprio.

Seu amor à mulher por quem se apaixonara fazia alguns meses era uma coisa tão preciosa que ele se esforçava para criar em sua vida um espaço autônomo para esse amor, um inacessível território de pureza. Era convidado com frequência para dar conferências em universidades estrangeiras e agora se apressava em aceitar todos os convites. Como os convites não eram suficientes para justificar as viagens perante a mulher, completava-os com congressos e colóquios imaginários. Sua amiga, que podia dispor livremente de seu tempo, acompanhava-o. Assim, ele a fizera conhecer num curto espaço de tempo várias cidades europeias e uma cidade da América.

"Dentro de dez dias, se você quiser, vamos a Palermo", disse ele.

"Prefiro Genebra." De pé diante de seu cavalete, ela examinava uma tela inacabada.

Franz tentou brincar: "Como pode viver sem conhecer Palermo?".

"Conheço Palermo", disse ela.

"O quê?", ele perguntou quase num tom de ciúme.

"Uma amiga me mandou um cartão-postal de lá. Está preso com durex no banheiro. Você não notou?"

Depois ela acrescentou: "Ouça a história de um poeta do começo do século. Era muito velho e seu secretário o levava para passear. Um dia, disse-lhe: 'Levante a cabeça, Mestre, e olhe! É o primeiro aeroplano que passa sobre a cidade!'. 'Posso imaginá-lo', respondeu o Mestre a seu secretário, sem levantar os olhos. Pois eu também posso imaginar Palermo. Terá os mesmos hotéis e os mesmos automóveis que todas as cidades. No meu ateliê, ao menos os quadros são sempre diferentes".

Franz se entristeceu. Estava tão habituado àquele vínculo de sua vida amorosa com as viagens que na sua proposta: "Vamos a Palermo!" havia uma mensagem erótica inequívoca. Para ele, a resposta: "Prefiro Genebra!" só podia ter um significado: sua amiga não queria mais dormir com ele.

Como explicar essa falta de segurança diante da amante? Não tinha razão nenhuma para duvidar assim de si mesmo! Fora ela, não ele, quem dera os primeiros passos pouco depois que se encontraram; ele era um homem bonito, estava no auge de sua carreira científica e era até temido por seus colegas pela altivez e obstinação que demonstrava nas polêmicas entre especialistas. Então, por que repetia para si mesmo a cada dia que sua amiga ia deixá-lo?

Só encontro uma explicação: o amor era para ele não o prolongamento mas a antítese de sua vida pública. O amor era para ele o desejo de se abandonar às vontades e caprichos do outro. Aquele que se entrega ao outro como um soldado se constitui prisioneiro, deve antes entregar todas as armas. E, vendo-se sem defesa, não pode deixar de se indagar quando virá o golpe. Posso, portanto, dizer que o amor era para Franz a espera contínua do golpe.

Enquanto ele se abandonava à angústia, sua amiga largou os pincéis e deixou o quarto. Voltou com uma garrafa de vinho. Abriu-a em silêncio e encheu dois copos.

Ele sentiu um grande peso sair do seu peito. As palavras: "Prefiro Genebra" não significavam que ela não queria fazer amor com ele, mas, pelo contrário, que estava cansada de limitar seus momentos de intimidade a breves estadas em cidades estrangeiras.

Ela levantou o copo e o esvaziou de um trago. Franz levantou o seu e bebeu também. Estava decerto muito satisfeito de constatar que a recusa de ir a Palermo era na realidade um convite ao amor, mas logo sentiu um certo pesar: sua amiga havia decidido infringir a regra de pureza que ele introduzira no relacionamento deles; ela não compreendia os esforços angustiantes que ele desenvolvia para proteger o amor da banalidade e isolá-lo radicalmente do lar conjugal.

Abster-se de fazer amor com a amante em Genebra era de fato um castigo que ele infligia a si mesmo para se punir por ser casado com outra. Vivia essa situação como uma falta ou como um vício. Da vida amorosa com a esposa, não tinha praticamente nada a dizer, embora dormissem na mesma cama, à noite um acordasse o outro com seu respirar rouco, e aspirassem mutuamente os miasmas de seus corpos. Com certeza teria preferido dormir só, mas o leito comum permanecia o símbolo do casamento, e os símbolos, como se sabe, são intocáveis.

Toda vez que se deitava na cama ao lado da mulher, pensava na amiga, que o imaginava se deitando ao lado da mulher. Toda vez, sentia-se envergonhado; por isso, queria estabelecer o maior espaço possível entre a cama em que dormia com a mulher e a cama em que fazia amor com a amante.

Ela se serviu outro copo de vinho, tomou um gole, depois, sem uma palavra, com uma estranha indiferença, como se Franz não estivesse ali, tirou lentamente a blusa. Comportava-se como o aluno de um curso de arte dramática num exercício de improvisação, em que a pessoa deve se mostrar tal qual é quando está só e ninguém a observa.

Estava de saia e sutiã. Depois (como se de repente se desse conta de que havia mais alguém no quarto) pousou em Franz um longo olhar.

Esse olhar o incomodava, pois não o compreendia. Entre todos os amantes se estabelecem rapidamente certas regras de jogo, das quais eles não têm consciência mas que têm força de lei e não devem ser transgredidas. O olhar que ela acabava de pousar nele escapava a essas regras; não tinha nada em comum com os olhares e os gestos que habitualmente precediam o abraço deles. Não havia naquele olhar nem provocação, nem sedução, mas uma espécie de pergunta. Só que Franz não tinha ideia do que esse olhar lhe perguntava.

Ela tirou a saia. Segurou-lhe a mão e o fez virar para um grande espelho encostado na parede alguns passos adiante. Sem largar sua mão, olhava para o espelho pousando o mesmo longo olhar indagador ora sobre si ora sobre ele.

No chão, próximo ao espelho, havia uma peça em forma de cabeça humana coberta por um velho chapéu-coco. Ela se curvou para apanhá-lo e o colocou na cabeça. No mesmo instante, a imagem no espelho mudou: via-se uma mulher em trajes menores, bela, inacessível, indiferente, a cabeça coberta por um chapéu-coco bastante excêntrico. Segurava a mão de um senhor de terno cinza e gravata.

Mais uma vez, ele se espantou de compreender tão pouco a amante. Ela não se despira para convidá-lo ao amor, mas para representar para ele uma peça bizarra, um happening íntimo só para eles dois. Ele sorriu, compreensivo e condescendente.

Pensou que, por sua vez, ela fosse lhe sorrir, mas sua expectativa foi contrariada. Ela não lhe largava a mão e seu olhar ia de um para o outro no espelho.

A duração do happening passava dos limites. Franz achava que aquela farsa (certamente encantadora, tinha que admitir) estava se prolongando demais. Pegou delicadamente o chapéu-coco entre dois dedos, tirou-o sorrindo da cabeça de Sabina e o recolocou no suporte. Era como apagar os bigodes desenhados por uma criança travessa na imagem da Virgem Maria.

Ela permaneceu imóvel por mais alguns segundos, contemplando-se no espelho. Depois Franz a cobriu de beijos carinhosos. Convidou-a mais uma vez para acompanhá-lo a Palermo por dez dias. Dessa vez, ela prometeu sem rodeios que iria, e ele foi embora.

Seu bom humor tinha voltado. Genebra, que ele maldissera toda a vida como a capital do tédio, parecia-lhe bela e cheia de aventuras. Olhou para trás, os olhos voltados para a varanda envidraçada do ateliê. Eram as últimas semanas da primavera, fazia calor, todas as janelas estavam guarnecidas com cortinas listadas. Franz chegou a um parque; acima das árvores flutuavam, ao longe, as torres douradas da igreja ortodoxa, como balas de canhão douradas que uma força invisível teria retido um instante antes do impacto para que se fixassem no ar. Era lindo. Franz desceu ao cais para apanhar um barco e voltar para o outro lado do lago, para a margem direita, onde morava.

2

Sabina ficou só. Mais uma vez, postou-se diante do espelho. Continuava em trajes menores. Recolocou o chapéu-coco e se observou demoradamente. Espantava-se de que, depois de tanto tempo, ainda fosse perseguida pelo mesmo instante perdido.

Quando Tomas, muitos anos atrás, viera à casa dela, sentira-se seduzido pelo chapéu-coco. Colocara-o e ficara se contemplando no grande espelho que estava então apoiado na parede do estúdio de Sabina em Praga. Ele queria ver que cara teria se fosse prefeito de uma cidadezinha do século passado. Depois, quando Sabina começou a se despir lentamente, ele lhe pôs o chapéu-coco. Estavam de pé diante do espelho (ficavam sempre assim quando ela se despia) e espiavam a imagem deles. Ela estava com roupas de baixo e um chapéu-coco na cabeça. E compreendeu de repente que aquele quadro excitava a ambos.

Como era possível? Pouco antes, o chapéu-coco que tinha na cabeça parecia uma brincadeira. Do cômico ao excitante, haveria somente um passo?

Sim. Olhando-se no espelho, só viu a princípio uma situação burlesca. Mas, em seguida, o cômico foi sufocado pela excitação: o chapéu-coco não era mais uma piada, significava a violência; a violência feita a Sabina, à sua dignidade de mulher. Ela se via, as pernas nuas, com uma calcinha diminuta através da qual aparecia o púbis. As roupas de baixo acentuavam o encanto de sua feminilidade, e o chapéu de homem de feltro duro a negava, violentava, ridicularizava. Tomas estava ao lado dela, completamente vestido, o que acentuava que a essência do que viam não era a brincadeira (então ele estaria também em trajes menores e com um chapéu-coco), mas a humilhação. Em vez de recusar essa humilhação, ela a ostentava, provocante e orgulhosa, como se estivesse se deixando violentar de bom grado e em público, e finalmente, não podendo esperar mais, derrubou Tomas no chão. O chapéu-coco rolou para debaixo da mesa; seus corpos se embolavam no tapete ao pé do espelho.

Retornemos mais uma vez ao chapéu-coco:

Em primeiro lugar, era uma recordação deixada por um antepassado esquecido que fora prefeito de uma cidadezinha da Boêmia no século passado.

Em segundo lugar, era uma lembrança do pai de Sabina. Depois do enterro, o irmão dela tinha se apropriado de todos os pertences dos pais, e ela, por orgulho, se recusara obstinadamente a lutar por seus direitos. Declarou em tom sarcástico que ficaria com o chapéu-coco como única herança do pai.

Em terceiro lugar, era o acessório de seus jogos eróticos com Tomas.

Em quarto lugar, era o símbolo de sua originalidade, que ela deliberadamente cultivava. Não tinha sido possível levar grande coisa quando emigrara, e para poder carregar aquele objeto incômodo e inutilizável abrira mão de outras coisas mais úteis.

Em quinto lugar: no exterior, o chapéu-coco se tornara um objeto sentimental. Quando foi se encontrar com Tomas em Zurique, ela o tinha levado e posto na cabeça ao abrir para ele a porta do quarto do hotel. Aconteceu então uma coisa inesperada: o chapéu-coco não era nem engraçado nem excitante, era um vestígio do passado. Ambos ficaram emocionados. Fizeram amor como nunca: não havia lugar para jogos obscenos, pois o seu encontro não era o prolongamento de jogos eróticos em que imaginavam cada vez alguma nova perversão, mas uma recapitulação do tempo, um canto à memória do passado comum deles, a recapitulação sentimental de uma história nada sentimental, que se perdia ao longe.

O chapéu-coco se tornara o motivo da partitura que era a vida de Sabina. Esse motivo voltava ainda e sempre, assumindo cada vez um outro significado; todos esses significados passavam pelo chapéu-coco como a água pelo leito de um rio. E era, posso assim dizer, como o leito do rio de Heráclito: "Não nos banhamos duas vezes no mesmo rio!". O chapéu-coco era o leito de um rio e Sabina via a cada vez um novo rio correndo, um outro *rio semântico*: o mesmo objeto suscitava a cada vez um outro significado, mas esse significado repercutia (como um eco, um cortejo de ecos) todos os significados anteriores. Cada experiência nova que viviam ressoava com uma harmonia mais rica. Em Zurique, no quarto do hotel, tinham se emocionado diante do chapéu-coco e se amaram chorando, porque aquele objeto negro não era somente uma lembrança de seus jogos amorosos, era também uma recordação do pai de Sabina e do avô, que viveram numa época sem automóveis e sem aviões.

Sem dúvida, podemos agora compreender melhor o abismo que separava Sabina de Franz: ele a escutava falar de sua vida avidamente, e ela o escutava com a mesma avidez. Compreendiam exatamente o sentido lógico das palavras que diziam, mas sem ouvir o murmúrio do rio semântico que corria através dessas palavras.

Por isso, quando Sabina colocou diante dele o chapéu-coco na cabeça, Franz se sentiu constrangido como se estivessem falando com ele numa língua desconhecida. Não achava esse gesto nem obsceno nem sentimental, era somente um gesto incompreensível, que o desconcertava pela ausência de significado.

Enquanto as pessoas são ainda mais ou menos jovens e a partitura de suas vidas está somente nos primeiros compassos, elas podem compô-la juntas e trocar os motivos (como Tomas e Sabina haviam trocado o motivo do chapéu-coco), mas, quando se encontram numa idade mais madura, suas partituras estão mais ou menos terminadas, e cada palavra, cada objeto, significa algo diferente na partitura de cada um.

Se eu retomasse todos os encontros de Sabina com Franz, a lista de seus mal-entendidos faria um grande dicionário. Contentemo-nos com um pequeno léxico.

3

Pequeno léxico de palavras incompreendidas (primeira parte)

MULHER

Ser mulher é para Sabina uma condição que ela não escolheu. O que não é consequência de uma escolha não pode ser considerado nem mérito nem fracasso. Diante de um estado que nos é imposto, é preciso, pensa Sabina, achar uma atitude apropriada. Parecia-lhe tão absurdo se insurgir contra o fato de ter nascido mulher quanto se glorificar disso.

Num de seus primeiros encontros, Franz lhe disse com uma entonação singular: "Sabina, você é uma *mulher*". Ela não compreendia por que ele lhe anunciava essa novidade no tom solene de um Cristóvão Colombo que tivesse acabado de avistar a costa de uma América. Só mais tarde compreendeu que a palavra *mulher*, que ele pronunciava com ênfase especial, não era para ele a designação de um dos dois sexos da espécie humana, mas representava um *valor*. Nem todas as mulheres eram dignas de ser chamadas de mulheres.

Mas se Sabina era a *mulher* para Franz, o que podia ser para ele Marie-Claude, sua verdadeira esposa? Fazia cerca de vinte anos (na ocasião já se conheciam havia alguns meses), ela ameaçara de se suicidar se ele a abandonasse. Franz ficou enfeitiçado com essa ameaça. Não que gostasse tanto de Marie-Claude, mas o amor dela lhe parecia sublime. Achava-se indigno de um amor tão grande e pensava que devia se inclinar profundamente diante dele.

Inclinara-se, portanto, até o chão e casara com ela. Embora ela nunca mais tivesse manifestado a mesma intensidade de sentimentos daquele instante em que ameaçara de se suicidar, este imperativo continuava vivo no seu íntimo: não magoar Marie-Claude e respeitar nela a mulher.

Essa frase é curiosa. Ele não dizia: respeitar Marie-Claude, mas: respeitar a mulher em Marie-Claude.

No entanto, sendo Marie-Claude uma mulher, que outra mulher era essa que se escondia nela e que ele tinha que respeitar? Não seria essa a ideia platônica da mulher?

Não. Era sua mãe. Jamais lhe teria ocorrido dizer que o que ele respeitava em sua mãe era a mulher. Ele adorava a mãe, e não uma mulher qualquer presente nela. A ideia platônica da mulher e sua mãe eram uma só e mesma coisa.

Tinha mais ou menos doze anos quando um dia ela se viu só, abandonada subitamente pelo pai de Franz. Franz suspeitava que alguma coisa grave havia acontecido, mas sua mãe dissimulava o drama sob palavras neutras e medidas para não traumatizá-lo. Foi naquele dia, quando saíam do apartamento para juntos darem um passeio pela cidade, que Franz notou que a mãe estava com sapatos descasados. Ficou confuso e quis avisar, temendo ao mesmo tempo magoá-la. Passeou com ela duas horas pelas ruas sem poder despregar os olhos dos seus pés. Foi então que começou a compreender o que é o sofrimento.

A FIDELIDADE E A TRAIÇÃO

Ele a amara desde a infância até o momento em que a acompanhara ao cemitério, e a amava em suas recordações. Isso o levara a pensar que a fidelidade é a primeira de todas as virtudes; ela dá unidade à nossa vida, que, sem ela, iria se estilhaçar em mil impressões fugidias.

Franz costumava falar sobre a mãe com Sabina, talvez até, inconscientemente, com este objetivo: Sabina ficaria seduzida por sua tendência à fidelidade, e esse seria um meio de prendê-la.

Era, porém, a traição que seduzia Sabina, não a fidelidade. A palavra *fidelidade* lhe lembrava o pai, puritano de província, que por lazer pintava aos domingos o poente sobre a floresta e buquês de rosas num vaso. Graças a ele, começou a desenhar muito jovem. Aos catorze anos, apaixonou-se por um rapaz da sua idade. Seu pai teve medo e a proibiu de sair sozinha durante um ano. Um dia, rindo muito alto, mostrou-lhe reproduções de Picasso. Já que ela não tinha o direito de se apaixonar por um rapaz da sua idade, apaixonou-se pelo cubismo. Depois de terminar o colégio, foi para Praga com a reconfortante impressão de que finalmente poderia trair a família.

A traição. Desde nossa infância, papai e o professor nos repetem que é a coisa mais abominável que se possa conceber. Mas o que é trair? Trair é sair da ordem. Trair é sair da ordem e partir para o desconhecido. Sabina não conhece nada mais belo do que partir para o desconhecido.

Inscreveu-se na Escola de Belas-Artes, mas não lhe era permitido pintar como Picasso. Era preciso então, obrigatoriamente, praticar o que se chamava de realismo socialista, e na Escola de Belas-Artes se fabricavam retratos de chefes de Estado comunistas. Seu desejo de trair o pai não fora saciado, pois o comunismo não passava de outro pai, igualmente severo e restrito, que proibia não só o amor (a época era de puritanismo) mas também Picasso. Casou-se com um ator medíocre de Praga, só porque ele tinha reputação de excêntrico e porque os dois pais o julgavam inaceitável.

Depois sua mãe morreu. No dia seguinte, voltando a Praga depois do enterro, recebeu um telegrama: seu pai se suicidara de desgosto.

O remorso tomou conta dela: seria tão errado, da parte de seu pai, pintar rosas num vaso e não gostar de Picasso? Seria tão condenável temer que a filha ficasse grávida aos catorze anos? Seria ridículo não ter conseguido viver sem sua mulher?

Mais uma vez, estava atormentada pelo desejo de trair: trair sua própria traição. Anunciou ao marido (já não via nele um excêntrico, mas sobretudo um bêbado incômodo) que iria deixá-lo.

Mas se traímos B., por quem tínhamos traído A., não quer dizer que vamos nos reconciliar com A. A vida do artista de quem se divorciara não parecia com a vida dos pais traídos. A primeira traição é irreparável. Provoca, numa reação em cadeia, outras traições, cada uma das quais nos distancia mais e mais do motivo da traição inicial.

A MÚSICA

Para Franz, é a arte que mais se aproxima da beleza dionisíaca concebida como embriaguez. Dificilmente nos aturdimos com um romance ou um quadro, mas podemos nos inebriar com a *Nona* de Beethoven, com a *Sonata para dois pianos e percussão* de Bartók, e com uma canção dos Beatles. Franz não faz distinção entre a música erudita e a música ligeira. Essa distinção lhe parecia hipócrita e ultrapassada. Gostava igualmente do rock e de Mozart.

Para ele, a música é libertadora: ela o liberta da solidão e da clausura, da poeira das bibliotecas, e lhe abre no corpo as portas por onde a alma pode sair para confraternizar. Gosta de dançar e lamenta que Sabina não compartilhe com ele essa paixão.

Estão jantando num restaurante e os alto-falantes acompanham sua refeição com uma música barulhenta e ritmada.

Sabina diz: "É um círculo vicioso. As pessoas se tornam surdas porque aumentam cada vez mais o volume. Mas, como se tornam surdas, só lhes resta aumentar o volume".

"Você não gosta de música?", pergunta Franz.

"Não", diz Sabina. Depois acrescenta: "Talvez se vivesse numa outra época...". E pensa na época de Johann Sebastian Bach, em que a música se assemelhava a uma rosa desabrochada na imensa planície do silêncio coberta de neve.

O barulho sob a máscara da música a perseguia desde que ela era muito jovem. Quando estudava na Escola de Belas--Artes, tinha que passar férias inteiras no Canteiro da Juventude, como se dizia então. Os jovens ficavam instalados em barracas coletivas e trabalhavam na construção de altos-fornos. Das cinco da manhã às nove da noite os alto-falantes cuspiam uma música ensurdecedora. Tinha vontade de chorar, mas a música era alegre e não se podia escapar a ela em nenhum lugar, nem nos banheiros, nem na cama embaixo das cobertas, havia alto-falantes em toda parte. A música era como uma matilha de cães soltos sobre ela.

Pensava então que o universo comunista era o único em que reinava essa barbárie da música. No exterior, constatou que a transformação da música em barulho é um processo planetário que leva a humanidade a entrar na fase histórica da feiura total. A feiura no sentido absoluto começou a se manifestar pela onipresença da feiura acústica: os automóveis, as motos, as guitarras elétricas, os marteletes, os alto--falantes, as sirenes. A onipresença da feiura visual não demoraria a aparecer.

Jantaram, subiram para o quarto, fizeram amor. Depois, no limiar do sono, as ideias começaram a se embaralhar na cabeça de Franz. Lembrou-se da música barulhenta do restaurante e pensou: "O barulho tem uma vantagem. Em meio a ele não se ouvem as palavras". Desde a mocidade, não fazia outra coisa senão falar, escrever, dar cursos, inventar frases, procurar fórmulas, corrigi-las, logo as palavras não tinham mais nada de exato, seu sentido se esfumava, perdiam o conteúdo e delas sobravam apenas migalhas, partículas, poeira, areia, que flutuava no cérebro dele, que lhe dava enxaqueca, que era sua insônia, sua doença. E sentiu então uma vontade confusa e irresistível de uma música imensa, de um barulho absoluto, de uma bela e alegre algazarra, que englobaria, inundaria, destruiria todas as coisas, que anularia para sempre a dor, a vaidade, a insignificância das palavras. A música era a negação das frases, a música era a antipalavra! Tinha vontade de ficar com Sabina num longo abraço, de calar, de não pronunciar mais uma só frase e de deixar o prazer confluir para o clamor orgíaco da música. Nessa bem-aventurada algazarra imaginária, adormeceu.

A LUZ E A ESCURIDÃO

Para Sabina, viver significa ver. A visão é limitada por uma dupla fronteira: a luz intensa, que cega, e a escuridão total. Talvez daí é que venha sua repugnância por todo extremismo. Os extremos delimitam a fronteira além da qual a vida termina, e a paixão pelo extremismo, em arte como em política, é desejo de morte disfarçado.

Para Franz, a palavra *luz* não evoca a imagem de uma paisagem suavemente iluminada pelo sol, mas a fonte da própria luz: o sol, uma lâmpada, um projetor. Lembra-se das metáforas usuais: o sol da verdade; o brilho ofuscante da razão etc.

Assim como é atraído pela luz, é atraído pela escuridão. Atualmente, apagar a luz para fazer amor é tido como ridículo; ele sabe disso e deixa uma pequena luz acesa acima da cama. No entanto, no momento de penetrar Sabina, fecha os olhos. A volúpia que se apossa dele exige escuridão. Essa escuridão é pura, absoluta, sem imagens nem visões, essa escuridão não tem fim, não tem fronteiras, essa escuridão é o infinito que cada um de nós traz em si (sim, se alguém procura o infinito, basta fechar os olhos!).

No momento em que sente a volúpia se espalhar pelo corpo, Franz se dissolve no infinito de sua escuridão, torna-

-se ele mesmo infinito. Quanto mais o homem cresce na sua escuridão interior, mais sua aparência exterior encolhe. Um homem com os olhos fechados não passa de um refúgio de si mesmo. É desagradável vê-lo, portanto Sabina não quer vê-lo e fecha os olhos por sua vez. Mas para ela essa escuridão não significa o infinito, significa apenas a discordância daquilo que vê, a negação do que é visto, a recusa de ver.

4

Sabina tinha se deixado convencer a ir a uma reunião de seus compatriotas. Mais uma vez, a discussão girava em torno de saber se deveriam ou não ter lutado com armas na mão contra os russos. Evidentemente, ali, abrigados pela emigração, todos proclamavam que teria sido necessário resistir. Sabina disse: "Pois bem, voltem e lutem!".

Não era coisa que se dissesse. Um homem de cabelos grisalhos ondulados artificialmente levantou um indicador comprido para ela: "Não fale assim. Todos vocês têm alguma responsabilidade pelo que aconteceu. Você também. O que é que fazia contra o regime comunista no país? Pintura, só isso...".

Nos países comunistas, a inspeção e o controle dos cidadãos são atividades sociais essenciais e permanentes. Para que um pintor obtenha autorização para expor, para que um cidadão consiga um visto para passar férias à beira-mar, para que um jogador de futebol seja aceito na seleção nacional, é preciso em primeiro lugar que se reúnam todas as espécies de relatórios e de certificados que lhes digam respeito (do porteiro, dos colegas de trabalho, da polícia, da célula do partido, do comitê da empresa em que trabalha), e esses atestados são em seguida completados, avaliados, recapitulados por funcionários especialmente destinados a essa tarefa. O que é mencionado nesses atestados não tem nada a ver com a aptidão do cidadão para pintar ou chutar bola, ou com seu estado de saúde, que pudesse justificar uma temporada à beira-mar. Só importa uma coisa, o que se chama "o perfil político do cidadão" (o que o cidadão diz, o que pensa, como se comporta, se participa das reuniões ou dos desfiles do Primeiro de Maio). Tendo em vista que tudo (a vida cotidiana, a promoção e as férias) depende do modo como o cidadão é julgado, todo mundo é obrigado (para jogar futebol na seleção nacional, fazer uma exposição ou passar férias à beira-mar) a se comportar de maneira a ser bem julgado.

Era nisso que Sabina pensava ao ouvir o homem de cabelos grisalhos. Ele não estava absolutamente interessado em saber se seus compatriotas jogavam bem futebol ou pintavam com talento (nenhum tcheco jamais se interessara pelo que ela pintava); só uma coisa lhe interessava: saber se eram opositores ativos ou passivos ao regime comunista, da primeira ou da última hora, para valer ou por fingimento.

Como pintora que era, sabia observar os rostos e conhecia desde Praga a fisionomia das pessoas que têm paixão por observar e julgar os outros. Todas essas pessoas têm o indicador um pouco maior do que o dedo médio e o apontam para seus interlocutores. Aliás, o presidente Novotny, que reinou na Boêmia durante catorze anos, até 1968, tinha exatamente os mesmos cabelos grisalhos ondulados artificialmente e podia se orgulhar de ter o indicador mais comprido de todos os habitantes da Europa Central.

Quando o emérito emigrante ouviu da boca dessa pintora, cujos quadros jamais vira, que ele se parecia com o presidente comunista Novotny, enrubesceu, empalideceu, voltou a enrubescer e a empalidecer, quis dizer alguma coisa, não disse nada e mergulhou no silêncio. Todo mundo se calou com ele, e Sabina acabou por se levantar e sair.

Ficou triste, mas uma vez na calçada disse consigo mesma: no fundo, por que deveria se encontrar com os tchecos?

O que tinha em comum com eles? uma paisagem? Se alguém lhes perguntasse o que a Boêmia evocava para eles, essa palavra faria surgir diante de seus olhos imagens disparatadas, desprovidas de qualquer unidade.

Seria então a cultura? Mas o que é isso? A música? Dvorák e Janácek? Sim. Mas suponhamos que um tcheco não goste de música. Num só golpe, a identidade tcheca não passa de vento.

Seriam os grandes homens? Jan Hus? Aquelas pessoas jamais tinham lido uma linha de seus livros. A única coisa que podiam compreender unanimemente eram as chamas, a glória das chamas em que ele fora queimado como herético, a glória da cinza que se tornara, por isso a essência da alma tcheca, pensava Sabina, era para eles apenas cinza, nada mais. Aquelas pessoas só tinham em comum sua derrota e as repreensões que se dirigiam mutuamente.

Ela andava depressa. O que a perturbava, mais do que a discussão com os emigrantes, eram seus próprios pensamentos. Sabia que estava sendo injusta. Afinal de contas, havia entre os tchecos pessoas que não eram como o sujeito do indicador grande. O incômodo silêncio que se seguira às suas palavras não significava absolutamente que todos a desaprovavam. Eles, com certeza, ficaram desconcertados com aquela explosão de raiva, com a incompreensão de que todo mundo se torna vítima na emigração. Então, por que ela não tinha pena deles? Por que não via neles criaturas patéticas e abandonadas?

Já conhecemos a resposta: quando ela traiu o pai, a vida se abriu diante dela como uma longa estrada de traições, e cada nova traição a atraía como um vício e como uma vitória. Ela não quer ficar dentro da ordem e aí não ficará! Não ficará sempre dentro da ordem com as mesmas pessoas e com as mesmas palavras! É por isso que está transtornada com sua própria injustiça. Esse sentimento não é desagradável, ao contrário, Sabina acha que acabou de conseguir uma vitória e que alguém, invisível, bateu palmas para ela.

Mas a embriaguez logo se transformou em angústia: era preciso um dia chegar ao fim daquela estrada! era preciso um dia terminar com as traições! era preciso parar de uma vez por todas!

Era noite e ela andava com passo apressado na plataforma da estação. O trem para Amsterdam já estava à espera. Procurava seu vagão. Abriu a porta do compartimento para onde fora conduzida por um funcionário amável e viu Franz sentado num dos leitos. Ele se levantou para recebê-la, ela o abraçou e o cobriu de beijos.

Tinha uma vontade terrível de lhe dizer como a mais comum das mulheres: não me deixe, guarde-me perto de você, escravize-me, seja forte! Mas eram palavras que não podia e não sabia pronunciar.

Quando ele afrouxou o abraço, ela disse apenas: "Como estou contente de estar com você!". Com sua natural discrição, não podia dizer mais do que isso.

5

Pequeno léxico de palavras incompreendidas (continuação)

OS DESFILES

Na Itália ou na França, a solução é facilmente encontrada. Quando os pais obrigam os filhos a ir à igreja, eles se vingam se inscrevendo num partido (comunista, trotskista, maoísta etc.). O pai de Sabina começou por mandá-la à igreja, porém em seguida, por medo, forçou-a a entrar na juventude comunista.

Quando ela participava do desfile de Primeiro de Maio, não conseguia manter a cadência, embora a menina que vinha atrás a atropelasse e lhe pisasse de propósito nos calcanhares. E se era preciso cantar, não sabia nunca as letras e abria uma boca muda. As colegas perceberam e a denunciaram. Desde a mocidade, tinha horror a todos os desfiles.

Franz estudara em Paris, e como era excepcionalmente dotado, tinha diante de si, desde os vinte anos, uma carreira científica garantida. Daí por diante, sabia que passaria a vida inteira entre as paredes de uma sala da universidade, de bibliotecas públicas e de dois ou três anfiteatros; diante dessa ideia, tinha a impressão de sufocar. Queria sair de sua vida como se sai de casa para ir à rua.

Ainda morava em Paris e ia com prazer às manifestações. Fazia-lhe bem comemorar qualquer coisa, reivindicar qualquer coisa, protestar contra qualquer coisa, não estar só, estar do lado de fora e estar com os outros. As passeatas que invadiram o bulevar Saint-Germain ou da praça da República à Bastilha o fascinavam. A multidão em marcha proclamando slogans era para ele a imagem da Europa e de sua história. A Europa é uma Grande Marcha. Uma Marcha de revolução em revolução, de combate em combate, sempre em frente.

Eu poderia dizer isso de outra maneira: Franz achava irreal sua vida entre os livros. Aspirava à vida real, em contato com outros homens ou outras mulheres andando com ele lado a lado, aspirava ao clamor deles. Não se dava conta de que o que julgava irreal (seu trabalho no isolamento das bibliotecas) era sua vida real, enquanto as passeatas que ele julgava reais eram apenas um espetáculo, uma dança, uma festa, em outras palavras: um sonho.

Sabina, no tempo em que era estudante, morava numa cidade universitária. No Primeiro de Maio, todo mundo era obrigado a se dirigir bem cedo para os pontos de concentração do desfile. Para que ninguém faltasse, alguns estudantes, que eram militantes pagos, verificavam se o prédio estava vazio. Ela ia se esconder nos banheiros e só voltava para o quarto quando todo mundo tinha ido embora havia muito tempo. Reinava um silêncio que ela jamais conhecera. De muito longe lhe chegava a música de uma marcha. Era como se estivesse escondida dentro de uma concha e ouvisse ao longe a ressaca do universo hostil.

Um ou dois anos depois de ter saído da Boêmia, viu-se inteiramente por acaso em Paris no dia do aniversário da invasão russa. Naquele dia estava havendo uma manifestação de protesto e ela não pôde resistir à ideia de participar. Jovens franceses levantavam o punho e urravam palavras de ordem contra o imperialismo soviético. As palavras de ordem lhe agradavam, mas ela constatou com surpresa que era incapaz de gritar junto com os outros. Só conseguiu ficar alguns minutos na passeata.

Contou essa experiência a amigos franceses. Eles ficaram espantados: "Então você não quer lutar contra a ocupação do seu país?". Ela queria lhes dizer que o comunismo, o fascismo, todas as ocupações e todas as invasões dissimulam um mal mais fundamental e mais universal; a imagem desse mal era o desfile de pessoas marchando com os braços para cima e gritando as mesmas sílabas em uníssono. Mas sabia que não conseguiria se fazer entender. Sentiu-se constrangida e preferiu mudar de assunto.

A BELEZA DE NOVA YORK

Andavam horas inteiras por Nova York; o espetáculo mudava a cada passo como se estivessem seguindo um caminho sinuoso numa fascinante paisagem de montanha: um jovem rezava de joelhos no meio da calçada; a alguns passos dele, apoiada numa árvore, uma bela negra cochilava; um homem de terno preto atravessava a rua gesticulando como se estivesse regendo uma orquestra invisível; a água jorrava na bacia de uma fonte em volta da qual pedreiros almoçavam. Escadas metálicas escalavam as fachadas de feios prédios de tijolos vermelhos, prédios que, de tão feios, essas escadas tornavam bonitos; bem perto se erguia um gigantesco arranha-céu de vidro e atrás dele um outro arranha-céu encimado por um pequeno palácio árabe com torres, galerias e colunas douradas.

Ela pensava em suas telas: nelas também se viam, lado a lado, coisas que não tinham nenhuma relação entre si: altos-fornos em construção tendo ao fundo uma lâmpada de óleo; ou ainda um abajur cuja cúpula de vidro pintado, fora de uso, explodia em minúsculos fragmentos que se elevavam sobre uma desolada paisagem pantanosa.

Franz disse: "Na Europa, a beleza sempre foi intencional. Havia sempre um fim estético e um plano de longa duração; foram necessários séculos para edificar segundo esse plano uma catedral gótica ou uma cidade do Renascimento. A beleza de Nova York tem uma origem completamente diversa. É uma beleza não intencional. Nasceu sem premeditação por parte do homem, como uma gruta de estalactites. Formas, feias em si mesmas, encontram-se por acaso, sem nenhum plano, em vizinhanças improváveis onde brilham de repente numa poesia mágica".

Sabina disse: "A beleza não intencional. É isso mesmo, também se poderia dizer: a beleza por engano. Antes de desaparecer totalmente do mundo, a beleza existirá ainda alguns instantes, mas por engano. A beleza por engano é o último estágio da história da beleza".

Pensava em seu primeiro quadro de sucesso: por engano, havia escorrido tinta vermelha nele. Era isso, os quadros dela eram construídos sobre a beleza do erro e Nova York era a pátria secreta e verdadeira de sua pintura.

Franz disse: "Talvez a beleza não intencional de Nova York seja muito mais rica e muito mais variada do que a beleza austera demais e elaborada demais nascida de um projeto humano. Mas não é mais a beleza europeia. É um mundo estranho".

Como? Será que não existe alguma coisa sobre a qual ambos estejam de acordo?

Não. Aí também existe uma diferença. O aspecto estranho da beleza nova-iorquina atrai Sabina loucamente. Esse aspecto estranho fascina Franz, mas ao mesmo tempo o amedronta; leva-o a sentir saudade da Europa.

A PÁTRIA DE SABINA

Sabina compreende sua reticência à América. Franz é a encarnação da Europa: sua mãe era de origem vienense, seu pai era francês. Quanto a ele, era suíço.

Franz admira a pátria de Sabina. Quando ela lhe fala sobre si mesma e sobre seus amigos da Boêmia, e ele ouve as palavras *prisões, perseguições, tanques nas ruas, emigração, panfletos, literatura proibida, exposições proibidas*, sente uma estranha inveja carregada de nostalgia.

Confessa a Sabina: "Um dia, um filósofo escreveu que tudo o que digo são apenas especulações que escapam a toda demonstração e me qualificou de 'um quase inverossímil Sócrates'. Senti-me terrivelmente humilhado e lhe respondi com raiva. Imagine que esse episódio grotesco foi o conflito mais grave que já vivi! Foi aí que minha vida me revelou o máximo de suas possibilidades dramáticas! Vivemos os dois em escalas diferentes. Você entrou na minha vida como Gulliver no país dos anões".

Sabina protesta. Diz que os conflitos, os dramas, as tragédias não significam nada, não têm nenhum valor, não merecem respeito nem admiração. O que todo mundo pode invejar em Franz é o trabalho que ele consegue desenvolver em paz.

Franz balança a cabeça: "Numa sociedade rica, os homens não têm necessidade de trabalhar com as mãos e se dedicam a uma atividade intelectual. Existem cada vez mais universidades e cada vez mais estudantes. Para obter seus diplomas, precisam encontrar temas de dissertação. Existe um número infinito de temas, pois se pode falar sobre tudo. Pilhas de papel amarelado se acumulam nos arquivos, que são mais tristes do que os cemitérios, porque não se vai até eles nem mesmo no dia de Finados. A cultura desaparece numa multidão de produções, numa avalanche de frases, na demência da quantidade. Acredite em mim, um só livro proibido em seu antigo país significa infinitamente mais do que as milhares de palavras cuspidas pelas nossas universidades".

É nesse sentido que se poderia compreender o fraco de Franz por todas as revoluções. Em outros tempos, havia simpatizado com Cuba, depois com a China, e mais tarde, desgostoso com a crueldade de seus regimes, acabou por admitir melancolicamente que só lhe restava esse oceano de letras que não pesam nada e que não são a vida. Tornou-se professor em Genebra (onde não há manifestações) e, com uma espécie de abnegação (numa solidão sem mulheres e sem desfiles), publicou várias obras científicas que tiveram uma certa repercussão. Depois, um dia, Sabina surgiu como uma aparição; vinha de um país onde as ilusões revolucionárias estavam condenadas fazia muito tempo mas onde subsistia o que ele mais admirava nas revoluções: a vida que se leva na escala grandiosa do perigo, da coragem e do risco de morte. Sabina lhe devolvia confiança na grandeza do destino humano. Ela era ainda mais bela porque por trás de sua silhueta transparecia o drama doloroso de seu país.

Que lástima! Sabina não gosta desse drama. As palavras *prisões*, *perseguições*, *livros proibidos*, *ocupação*, *tanques*, são para ela palavras feias, desprovidas de qualquer perfume romântico. A única palavra que soa docemente em seus ouvidos como a lembrança nostálgica da terra natal é a palavra *cemitério*.

O CEMITÉRIO

Os cemitérios da Boêmia parecem jardins. Os túmulos são cobertos de relva e de flores de cores vivas. Monumentos humildes se escondem no verde da folhagem. À noite, o cemitério fica cheio de pequenas velas acesas, como se os mortos estivessem dando uma festa infantil. É, uma festa infantil, pois os mortos são inocentes como as crianças. Por mais cruel que tivesse sido a vida, no cemitério sempre reinava a paz. Mesmo durante a guerra, sob Hitler, Stálin, sob todas as ocupações. Quando ela se sentia triste, pegava o carro para ir passear longe de Praga num de seus cemitérios preferidos. Aqueles cemitérios campestres contra o fundo azulado das colinas eram tão belos quanto uma cantiga de ninar.

Para Franz, um cemitério não passa de um imundo depósito de ossos e de pedras.

6

"Ninguém jamais me fará entrar num automóvel! Morreria de medo de sofrer um acidente! Mesmo que não se morra, fica-se traumatizado para o resto da vida!", dizia o escultor, segurando maquinalmente o dedo indicador que quase perdera quando esculpia em madeira. Por milagre, os médicos conseguiram salvá-lo.

"De maneira nenhuma!", trovejou Marie-Claude em grande forma. "Sofri um acidente e foi maravilhoso! Nunca me senti tão bem quanto no hospital! Não conseguia fechar os olhos e lia sem parar, noite e dia!"

Todo mundo olhou para ela estupefato, o que visivelmente lhe dava prazer. À repulsa de Franz (lembrava-se que depois daquele acidente sua mulher ficara extremamente deprimida e não parava de se queixar) se misturava uma espécie de admiração (o dom de Marie-Claude de metamorfosear tudo o que vivera era prova de uma vitalidade digna de respeito).

Ela prosseguia: "Foi no hospital que comecei a classificar os livros em duas categorias: os diurnos e os noturnos. É verdade, há livros para o dia, e livros que só podem ser lidos à noite".

Todo mundo manifestava espanto e admiração, só o escultor, que segurava o dedo, tinha o rosto crispado por uma lembrança penosa.

Marie-Claude se virou para ele: "Em que categoria você colocaria Stendhal?".

O escultor não escutava e deu de ombros com ar constrangido. Um crítico de arte, a seu lado, declarou que, na opinião dele, Stendhal era uma leitura para o dia.

Marie-Claude balançou a cabeça e anunciou com estrondo: "De maneira nenhuma! Não, não e não, você está por fora! Stendhal é um autor noturno!".

Franz acompanhava o debate sobre a arte noturna e diurna muito à distância, sonhando com a chegada de Sabina. Os dois haviam refletido durante vários dias para decidir se ela devia ou não aceitar o convite para aquele coquetel que Marie-Claude estava oferecendo em homenagem a todos os pintores e escultores que haviam exposto em sua galeria. Depois que conhecera Franz, Sabina evitava sua mulher. Mas, receando se trair, decidiu finalmente que ir ao coquetel seria mais natural e menos suspeito.

Enquanto dirigia olhares furtivos para a entrada, ouviu a voz de sua filha de dezoito anos, Marie-Anne, que falava sem parar do outro lado do salão. Deixou o grupo liderado pela mulher e foi para o círculo onde reinava a filha. Alguém estava numa poltrona, os outros em pé, Marie-Anne estava sentada no chão. Franz tinha certeza de que Marie-Claude, na extremidade oposta do salão, logo também iria sentar no tapete. Naquela época, sentar no chão diante dos convidados era um gesto que significava que se era natural, descontraído, progressista, sociável e parisiense. Marie-Claude tinha mania de sentar no chão em todo lugar, por isso Franz muitas vezes tinha medo de encontrá-la sentada até no chão da tabacaria onde ela ia comprar cigarros.

"No que você está trabalhando agora, Alan?", perguntou Marie-Anne ao homem aos pés de quem estava sentada.

Alan, ingênuo e honesto, quis responder com sinceridade à filha da proprietária da galeria. Começou por lhe explicar sua nova maneira de pintar, que combinava fotografia e pintura a óleo. Mal havia pronunciado três frases, Marie-Anne deu um assovio. O pintor, concentrado, falava com lentidão e não ouviu o assovio.

Franz sussurrou: "Pode me dizer por que está assoviando?".

"Porque detesto que se fale de política", respondeu a filha em voz alta.

Realmente, dois homens em pé no mesmo grupo falavam das próximas eleições francesas. Marie-Anne, que se sentia na obrigação de dirigir a conversa, perguntou aos dois homens se na semana seguinte iriam ao Grand-Théâtre, onde uma companhia lírica italiana apresentaria uma ópera de Rossini. Enquanto isso, Alan, o pintor, obstinava-se em buscar fórmulas cada vez mais precisas para explicar sua nova maneira de pintar, e Franz sentiu vergonha pela filha. Para fazê-la calar, disse que óperas o matavam de tédio.

"Você não entende nada", disse Marie-Anne, tentando, sem se levantar, dar um tapinha na barriga do pai, "o intérprete principal é tão bonito! Incrível como é bonito! Eu o vi duas vezes e fiquei louca por ele!"

Franz constatava que a filha se parecia terrivelmente com a mãe. Por que não era com ele que se parecia? Não havia esperança, ela não se parecia com ele. Já ouvira Marie-Claude proclamar milhares de vezes que estava apaixonada por um ou outro pintor, por um cantor, por um escritor, por um político e, certa vez, até por um ciclista. Evidentemente, não passava de retórica de jantares e coquetéis, mas de vez em quando lembrava que cerca de vinte anos antes ela dissera exatamente a mesma coisa sobre ele, ameaçando além do mais se suicidar.

Justo nesse momento, Sabina entrou. Marie-Claude percebeu e foi ao seu encontro. A filha continuava a conversa sobre Rossini, mas Franz tinha ouvidos apenas para o que as duas mulheres diziam. Depois de algumas frases polidas de boas-vindas, Marie-Claude segurou entre os dedos um pingente de cerâmica que Sabina trazia em volta do pescoço e disse em voz muito alta: "O que é isso? É horroroso!".

Franz ficou fascinado com essa frase. Não tinha sido pronunciada em tom agressivo, ao contrário, a risada retumbante servia para mostrar também que a rejeição do pingente não alterava em nada a amizade de Marie-Claude pela pintora, mas, apesar disso, a frase não fora dita no tom habitual que Marie-Claude empregava com as outras pessoas.

"Foi feito por mim", disse Sabina.

"Sinceramente, acho horroroso", repetiu Marie-Claude bem alto. "Você não devia usá-lo!"

Franz sabia que não interessava absolutamente à sua mulher se uma joia era feia ou bonita. Era feio o que ela queria enxergar feio, bonito o que queria enxergar bonito. As joias de suas amigas eram lindas a priori. Mesmo que as achasse feias, esconderia isso cuidadosamente, pois a adulação se tornara para ela havia muito tempo uma segunda natureza.

Então, por que decidira achar feia uma joia que fora feita pela própria Sabina?

Para Franz, de repente, era perfeitamente claro: Marie-Claude havia declarado que a joia de Sabina era feia porque ela podia se permitir dizê-lo.

Mais precisamente ainda, Marie-Claude proclamara que a joia de Sabina era feia para mostrar que podia se permitir dizer a Sabina que sua joia era feia.

No ano passado, a exposição de Sabina não tinha sido um grande sucesso e Marie-Claude não dava a menor importância à amizade de Sabina. Sabina, ao contrário, tinha todas as razões do mundo para tentar conquistar a simpatia de Marie-Claude. Sua conduta, porém, não deixava isso transparecer nem um pouco.

Sim, Franz compreendia claramente: Marie-Claude tinha que aproveitar a ocasião para mostrar a Sabina (e aos outros) qual a verdadeira relação de forças entre elas.

7

Pequeno léxico de palavras incompreendidas (final)

A VELHA IGREJA DE AMSTERDAM

De um lado, ficam as casas e, atrás das grandes janelas do andar térreo, semelhantes a vitrines de loja, notam-se os minúsculos quartos de putas. Elas estão em trajes menores, sentadas perto do vidro, em pequenas poltronas com almofadas. Parecem gatos entediados.

O outro lado da rua é ocupado por uma gigantesca igreja gótica do século XIV.

Entre o mundo das putas e o mundo de Deus, como um rio separando dois reinos se espalha um odor acre de urina.

No interior, do antigo estilo gótico restaram apenas as altas paredes nuas, as colunas, a abóbada e as janelas. Não há nenhum quadro, não há estátuas em parte alguma. A igreja está vazia como uma sala de ginástica. Tudo o que se vê são fileiras de cadeiras que formam no centro um grande quadrado em torno de um estrado em miniatura sobre o qual se encontra a mesinha do pregador. Atrás das cadeiras, há compartimentos de madeira; são os camarotes destinados às famílias dos cidadãos ricos.

As cadeiras e os camarotes estão colocados ali sem a menor preocupação com a configuração das paredes e a disposição das colunas, como para mostrar sua indiferença e desprezo pela arquitetura gótica. Já faz séculos que a fé calvinista transformou a igreja num simples galpão cuja única função é proteger a oração dos fiéis da neve e da chuva.

Franz estava fascinado: aquela sala gigantesca tinha sido atravessada pela Grande Marcha da história.

Sabina lembrava que depois do golpe comunista todos os castelos da Boêmia foram nacionalizados e transformados em centros de aprendizagem, em casas de repouso, e até em estábulos. Visitou um desses estábulos: ganchos fixados nas paredes de estuque prendiam anéis de ferro, e as vacas ali presas olhavam sonhadoras pelas janelas o parque do castelo, onde galinhas ciscavam.

Franz disse: "Este vazio me fascina. Acumulamos altares, estátuas, quadros, cadeiras, poltronas, tapetes, livros, depois veio o momento de alegria libertadora, em que varremos tudo isto como se varrem migalhas de uma mesa. Você pode imaginar a vassoura de Hércules que varreu esta igreja?".

Sabina apontou para um camarote de madeira: "Os pobres ficavam de pé e os ricos tinham camarotes. Havia, porém, uma coisa que unia o banqueiro ao pobre: o ódio à beleza".

"O que é a beleza?", disse Franz, e pensou de repente num vernissage a que tinha ido recentemente com sua mulher. A vaidade infinita dos discursos e das palavras, a vaidade da cultura, a vaidade da arte.

Na época em que, estudante, Sabina trabalhava no Canteiro da Juventude e tinha na alma o veneno das marchas alegres que jorravam sem interrupção dos alto-falantes, saiu para passear de moto num domingo. Percorreu quilômetros de florestas e parou numa cidadezinha desconhecida perdida em meio a colinas. Encostou a moto na parede da igreja e entrou. Naquele momento, celebrava-se a missa. A religião era então perseguida pelo regime comunista e a maior parte das pessoas evitava as igrejas. Nos bancos havia somente velhos, pois não tinham medo do regime. Só tinham medo da morte.

O padre pronunciava uma frase com voz melodiosa e as pessoas a repetiam em coro. Eram litanias. As mesmas palavras voltavam como um peregrino que não pode tirar os olhos de uma paisagem, como um homem que não pode se despedir da vida. Sentou-se num banco ao fundo; de vez em quando fechava os olhos, só para ouvir aquela música das palavras, depois tornava a abri-los: via acima dela a abóbada pintada de azul e nessa abóbada grandes astros dourados. Rendia-se ao encantamento.

O que encontrara inesperadamente naquela igreja não fora Deus, mas a beleza. Ao mesmo tempo, sabia que a igreja e as litanias não eram belas em si mesmas, que a beleza delas vinha da proximidade imaterial do Canteiro da Juventude, onde passava os dias na algazarra das músicas. A missa era bela por ter lhe surgido súbita e clandestinamente como um mundo traído.

Desde então, ela sabe que a beleza é um mundo traído. Só é possível encontrá-la quando seus perseguidores a esquecem por engano em algum lugar. A beleza se esconde atrás do cenário de um desfile de Primeiro de Maio. Para encontrá-la, é preciso rasgar a tela do cenário.

"É a primeira vez que me sinto fascinado por uma igreja", disse Franz. Não era o protestantismo nem a ascese que o entusiasmavam. Era outra coisa, algo muito pessoal, que não ousava comentar com Sabina. Acreditava ouvir uma voz que o exortava a apanhar a vassoura de Hércules para varrer de sua vida os vernissages de Marie-Claude, os cantores de Marie-Anne, os congressos e os colóquios, os vãos discursos, as palavras vãs. O grande espaço vazio da igreja de Amsterdam acabava de lhe aparecer como a imagem de sua própria libertação.

A FORÇA

Na cama de um dos numerosos hotéis em que haviam feito amor, Sabina brincava com o braço de Franz: "É incrível como você é musculoso!".

Esses elogios lhe agradavam. Levantou-se da cama, agarrou pelo pé uma pesada cadeira de carvalho, rente ao chão, e começou a suspendê-la lentamente. Ao mesmo tempo, dizia a Sabina:

"Você não tem nada a temer, posso defendê-la em qualquer circunstância, em outros tempos fui campeão de judô."

Conseguiu erguer o braço na vertical sem largar a cadeira e Sabina lhe disse: "É bom saber que você é tão forte!".

No entanto, em seu íntimo, acrescentou isso: Franz é forte, mas sua força é voltada unicamente para o exterior. Com as pessoas com quem vive, com aqueles que ama, é fraco. A fraqueza de Franz se chama bondade. Franz nunca daria ordens a Sabina. Jamais ordenaria, como Tomas fizera em outros tempos, que ela pusesse o espelho no chão e andasse de um lado para o outro em cima dele, totalmente nua. Não que lhe falte sensualidade, mas ele não tem força para comandar. Existem coisas que só podem ser conseguidas com violência. O amor físico é impensável sem violência.

Sabina via Franz passear pelo quarto brandindo bem alto a cadeira, o que lhe parecia ridículo e a enchia de uma estranha tristeza.

Franz pousou a cadeira e sentou, o rosto virado para Sabina.

"Não é que eu não goste de ser forte", disse, "mas de que me servem estes músculos em Genebra? Carrego-os como um enfeite. São as plumas do pavão. Nunca quebrei a cara de ninguém."

Sabina continuava com suas reflexões melancólicas. E se ela tivesse um homem que lhe desse ordens? Que a dominasse? Quanto tempo ela o suportaria? Nem cinco minutos! Donde concluiu que nenhum homem lhe convinha. Nem forte, nem fraco.

Disse: "E por que você não usa sua força contra mim de vez em quando?".

"Porque amar é renunciar à força", respondeu Franz docemente.

Sabina compreendeu duas coisas: em primeiro lugar, que essa frase era bela e verdadeira. Em segundo lugar, que, com essa frase, Franz acabara de se excluir de sua vida erótica.

VIVER NA VERDADE

É uma fórmula que Kafka usou em seu diário ou numa carta. Franz não se lembra bem. Está seduzido por essa fórmula. O que é viver na verdade? Uma definição negativa é fácil: é não mentir, não se esconder, não dissimular nada. Desde que conheceu Sabina, vive na mentira. Conversa com sua mulher sobre congressos em Amsterdam e conferências em Madri que jamais aconteceram, tem medo de passear com Sabina nas ruas de Genebra. Acha divertido mentir e se esconder, justamente porque nunca o fez antes. Sente o prazer de um primeiro da classe que decide um dia, finalmente, cabular.

Para Sabina, viver na verdade, não mentir nem para si nem para os outros, só é possível se vivermos sem público. Havendo uma única testemunha de nossos atos, adaptamo-nos de um jeito ou de outro aos olhos que nos observam, e nada mais do que fazemos é verdadeiro. Ter um público, pensar num público, é viver na mentira. Sabina despreza a literatura em que o autor revela toda a sua intimidade, e também a de seus amigos. Quem perde sua intimidade perde tudo, pensa Sabina. E quem a ela renuncia conscientemente é um monstro. Por isso, Sabina não sofre por ter que esconder seu amor. Ao contrário, para ela essa é a única forma de viver "na verdade".

Quanto a Franz, está convencido de que na separação da vida em domínio privado e em domínio público está a fonte de toda mentira: a gente é uma pessoa em particular e outra em público. Para Franz, "viver na verdade" é abolir a barreira entre o privado e o público. Menciona com prazer a frase de André Breton em que ele dizia que gostaria de viver "numa casa de vidro", onde nada é segredo e que está aberta a todos os olhares.

Ao ouvir sua mulher dizer a Sabina: "Que joia horrorosa!", compreendera que era impossível continuar vivendo na mentira. Naquele momento, devia ter tomado a defesa de Sabina. Se não o fez, foi unicamente por medo de trair seu amor clandestino.

No dia seguinte ao coquetel, deveria passar dois dias em Roma com Sabina. As palavras: "Que joia horrorosa!" lhe voltavam sem cessar à cabeça e ele passou a ver a mulher de maneira diferente. Não era mais aquela que ele sempre conhecera. Sua agressividade, invulnerável, ruidosa, dinâmica, aliviava-o do peso da bondade que ele carregara pacientemente durante vinte e três anos de casamento. Lembrou-se do imenso espaço interno da igreja de Amsterdam e sentiu afluir o entusiasmo estranho e incompreensível que aquele vazio suscitava nele.

Estava fazendo a mala quando Marie-Claude entrou no quarto; ela falava dos convidados da véspera, aprovando certos comentários que ouvira e censurando outros em tom áspero.

Franz olhou um bom tempo para ela, depois disse: "Não existe conferência em Roma".

Ela não compreendia: "Então, por que vai para lá?".

Ele replicou: "Tenho uma amante há nove meses. Não quero vê-la em Genebra. É por isso que viajo tanto. Achei melhor contar a você".

Depois dessas primeiras palavras, teve medo; a coragem inicial o abandonava. Desviou os olhos para não ler no rosto de Marie-Claude o desespero que acreditava lhe infligir com suas palavras.

Após uma pequena pausa, ouviu: "É, eu também acho melhor ficar sabendo".

O tom era firme e Franz levantou os olhos: Marie-Claude não estava nada perturbada. Parecia sempre a mulher que dissera com voz retumbante: "Que joia horrorosa!".

Ela continuou: "Uma vez que você tem coragem de me contar que me engana há nove meses, não poderia também me dizer com quem?".

Sempre procurara não ofender Marie-Claude, respeitando nela a mulher. Mas o que se tornara a mulher em Marie-Claude? Em outras palavras, o que sobrara da imagem da mãe que ele associava a sua esposa? Sua mãe, sua mamãe triste e magoada, com seus sapatos descasados, tinha se desligado de Marie-Claude; e talvez nem isso, pois nunca estivera nela. Compreendeu-o com uma súbita onda de ódio.

"Não tenho nenhuma razão para lhe esconder isso", disse ele.

Uma vez que não ficara magoada por ser traída, certamente iria ficar magoada ao saber quem era sua rival. Ele pronunciou o nome de Sabina olhando bem nos olhos dela.

Pouco mais tarde foi encontrar Sabina no aeroporto. O avião ganhava altura e ele se sentia cada vez mais leve. Dizia a si próprio que depois de nove meses recomeçava enfim a viver na verdade.

8

Para Sabina, foi como se Franz tivesse forçado a porta de sua intimidade. Era como ver no vão da porta a cabeça de

Marie-Claude, a cabeça de Marie-Anne, a cabeça de Alan, o pintor, e a cabeça do escultor que ficava sempre segurando o dedo, a cabeça de todas as pessoas que ela conhecia em Genebra. Ia se tornar sem querer a rival de uma mulher que lhe era de todo indiferente. Franz ia se divorciar e ela tomaria lugar a seu lado num grande leito conjugal. De perto ou de longe, todo mundo estaria olhando; era preciso representar a comédia diante de todo mundo; em vez de ser Sabina, seria forçada a interpretar o papel de Sabina e a encontrar a maneira de representá-lo. O amor oferecido ao público ganharia peso e se tornaria um fardo. Só de pensar nisso, vergava-se por antecipação.

Jantavam e tomavam vinho num restaurante de Roma. Ela estava taciturna.

"Você ficou irritada?", perguntou Franz.

Ela lhe assegurou que não ficara irritada. Estava ainda em plena confusão e não sabia se devia ou não ficar contente. Pensava no encontro deles no vagão-leito do trem de Amsterdam. Tivera vontade, naquela noite, de se jogar a seus pés, suplicando-lhe que ficasse com ela, de qualquer maneira, e que nunca mais a deixasse partir. Naquela noite, tivera vontade de acabar de uma vez por todas com a sua perigosa viagem de traição em traição. Tivera vontade de parar.

Agora, tentava reviver o mais intensamente possível seu desejo de então, invocá-lo, apoiar-se nele. Em vão. O mal-estar era mais forte.

Voltavam para o hotel em meio à animação da noite. Com os italianos barulhentos, berrando e gesticulando ao redor, podiam andar colados lado a lado sem ouvir seus próprios silêncios.

Mais tarde, Sabina fez sua toalete no banheiro bem devagar enquanto Franz a esperava embaixo das cobertas da larga cama de casal. Como sempre, havia uma pequena lâmpada acesa.

Voltando do banheiro, ela apertou o interruptor. Era a primeira vez que o fazia. Franz deveria ter desconfiado daquele gesto. Não lhe deu atenção, para ele a luz não tinha a menor importância. Enquanto fazia amor, como sabemos, ele fechava os olhos.

É justamente por causa dos olhos fechados que Sabina apaga a luz. Não quer ver, nem por um segundo, aquelas pálpebras fechadas. Os olhos, como diz o provérbio, são a janela da alma. O corpo de Franz se debatendo sobre ela com os olhos fechados era para ela um corpo sem alma. Parecia um animalzinho, ainda cego e que emite sons chorosos porque tem sede. Com seus músculos magníficos, Franz, no coito, era como um gigantesco filhote de cão mamando nos seios dela. E é verdade, está com um de seus mamilos na boca, como se estivesse mamando! A ideia de que embaixo Franz é um homem adulto mas que em cima é um recém-nascido que mama, e de que portanto ela dorme com um recém-nascido, essa ideia é para ela o limite do abjeto. Não, não quer nunca mais vê-lo se debater desesperadamente sobre ela, nunca mais lhe dará o seio como uma cadela à sua cria, hoje é a última vez, irrevogavelmente a última vez!

Sem dúvida nenhuma, sabia que sua resolução era a maior das injustiças, que Franz era o melhor de todos os homens que já conhecera, era inteligente, entendia seus quadros, era bom, honesto, bonito, mas quanto mais ela se dava conta disso, mais tinha vontade de violar essa inteligência, essa bondade de alma, de violar essa força débil.

Amou-o naquela noite com mais ardor que nunca, excitada com a ideia de que era a última vez. Amava-o e já estava em outro lugar, longe dali. De novo, ouvia soar ao longe a trombeta de ouro da traição e sabia ser incapaz de resistir àquela voz. Parecia que diante dela se abria um espaço de liberdade ainda imenso, e a imensidão desse espaço a excitava. Amava Franz loucamente, selvagemente, como jamais o amara.

Franz soluçava sobre seu corpo e tinha certeza de ter compreendido tudo: durante o jantar, Sabina conversara pouco e não dissera nada sobre o que pensava de sua decisão, mas agora ela lhe respondia. Manifestava sua alegria, sua paixão, seu consentimento, seu desejo de viver para sempre com ele.

Sentia-se como um cavaleiro que cavalga num vazio magnífico, um vazio sem esposa, sem filho, sem lar, um vazio magnífico varrido pela vassoura de Hércules, um vazio magnífico que ele preencheria com seu amor.

Um sobre o outro, ambos cavalgavam. Iam ambos em direção às distâncias que desejavam. Aturdiam-se ambos numa traição que os libertava. Franz cavalgava Sabina e traía sua mulher, Sabina cavalgava Franz e traía Franz.

9

Durante cerca de vinte anos, sua mulher fora para ele a encarnação de sua mãe, um ser frágil que era preciso proteger; essa ideia estava tão profundamente enraizada nele que era difícil se desembaraçar dela em dois dias. Quando voltou para casa, sentia remorso: talvez ela houvesse tido uma crise depois de sua partida, talvez fosse encontrá-la arrasada de tristeza. Girou timidamente a chave na fechadura e entrou no quarto. Tomou cuidado para não fazer barulho e aguçou os ouvidos: sim, ela estava em casa. Depois de alguma hesitação, foi lhe dar bom-dia, como tinha o hábito de fazer.

Ela levantou as sobrancelhas, fingindo surpresa: "Você voltou para cá?".

Teve vontade de responder (com sincero espanto): "Para onde queria que eu fosse?", mas ficou calado.

Ela continuou: "Para que tudo fique bem claro entre nós, não vejo inconveniente em que você se mude para a casa dela imediatamente".

Quando lhe confessara tudo antes de partir, ele não tinha um plano preciso. Estava disposto a, quando voltasse, discutir tudo amigavelmente com ela, causando-lhe o mínimo de sofrimento possível. Não tinha previsto que ela insistiria com uma fria perseverança para que se fosse.

Embora tal atitude lhe facilitasse as coisas, estava decepcionado. A vida toda, tivera medo de magoá-la e unicamente por isso impusera a si mesmo a disciplina voluntária de uma monogamia embrutecedora. Eis que constatava, depois de vinte anos, que seus cuidados haviam sido de todo inúteis e que tinha se privado de mulheres por causa de um mal-entendido!

Depois de suas aulas da tarde na universidade, foi diretamente à casa de Sabina. Contava lhe pedir para passar a noite ali. Tocou a campainha, mas ninguém atendeu. Foi esperar no café em frente, os olhos colados na entrada do prédio.

As horas passavam e ele não sabia o que fazer. A vida toda, havia dormido na mesma cama que Marie-Claude. Se voltasse para casa agora, seria necessário se deitar ao lado dela como antes? Sem dúvida, poderia se instalar no divã da sala. Mas não seria um gesto por demais ostensivo? Não poderia ser interpretado como uma manifestação de hostilidade? Queria continuar amigo de sua mulher! Mas ir dormir ao lado dela também não era possível. Podia até ouvir suas perguntas irônicas: Como? Então não preferia a cama de Sabina? Optou por um quarto de hotel.

No dia seguinte, voltou a tocar a campainha da porta de Sabina. Sempre em vão.

No terceiro dia, foi procurar a zeladora. Ela não sabia de nada e o mandou falar com a proprietária que alugava o ateliê. Telefonou para ela e soube que Sabina havia se despedido na antevéspera depois de pagar os aluguéis dos três meses seguintes, como estava previsto no contrato.

Por vários dias, ainda tentou pegar Sabina em casa, até que encontrou o apartamento aberto e lá dentro três homens de macacão azul que tiravam os móveis e as telas para colocá-los num grande caminhão de mudança estacionado em frente ao prédio.

Perguntou-lhes para onde iam transportar os móveis. Responderam que estavam proibidos de dar o endereço. Estava a ponto de lhes dar uma gorjeta para que revelassem o segredo, mas de repente lhe faltaram forças para isso. Ficou inteiramente paralisado de tristeza. Não compreendia nada, não podia explicar nada para si mesmo e sabia apenas que esperava por esse momento desde que conhecera Sabina. Acontecera o que tinha que acontecer. Franz não reagia.

Achou um pequeno apartamento na cidade velha. Passou por sua antiga casa numa hora em que sabia que não encontraria nem a filha nem a mulher, para apanhar algumas roupas e livros indispensáveis. Tomou cuidado para não levar nada que pudesse fazer falta a Marie-Claude.

Um dia a vislumbrou através do vidro de um salão de chá. Estava com duas amigas e se lia uma grande animação em seu rosto, no qual uma mímica exagerada tinha gravado havia muito tempo rugas inumeráveis. As mulheres a escutavam e não paravam de rir. Franz não podia deixar de pensar que falava dele. Certamente ela sabia que Sabina desaparecera de Genebra no momento exato em que ele decidira viver com ela. Era realmente uma história cômica! Não tinha por que se espantar de ser o motivo das risadas das amigas de sua mulher.

Voltou para sua nova casa, de onde ouvia os sinos da Catedral de São Pedro. Nesse dia, recebera uma mesa que tinha comprado. Esqueceu Marie-Claude e suas amigas. E por um momento esqueceu também Sabina. Sentou-se à mesa. Alegrava-se de tê-la escolhido sozinho. Durante vinte anos vivera com móveis que não havia escolhido. Marie-Claude organizava tudo. Pela primeira vez na vida deixara de ser um garoto, e era independente. No dia seguinte, deveria vir um marceneiro a quem iria encomendar uma estante. Passara várias semanas desenhando essa estante, sua forma, dimensões e colocação.

Então, de repente, compreendeu com espanto que não estava infeliz. A presença física de Sabina contava muito menos do que ele pensava. O que contava era o traço dourado, o traço mágico que ela havia imprimido em sua vida e de que ninguém poderia privá-lo. Antes de desaparecer de seu horizonte, ela tivera tempo de lhe pôr nas mãos a vassoura de Hércules, com a qual ele varrera de sua vida tudo aquilo de que não gostava. Essa felicidade inesperada, esse bem-estar, essa alegria, que lhe proporcionavam a liberdade e a nova vida, tudo isso era um presente que ela havia lhe deixado.

Aliás, sempre havia preferido o irreal ao real. Assim como se sentia melhor nas passeatas (que, como eu disse, não passam de um espetáculo e de um sonho) do que numa cadeira de professor, onde dava aulas a seus alunos, também estava mais feliz com Sabina metamorfoseada em deusa invisível do que quando estava percorrendo o mundo com ela e tremendo a cada passo por seu amor. Ela lhe dera de presente a liberdade súbita do homem que vive só, enfeitara-o com a aura da sedução. Tornava-se atraente para as mulheres; uma de suas alunas se apaixonou por ele.

Assim, bruscamente, num período de tempo incrivelmente curto, todo o cenário de sua vida mudou. Pouco tempo antes, morava num grande apartamento burguês, com uma empregada, uma filha e uma esposa, e ei-lo morando num conjugado da cidade velha, onde sua jovem amante passa quase todas as noites. Não precisam ir para hotéis pelo mundo afora; ele pode fazer amor com ela em seu próprio apartamento, na sua própria cama, na presença de seus livros e de seu cinzeiro que fica em cima da mesinha de cabeceira.

A moça não era nem feia nem bonita, porém era muito mais jovem do que ele! E ela admirava Franz, como Franz, pouco tempo antes, admirava Sabina. Isso não era desagradável. E se a troca de Sabina por uma estudante de óculos podia ser considerada uma pequena decadência, sua bondade o levava a acolhê-la com alegria e a sentir por ela um amor paternal, que jamais pudera satisfazer, uma vez que Marie-Anne não se comportava como uma filha mas como uma outra Marie-Claude.

Um dia, foi ver sua mulher e lhe disse que queria casar de novo.

Marie-Claude balançou a cabeça.

"Se nos divorciarmos, nada vai mudar. Você não vai perder nada. Deixo tudo para você!"

"Para mim, o dinheiro não conta", disse ela.

"Então, o que é que conta?"

"O amor."

"O amor?", espantou-se Franz.

Marie-Claude sorriu: "O amor é um combate. Vou lutar por muito tempo. Até o fim".

"O amor é um combate? Não tenho a menor vontade de lutar", disse Franz, e saiu.

10

Depois de quatro anos em Genebra, Sabina estava morando em Paris e não conseguia se refazer de sua melancolia. Se alguém lhe perguntasse o que tinha acontecido com ela, não saberia explicar.

O drama de uma vida sempre pode ser explicado pela metáfora do peso. Dizemos que temos um fardo nos ombros. Carregamos esse fardo, que suportamos ou não, lutamos com ele, perdemos ou ganhamos. O que precisamente aconteceu com Sabina? Nada. Deixara um homem porque quisera deixá-lo. Ele a perseguira depois disso? Quisera se vingar?

Não. Seu drama não era o drama do peso, mas da leveza. O que se abatera sobre ela não era um fardo, mas a insustentável leveza do ser.

Até então, os momentos de traição a excitavam e a enchiam de alegria com a ideia de que uma nova estrada se abria diante dela e, no fim da estrada, uma outra aventura de traição. Mas o que aconteceria, se a viagem terminasse? É possível trair os pais, um marido, um amor, uma pátria, mas o que sobraria para trair quando não houvesse mais nem pais, nem marido, nem amor, nem pátria?

Sabina sentia o vazio em torno de si. E se esse vazio fosse precisamente o objetivo de todas as suas traições?

Até aqui, é claro, não tinha consciência disso, o que é compreensível: o objetivo que perseguimos é sempre velado. Uma jovem que quer se casar quer uma coisa que lhe é de todo desconhecida. O jovem que corre atrás da glória não tem nenhuma ideia do que seja a glória. O que dá sentido à nossa conduta sempre é totalmente desconhecido para nós. Sabina também ignora que objetivo se esconde atrás de seu desejo de trair. A insustentável leveza do ser, seria esse o objetivo? Desde sua partida de Genebra, aproximou-se demais dele.

Ela estava em Paris fazia três anos quando recebeu uma carta da Boêmia. Era uma carta do filho de Tomas. Tinha ouvido falar dela, conseguira seu endereço e decidira escrever para ela porque era "a amiga mais próxima" de seu pai. Anunciava-lhe a morte de Tomas e Tereza. Conforme o que dizia na carta, eles tinham passado os últimos anos numa pequena cidade onde Tomas trabalhava como motorista de caminhão. Iam frequentemente juntos à cidade vizinha, onde sempre passavam a noite num pequeno hotel. A estrada atravessava colinas, era cheia de curvas, e o caminhão caíra num barranco. Encontraram os corpos esmagados. A polícia constatara que os freios estavam em péssimo estado.

Ela não conseguia se refazer dessa notícia. Rompera-se o último elo que a ligava ao passado.

Segundo seu antigo hábito, tentou se acalmar indo a um cemitério. O mais próximo era o Cemitério de Montparnasse. Compunha-se de frágeis construções de pedra, de miniaturas de capelas erigidas próximo aos túmulos. Sabina não compreendia por que os mortos desejavam ter em cima deles imitações de palácios. Esse cemitério era a vaidade feita pedra. Longe de serem mais sensatos depois de mortos, os habitantes do cemitério eram ainda mais extravagantes do que em vida. Ostentavam sua importância nos monumentos. Ali não repousavam pais, irmãos, filhos ou avós, e sim gente importante, funcionários do Estado, pessoas carregadas de títulos e honras; até um funcionário dos correios ali oferecia à admiração pública sua posição, seu nível, sua classe social — sua dignidade.

Andando por uma das alamedas do cemitério, percebeu que mais adiante havia um enterro. O mestre de cerimônias carregava uma braçada de flores e as distribuía aos amigos e parentes: uma para cada um. Entregou uma flor a Sabina. Ela se juntou ao cortejo. Era preciso contornar diversos monumentos para chegar à cova da qual haviam retirado a pedra tumular. Inclinou-se. A cova era muito profunda. Deixou cair a flor. A flor descreveu curtas espirais e se chocou com o caixão. Não há túmulos tão profundos na Boêmia. Em Paris os túmulos são tão profundos quanto são altas as casas. Seus olhos pousaram na pedra tumular. De repente a pedra a encheu de medo e ela voltou depressa para casa.

Passou o dia inteiro pensando naquela pedra. Por que ficara tão amedrontada?

Deu a si mesma esta resposta: se um túmulo fica fechado por uma pedra, o morto nunca mais pode sair dali.

Mas, de qualquer modo, o morto não sairá do túmulo! Então, não dá na mesma ele repousar sob a terra argilosa ou sob uma pedra?

Não, não dá na mesma: se o túmulo está fechado por uma pedra, isso significa que não queremos que o morto volte. A pedra pesada está lhe dizendo: "Fique onde está!".

Sabina se lembrou do túmulo do pai. Por cima do caixão há argila, sobre a argila crescem flores, um bordo estende suas raízes sobre o caixão, e pode-se dizer que o morto sai do túmulo através dessas raízes e dessas flores. Se seu pai estivesse recoberto por uma pedra, jamais ela poderia ter falado com ele depois de morto, não poderia ter ouvido na folhagem da árvore sua voz, que a perdoava.

Como seria o cemitério em que Tomas e Tereza repousavam?

Mais uma vez, pensava neles. De vez em quando iam à cidade vizinha e passavam a noite num hotel. Esse trecho da carta a impressionara. Demonstrava que eram felizes. Revia Tomas como se fosse uma de suas telas: no primeiro plano, Don Juan como um cenário falso pintado por um pintor primitivo; através de uma fenda do cenário se percebia Tristão. Ele morrera como Tristão, não como Don Juan. Os pais de Sabina tinham morrido na mesma semana. Tomas e Tereza no mesmo segundo. De repente, teve vontade de ver Franz.

Quando lhe falara de seus passeios pelos cemitérios, ele ficara nauseado e comparara os cemitérios a depósitos de ossos e pedras. Naquele dia, abriu-se entre eles um abismo de incompreensão. Somente hoje, no Cemitério de Montparnasse, ela compreendeu o que ele queria dizer. Lamentou ter sido impaciente. Se tivessem ficado juntos mais tempo, talvez pouco a pouco tivessem começado a compreender as palavras que pronunciavam. Seus vocabulários teriam se aproximado pudica e lentamente, como amantes muito tímidos, e a música de um começaria a se fundir na música do outro. Mas é tarde demais.

Sim, é tarde demais e Sabina sabe que não permanecerá em Paris, que irá mais longe, ainda mais longe, porque, se morresse ali, ficaria presa sob uma pedra, e uma mulher que não tem sossego não suporta nunca a ideia de ser retida em seu caminho.

11

Todos os amigos de Franz sabiam o que se passava com Marie-Claude, e todos sabiam o que se passava com a estudante de óculos grandes. Mas a história de Sabina ninguém conhecia. Franz estava errado em pensar que Marie-Claude falava dela às suas amigas. Sabina era bonita e Marie-Claude não queria que as pessoas fizessem comparações.

Com medo de ser descoberto, nunca pedira a Sabina nem um quadro nem um desenho, nem mesmo uma foto. Portanto, ela desaparecera de sua vida sem deixar vestígios. Passara com ela o ano mais belo de sua vida, mas não subsistia nenhuma prova disso.

Isso só lhe aumentava o prazer de permanecer fiel a ela.

Quando estão a sós no quarto, sua jovem amiga às vezes levanta a cabeça do livro e lhe dirige um olhar indagador: "Em que é que você está pensando?".

Franz está sentado numa poltrona, os olhos cravados no teto. Não importa o que responda, com certeza está pensando em Sabina.

Quando publica um artigo numa revista acadêmica, a estudante é a primeira a lê-lo e quer discuti-lo com ele. Mas ele pensa no que Sabina diria sobre o texto. Tudo o que faz, faz para Sabina e como Sabina gostaria que fizesse.

É uma infidelidade muito inocente, bem de acordo com Franz, que jamais poderia fazer algo que magoasse a estudante de óculos. Se alimenta o culto a Sabina, é mais como uma religião do que como amor.

Na verdade, de acordo com a teologia dessa religião, sua jovem amante lhe fora enviada por Sabina. Entre seu amor terreno e seu amor supraterreno reina, portanto, uma harmonia perfeita, e se o amor supraterreno contém necessariamente (pelo simples fato de ser supraterreno) uma boa dose de inexplicável e de ininteligível (lembremo-nos do léxico de palavras incompreendidas, dessa longa lista de mal-entendidos!), seu amor terreno repousa sobre uma compreensão verdadeira.

A estudante é muito mais jovem que Sabina, a partitura de sua vida está apenas esboçada e é com gratidão que nela insere os motivos que toma emprestados de Franz. A Grande Marcha de Franz é também um artigo de sua fé. Para ela, como para ele, a música é embriaguez dionisíaca. Com frequência saem para dançar. Vivem na verdade, nada do que fazem é segredo para ninguém. Procuram a companhia de amigos, colegas, estudantes e desconhecidos, apreciam comer, beber e conversar com eles. Com frequência viajam juntos pelos Alpes. Franz se inclina para a frente, a jovem lhe salta nas costas e ele a carrega a galope através dos campos, declamando em voz alta um longo poema alemão que a mãe lhe ensinara quando garoto. A garota ri às gargalhadas, agarra-se ao pescoço dele e lhe admira as pernas, os ombros e os pulmões.

A única coisa que não entende é a simpatia singular que Franz nutre por todos os países que estão sob o jugo da Rússia. No dia do aniversário da invasão, uma associação tcheca de Genebra organiza uma cerimônia comemorativa. Há poucas pessoas na sala. O orador tem cabelos grisalhos ondulados artificialmente. Está lendo um longo discurso e consegue aborrecer o punhado de entusiastas que vieram ouvi-lo. Fala francês corretamente, mas com uma pronúncia horrível. De vez em quando, para dar ênfase a seu pensamento, aponta o indicador, como para ameaçar as pessoas sentadas na sala.

A estudante de óculos, sentada ao lado de Franz, reprime um bocejo. Mas Franz sorri com um ar devoto. Tem os olhos fixos no sujeito de cabelos grisalhos, que acha simpático com seu inacreditável indicador. Fica imaginando que esse homem é um mensageiro secreto, um anjo que mantém a comunicação entre ele e sua deusa. Fecha os olhos e sonha. Fecha os olhos como os fechou sobre o corpo de Sabina em quinze hotéis da Europa e num hotel da América.

Quarta parte
A ALMA E O CORPO

1

Tereza voltou para casa mais ou menos à uma e meia da manhã, foi ao banheiro, enfiou um pijama e se deitou ao lado de Tomas. Ele dormia. Inclinada sobre seu rosto, no momento de aproximar os lábios dele, sentiu-lhe um cheiro estranho nos cabelos. Mergulhou as narinas nele e assim ficou por um bom tempo. Cheirava-o como um cachorro e acabou compreendendo: era um cheiro feminino, cheiro de sexo.

Às seis, o despertador tocou. Era a hora de Karenin. O cão acordava sempre bem antes deles, mas não os incomodava. Esperava impacientemente a campainha do despertador tocar, o que lhe dava o direito de subir na cama deles, pisar sobre seus corpos e lhes enfiar o focinho. No início, tinham tentado impedir que isso acontecesse e o expulsavam da cama, mas o cão era mais teimoso do que os donos e acabara impondo seus direitos. Aliás, Tereza constatara havia algum tempo que não era desagradável começar o dia com o chamado de Karenin. Para ele, a hora de acordar era pura alegria: espantava-se ingênua e bobamente de ainda estar vivo e se alegrava sinceramente com isso. Tereza, em compensação, acordava a contragosto, com o desejo de prolongar a noite e de não abrir mais os olhos.

Agora, Karenin esperava na entrada, os olhos levantados para o cabide onde estavam penduradas a coleira e a guia. Tereza pôs a coleira nele e ambos saíram para fazer compras. Ela comprou leite, pão, manteiga e, como sempre, um croissant para ele. No caminho de volta, Karenin andava ao lado dela, com o croissant na boca. Olhava orgulhosamente em volta, encantado sem dúvida de se fazer notar e de ser apontado com o dedo.

Em casa, ficava à espreita na porta do quarto com o croissant na boca, esperando que Tomas notasse sua presença, depois se abaixasse, começasse a ralhar e fingisse querer lhe tirar o croissant. Essa cena se repetia dia após dia: ficavam uns cinco minutos correndo um atrás do outro pelo apartamento até que Karenin se refugiava debaixo da mesa e devorava bem depressa o croissant.

Mas naquele dia Karenin esperou em vão pela cerimônia matinal. Tomas escutava um rádio que colocara em cima da mesa.

2

O rádio transmitia um programa sobre a emigração tcheca. Era uma montagem de conversas particulares ouvidas clandestinamente e gravadas por um espião que se infiltrara entre os emigrantes para em seguida entrar novamente no país com grande estardalhaço. Eram conversas insignificantes entrecortadas vez por outra de palavras cruas sobre o regime de ocupação, mas também de frases em que os emigrantes se tratavam mutuamente de cretinos e impostores. O programa insistia sobretudo no seguinte: era necessário provar que essas pessoas não apenas falam mal da União Soviética (o que não indignava ninguém na Boêmia), mas se caluniam mutuamente, não hesitando em se tratar dos piores nomes. É curioso: dizemos palavrões desde a manhã até a noite, mas se ouvimos no rádio uma pessoa conhecida e respeitada pontuar suas frases com "essa gente é um pé no saco", ficamos um pouco decepcionados.

"Começou com Prochazka!", disse Tomas sem parar de escutar.

Jan Prochazka era um romancista tcheco de quarenta anos, forte como um touro, que, bem antes de 1968, começara a criticar em altos brados a situação do país. Era um dos homens mais populares da Primavera de Praga, essa vertiginosa liberalização do comunismo que terminou com a invasão russa. Pouco depois da invasão, toda a imprensa passou a persegui-lo, mas, quanto mais acuado ele era, mais as pessoas o amavam. O rádio (estávamos em 1970) começara, portanto, a transmitir em capítulos conversas particulares que Prochazka tivera com um professor universitário dois anos antes (portanto, na primavera de 1968). Nenhum dos dois jamais suspeitara que havia um gravador escondido no apartamento do professor e que seus menores gestos eram espionados fazia muito tempo! Prochazka sempre divertia os amigos com suas hipérboles e exageros. E eis que suas incongruências podiam ser ouvidas numa série de programas radiofônicos! A polícia secreta, que fizera a montagem do programa, tomara o cuidado de enfatizar um trecho em que o romancista zombava dos amigos, de Dubcek, por exemplo. Embora as pessoas nunca percam a ocasião de falar mal dos amigos, curiosamente ficaram mais indignadas com o amado Prochazka do que com a odiada polícia secreta!

Tomas desligou o rádio e disse: "Existe polícia secreta em todos os países do mundo. Mas só a nossa é capaz de transmitir suas gravações pelo rádio! É espantoso!".

"Nem tanto!", disse Tereza. "Quando eu tinha catorze anos, escrevia um diário. Temendo que alguém o lesse, escondi-o no celeiro. Mamãe conseguiu achá-lo. Um dia, no almoço, quando tomávamos a sopa, tirou-o do bolso e disse: 'Ouçam bem, todos!', e começou a lê-lo em voz alta, torcendo-se de rir a cada frase. Toda a família se dobrava tanto de rir que até se esquecia de comer."

3

Sempre tentara convencê-la a deixá-lo tomar o café da manhã sozinho e a continuar dormindo. Mas ela não queria nem ouvir falar nisso. Tomas trabalhava das sete da manhã às quatro da tarde, e ela das quatro da tarde à meia-noite. Se não tomasse o café da manhã com ele, só poderiam conversar aos domingos. Portanto, levantava-se com ele e, depois que ele saía, deitava-se de novo e dormia.

Naquele dia, no entanto, teve medo de dormir novamente, porque queria ir à sauna na ilha Sofia às dez horas. Muita gente gostava do local, havia poucos lugares e só se conseguia entrar com pistolão. Felizmente, a caixa era casada com um professor que tinha sido expulso da universidade. O professor era amigo de um antigo paciente de Tomas. Tomas havia falado com o paciente, o paciente havia falado com o professor, o professor com a mulher e Tereza tinha seu lugar garantido uma vez por semana.

Ia a pé. Detestava os bondes sempre lotados, em que as pessoas se amontoavam num aperto cheio de rancor, pisoteando-se, arrancando-se os botões dos casacos e se insultando.

Estava chuviscando. As pessoas se apressavam, levantando sobre a cabeça os guarda-chuvas abertos e, de repente, formava-se um tumulto nas calçadas. As armações dos guarda-chuvas se entrechocavam. Os homens eram gentis e, passando perto de Tereza, levantavam o guarda-chuva bem alto para lhe dar espaço. Mas as mulheres não se afastavam nem um milímetro. Olhavam em frente, o rosto duro, cada uma esperando que a outra se confessasse mais fraca e capitulasse. O encontro dos guarda-chuvas era uma prova de força. No começo, Tereza se afastava, mas quando compreendeu que sua gentileza jamais era retribuída, empunhou seu guarda-chuva com mais força, como as outras. Muitas vezes, seu guarda-chuva esbarrava violentamente num outro que vinha em sentido contrário, mas nunca nenhuma mulher pedia desculpas. Em geral, ninguém abria a boca; duas ou três vezes, ela ouviu: "Puta!" ou "Merda!".

Entre as mulheres armadas com guarda-chuvas, havia jovens e mulheres mais velhas, mas as jovens estavam entre as combatentes mais intrépidas. Tereza se lembrava dos dias da invasão. Jovens de minissaia passavam e tornavam a passar, carregando a bandeira nacional na ponta de uma vara. Era um atentado sexual contra os soldados russos forçados a vários anos de castidade. Em Praga, deviam imaginar que estavam num planeta inventado por um autor de ficção científica, planeta povoado de mulheres incrivelmente elegantes, que exibiam seu desprezo, empoleiradas em longas e bem torneadas pernas, como não se viam em toda a Rússia fazia cinco ou seis séculos.

Naqueles dias, havia tirado inúmeras fotos das jovens, tendo ao fundo tanques de guerra. Como as admirava então! E eram exatamente as mesmas mulheres que via hoje avançando em sua direção, rabugentas e más. Em vez de bandeira, carregavam um guarda-chuva, mas o carregavam com a mesma altivez. Estavam dispostas a enfrentar com a mesma obstinação um exército estrangeiro e o guarda-chuva que se recusava a dar passagem.

4

Ela chegou à praça da Cidade Velha, onde se ergue a austera catedral de Tyn e casas barrocas se alinham num quadrilátero irregular. O antigo prédio da prefeitura, uma construção do século XIV que em outra época ocupava um dos lados da praça, está em ruínas há mais de vinte e sete anos. Varsóvia, Dresden, Colônia, Budapeste, Berlim, foram terrivelmente mutiladas na última guerra, mas seus habitantes as reconstruíram, e em geral tiveram o cuidado de restaurar com o maior capricho os bairros históricos. Essas cidades faziam os habitantes de Praga sentir complexo de inferioridade. Em sua cidade, o único prédio histórico destruído pela guerra é a antiga prefeitura. Decidiram conservá-la em ruínas para que nenhum polonês ou alemão pudesse culpá-los de não ter sofrido o bastante. Diante desses ilustres escombros, que devem ficar para a eternidade como uma acusação à guerra, ergue-se um palanque feito de barras metálicas destinado a uma manifestação organizada pelo Partido Comunista que arrastou ontem ou arrastará amanhã o povo de Praga.

Tereza olhava para a prefeitura destruída e o espetáculo lhe lembrou de repente sua mãe: aquela necessidade perversa de expor as próprias ruínas, de se gabar da própria feiura, de ostentar a miséria, de mostrar o coto da mão e de obrigar o mundo inteiro a olhar para ele. Nos últimos tempos tudo lhe lembrava a mãe, como se o universo materno, do qual escapara fazia cerca de dez anos, estivesse voltando e a cercando por toda parte. Foi por isso que no café da manhã ela havia contado que a mãe lera seu diário íntimo para a família que se torcia de rir. Quando uma conversa entre amigos diante de um copo de vinho é transmitida pelo rádio, uma coisa fica evidente: o mundo se transformou num campo de concentração.

Tereza usava essa expressão desde criança quando queria exprimir a ideia que fazia de sua vida familiar. O campo de concentração é um mundo onde as pessoas vivem o tempo todo umas sobre as outras, dia e noite. As crueldades e as violências são apenas um aspecto secundário (e nem um pouco necessário). O campo de concentração é a liquidação total da vida privada. Prochazka, que não estava protegido nem mesmo em casa quando conversava diante de um copo com um amigo, vivia (sem se dar conta disso, e foi seu erro fatal!) num campo de concentração. Tereza vivera num campo de concentração quando morava com a mãe. Depois disso, sabia que o campo de concentração não é nada de excepcional, nada que deva nos surpreender, mas uma coisa comum, fundamental, nascemos nele e dele só podemos escapar com a tensão máxima de todas as nossas forças.

5

As mulheres estavam sentadas em três bancos dispostos em degraus, apertadas a ponto de tocar uma na outra. Uma mulher de mais ou menos trinta anos, com um rosto muito bonito, transpirava ao lado de Tereza. Debaixo de seus ombros pendiam dois seios incrivelmente volumosos, que balançavam ao menor movimento. Quando ela se levantou, Tereza reparou que seu traseiro também se assemelhava a duas mochilas enormes e que não tinha nada em comum com o rosto.

Quem sabe aquela mulher não passava, também ela, longos momentos diante do espelho olhando seu corpo e tentando perceber sua alma em transparência como Tereza tentava desde a infância? Sem dúvida, ela também acreditava bobamente que seu corpo podia servir de escudo de sua alma. Mas quão monstruosa devia ser aquela alma se fosse parecida com aquele cabide com quatro sacolas!

Tereza se levantou para tomar a ducha. Depois saiu para respirar ar fresco. Chuviscava o tempo todo. Ela estava numa plataforma que avançava alguns metros sobre o Vltava entre altos painéis de madeira que protegiam as mulheres dos olhares da cidade. Abaixando a cabeça, notou na superfície da água o rosto da mulher em quem acabara de pensar.

A mulher sorria para ela. Tinha o nariz fino, grandes olhos castanhos e o olhar infantil.

Subia a escada e, sob o rosto meigo, reapareceram duas mochilas que balançavam e espalhavam ao redor gotinhas de água fria.

6

Ela foi se vestir. Estava diante de um grande espelho.

Não, seu corpo não tinha nada de monstruoso. Ela não tinha sacolas debaixo dos ombros, mas seios pequenos. Sua mãe caçoava dela porque não eram grandes como deviam ser, o que lhe dera complexos de que só Tomas acabara por livrá-la. Agora, podia aceitar o tamanho deles, mas desaprovava as aréolas grandes e escuras demais. Se pudesse ter feito ela mesma o projeto de seu corpo, teria bicos discretos, delicados, que se destacassem levemente da curva do seio e de uma cor que mal se diferenciasse do resto da pele. Esse grande alvo vermelho-escuro lhe parecia obra de um pintor popular que produzisse imagens obscenas para os pobres.

Examinava-se e imaginava o que iria acontecer se seu nariz ficasse um milímetro mais comprido por dia. Depois de quanto tempo seu rosto se tornaria irreconhecível?

E se cada parte de seu corpo começasse a crescer e a diminuir a ponto de fazê-la perder toda semelhança com Tereza, seria ainda ela mesma, existiria ainda uma Tereza?

Certamente. Mesmo se supondo que Tereza não se parecesse mais nada com Tereza, por dentro sua alma seria sempre a mesma e só poderia observar com pavor o que acontecia com seu corpo.

Então, qual a relação entre Tereza e seu corpo? Seu corpo tinha direito de se chamar Tereza? E se não tinha esse direito, a que se referia esse nome? Apenas a uma coisa incorpórea, imaterial.

(São sempre as mesmas perguntas que desde a infância passam pela cabeça de Tereza. Porque as perguntas realmente sérias são apenas aquelas que uma criança pode formular. Só as perguntas mais ingênuas são realmente perguntas sérias. São as interrogações para as quais não há resposta. Uma pergunta para a qual não há resposta é uma cancela além da qual não há mais caminhos. Em outras palavras: são precisamente as perguntas para as quais não há resposta que marcam os limites das possibilidades humanas e que traçam as fronteiras de nossa existência.)

Tereza está imóvel, enfeitiçada diante do espelho, e olha seu corpo como se ele lhe fosse estranho; estranho, mesmo que lhe pertença. Ele lhe dá asco. Ele não teve força de se tornar para Tomas o único corpo de sua vida. Esse corpo a decepcionou, traiu-a. Durante uma noite inteira, foi obrigada a respirar nos cabelos de Tomas o cheiro íntimo de outra.

Subitamente, tem vontade de despedir esse corpo como quem despede uma empregada. De ser para Tomas apenas uma alma e expulsar para longe esse corpo para que ele se comporte como os outros corpos femininos se comportam com os corpos masculinos! Já que seu corpo não soubera se tornar o único corpo para Tomas e que perdeu assim a maior batalha da vida de Tereza, pois bem, que fosse embora!

7

Ela foi para casa, almoçou sem apetite em pé na cozinha. Às três e meia, pôs a coleira em Karenin e foi com ela (sempre a pé) ao hotel onde trabalhava, num bairro periférico. Quando a despediram na revista, empregou-se como garçonete. Isso aconteceu alguns meses depois que voltara de Zurique; afinal nunca lhe perdoaram ter fotografado durante sete dias os tanques russos. Conseguira esse emprego graças a amigos: pessoas que haviam perdido seu trabalho quase ao mesmo tempo que ela e que ali também tinham encontrado refúgio. Na contabilidade estava um ex-professor de teologia, na recepção um ex-embaixador.

Estava de novo preocupada com as pernas. Antigamente, quando trabalhava no interior como garçonete, observava com horror a barriga da perna coberta de varizes das colegas. Era a doença de todas as garçonetes que passavam a vida andando, correndo, ou de pé, com os braços sobrecarregados. O trabalho, no entanto, era menos penoso que o de antigamente no interior. Antes de começar o serviço, tinha que carregar pesadas caixas de cerveja e de água mineral, mas o resto do tempo ficava atrás do balcão, servindo bebidas alcoólicas aos clientes, e no intervalo lavava os copos numa pequena pia instalada na extremidade do bar. Durante todo esse tempo Karenin ficava pacientemente deitada a seus pés.

Passava de meia-noite quando terminou suas contas e entregou o dinheiro ao gerente do hotel. Em seguida foi se despedir do embaixador, que estava de plantão. A porta atrás do balcão da recepção dava para um pequeno quarto com uma cama estreita onde ele podia cochilar. A parede acima da cama estava coberta de fotografias emolduradas: nelas ele aparecia sempre com pessoas que sorriam para a objetiva, ou lhe apertavam a mão, ou estavam sentadas a seu lado, assinando alguma coisa. Numa fotografia bem em evidência, via-se ao lado do seu rosto o rosto sorridente de John F. Kennedy.

Não era com o presidente dos Estados Unidos que ele conversava aquela noite, mas com um sexagenário desconhecido que se calou ao ver Tereza.

"É uma amiga", disse o embaixador. "Pode falar tranquilamente." Depois, virando-se para Tereza: "O filho dele acaba de ser condenado a cinco anos, justamente hoje".

Ela ficou sabendo que, durante os primeiros dias da invasão, o filho do sexagenário vigiava com amigos a entrada de um prédio onde estava instalado um setor especial do exército russo. Os tchecos que saíam de lá, não havia dúvida, eram delatores a serviço dos russos. Ele e seus companheiros os seguiam, anotavam a placa dos carros e os denunciavam aos repórteres de uma emissora clandestina tcheca, que advertia a população. Espancara um deles com a ajuda dos amigos.

O sexagenário disse: "Esta foto é a única prova material. Ele negou tudo, até o momento em que isto lhe foi apresentado".

Tirou do bolso do peito um recorte de jornal: "Isto apareceu no *Times*, no outono de 1968".

Na foto se via um jovem segurando um sujeito pelo pescoço. Em torno, pessoas olhavam. Sob a foto se podia ler: "O castigo do colaboracionista".

Tereza se sentiu aliviada. Não, não fora ela que tirara aquela foto.

Voltou para casa com Karenin, atravessando as ruas escuras de Praga. Pensava naqueles dias em que havia fotografado os tanques. Como tinham sido ingênuos todos eles! Acreditavam estar arriscando a vida pela pátria, e em vez disso estavam trabalhando, sem saber, para a polícia russa.

Chegou em casa à uma e meia. Tomas já estava dormindo. Nos seus cabelos, havia um cheiro feminino, um cheiro de sexo.

8

O que é a sedução? Pode-se dizer que é um comportamento que deve sugerir que a aproximação sexual é possível, sem que essa eventualidade possa ser entendida como uma certeza. Em outras palavras, a sedução é uma promessa de coito, mas uma promessa sem garantia.

Tereza está de pé atrás do balcão do bar e os clientes a quem serve bebidas lhe fazem propostas. Será que acha desagradável esse assédio contínuo de elogios, subentendidos, histórias maliciosas, convites, sorrisos e olhares? De maneira nenhuma. Sente um desejo incontrolável de oferecer seu corpo (esse corpo estranho que ela gostaria de expulsar para longe), de oferecê-lo a essa ressaca.

Tomas não para de tentar persuadi-la de que o amor e o ato do amor são dois mundos diferentes. Ela se recusava a admiti-lo. Agora, está cercada de homens que não lhe inspiram a menor simpatia. Que sensação lhe daria se deitar com eles? Tem vontade de experimentar, nem que seja sob essa forma de promessa sem garantia que é a sedução.

Não nos enganemos: não quer se vingar de Tomas. Procura uma saída para o labirinto. Sabe que é um peso para ele: leva as coisas muito a sério, vê tudo pelo lado trágico, não consegue compreender a leveza e a futilidade alegre do amor físico. Queria tanto aprender a leveza! Queria que a ensinassem a não ser mais anacrônica!

Se para outras mulheres a sedução é uma segunda natureza, uma rotina insignificante, para ela, de agora em diante, é o campo de uma investigação importante que deve ajudá-la a descobrir aquilo de que é capaz. Mas por ser tão importante, tão grave, sua sedução perdeu toda a leveza, é forçada, intencional, excessiva. O equilíbrio entre a promessa e a ausência de garantia (em que reside precisamente o autêntico virtuosismo da sedução!) foi rompido. Está pronta demais a prometer sem mostrar de maneira suficientemente clara que sua promessa não a obriga a nada. Ou, por outra, todo mundo pensa que ela é extraordinariamente fácil. E depois, quando os homens reclamam a realização daquilo que lhes parecia prometido, tropeçam numa súbita resistência que só podem explicar pela requintada crueldade de Tereza.

9

Um adolescente de cerca de dezesseis anos veio sentar-se num banco vazio do bar. Pronunciou algumas frases provocantes que se incrustavam na conversa como se incrusta num desenho um traço malfeito, que não se pode continuar nem apagar.

"Você tem pernas bonitas", disse ele.

Ela se revoltou: "Como se você pudesse vê-las através da madeira do balcão".

"Eu a conheço. Vejo-a na rua", explicou o rapaz.

Mas Tereza se afastara e atendia outros clientes. Ele pediu um conhaque. Ela negou.

"Acabei de fazer dezoito anos", protestou o adolescente.

"Então, mostre sua carteira de identidade!"

"De maneira nenhuma", replicou o adolescente.

"Muito bem! Então tome um refrigerante!"

Sem dizer uma palavra, o adolescente se levantou do banco e foi embora. Depois de mais ou menos meia hora, voltou e sentou no bar. Gesticulava exageradamente e seu hálito cheirava a álcool a três metros de distância.

"Um refrigerante!"

"Você está bêbado!", disse ela.

O adolescente mostrou um cartaz pendurado na parede atrás de Tereza: "É expressamente proibido servir bebidas alcoólicas a menores de dezoito anos".

"É proibido que você me sirva álcool", disse ele, apontando para Tereza com um grande gesto, "mas não está escrito em lugar nenhum que eu não tenho o direito de estar bêbado."

"Onde você bebeu assim?", perguntou Tereza.

"No bar em frente!" Deu uma gargalhada e, de novo, exigiu um refrigerante.

"Então por que não ficou por lá?"

"Porque queria olhar para você", disse o adolescente. "Eu te amo."

Ao dizer isso, estava com o rosto estranhamente crispado. Ela não estava entendendo: será que estava zombando dela? estaria lhe passando uma cantada? era uma piada? ou estava bêbado e simplesmente não sabia o que falava?

Colocou um refrigerante na frente dele e foi atender outros clientes. As palavras "Eu te amo!" pareciam ter esgotado as forças do adolescente. Não disse mais nada, pôs, sem fazer barulho, a moeda no balcão e foi embora sem que Tereza percebesse.

Mas mal ele saiu, um homem calvo e baixinho que estava na terceira vodca tomou a palavra: "A senhora não sabe que não pode servir álcool a menores?".

"Mas não foi álcool que eu servi! Ele tomou um refrigerante!"

"Vi muito bem o que a senhora colocou no refrigerante!"

"O que é que o senhor está inventando?", explode Tereza.

"Mais uma vodca", pediu o careca. E acrescentou: "Faz muito tempo que estou de olho na senhora".

"Ah, é? pois considere-se feliz de poder olhar para uma bela mulher, e cale essa boca!", interveio um homem alto que se aproximara do balcão e observara toda a cena.

"Não se meta! Isto não é da sua conta!", gritou o careca.

"E você poderia me dizer por que é da sua?", perguntou o homem alto.

Tereza serviu ao careca a vodca que ele havia pedido. Ele bebeu de um só trago, pagou e saiu.

"Muito obrigada", disse Tereza ao homem alto.

"Não há de quê", respondeu o homem alto, saindo por sua vez.

10

Alguns dias mais tarde, ele apareceu novamente no bar. Ao vê-lo, ela lhe sorriu como para um amigo: "Tenho que lhe agradecer de novo. Aquele careca volta sempre e é terrivelmente desagradável".

"Não pense mais nisso!"

"Por que será que ele implicou comigo aquele dia?"

"Não passa de um bêbado! Peço-lhe mais uma vez: não pense mais nisso!"

"Já que está pedindo, não vou mais pensar."

O homem alto a olhava nos olhos: "Você tem que me prometer".

"Prometo."

"Sinto prazer em ouvi-la me prometer alguma coisa", disse o homem sem desviar os olhos dos olhos dela.

A sedução prosseguia: esse comportamento que deve sugerir que a aproximação sexual é possível, mesmo que seja apenas uma eventualidade sem garantia e totalmente teórica.

"Como é possível encontrar uma mulher como você no pior bairro de Praga?", disse ele.

"E você? O que faz aqui, no pior bairro de Praga?"

Disse-lhe que não morava longe, que era engenheiro e que da última vez voltava do trabalho e entrara por acaso no bar.

11

Olhava para Tomas. Não tinha os olhos fixos nos dele, mas uns dez centímetros acima, nos cabelos, que exalavam o cheiro do sexo de outra.

Disse: "Tomas, não aguento mais. Sei que não tenho direito de me queixar. Desde que você voltou para Praga por minha causa, estou me proibindo de ter ciúme. Não quero mais ser ciumenta, mas não consigo evitar, não tenho forças para isso. Você tem que me ajudar, por favor!".

Ele a pegou pelo braço e a levou a uma praça onde costumavam passear alguns anos antes. Nessa praça havia bancos: azuis, amarelos, vermelhos. Sentaram-se e Tomas lhe disse:

"Eu a entendo. Sei o que você quer. Está tudo arranjado. Agora, você vai ao monte Petrin."

Imediatamente, ela foi tomada de angústia: "Ao monte Petrin? Fazer o quê, no monte Petrin?".

"Quando chegar lá em cima você vai entender."

Não tinha vontade nenhuma de ir; seu corpo estava tão fraco que não conseguia se levantar do banco. Mas não podia desobedecer a Tomas. Fez um esforço para se levantar.

Olhou para trás. Ele continuava sentado no banco e lhe sorria quase alegre. Fez um gesto com a mão, sem dúvida para encorajá-la.

12

Quando chegou ao monte Petrin, a colina verdejante situada no centro de Praga, notou com espanto que não havia ninguém. Era curioso, pois, em geral, multidões sempre passeavam por ali. Sentia-se angustiada, mas os caminhos estavam tão silenciosos e o silêncio era tão repousante que relaxou e se entregou confiante à colina. Subiu, parando de vez em quando para olhar para trás. A seus pés, via um aglomerado de torres e pontes. Os santos brandiam punhos ameaçadores, os olhos de pedra fixados nas nuvens. Era a cidade mais bonita do mundo.

Chegou ao topo. Atrás das barracas onde geralmente se vendiam sorvetes, cartões-postais e souvenirs (os vendedores não se encontravam ali nesse dia), estendia-se um gramado com árvores esparsas. Viu alguns homens. Quanto mais se aproximava, mas diminuía o passo. Eram seis. Estavam imóveis ou iam e vinham muito lentamente, como jogadores num campo de golfe quando examinam o relevo, sentem o peso do taco e se concentram para jogar.

Finalmente chegou perto deles. Dos seis homens, estava certa de que três tinham ido ali para representar o mesmo papel que ela: estavam intimidados, davam a impressão de querer fazer uma porção de perguntas, mas de ter medo de incomodar, assim preferiam calar e olhavam em torno com ar interrogativo.

Os outros três irradiavam uma cordialidade indulgente. Um deles segurava um fuzil. Ao ver Tereza, fez-lhe um sinal e disse com um sorriso: "Sim, é aqui".

Ela o cumprimentou com um movimento de cabeça, sentindo-se terrivelmente encabulada.

O homem acrescentou: "Para que não haja erro, é mesmo a *sua* vontade?".

Seria fácil dizer "não, não é a minha vontade"; mas lhe era impossível trair a confiança de Tomas. Que desculpa daria, quando voltasse para casa? Por isso disse: "Sim. Claro. É a minha vontade".

O homem do fuzil continuou: "Precisa compreender por que lhe faço essa pergunta. Só fazemos isso quando temos certeza de que aqueles que vêm nos procurar decidiram morrer por sua própria vontade. Consideramos isso um serviço que lhes prestamos".

Seu olhar interrogativo continuou pousado em Tereza e ela se viu forçada a lhe garantir outra vez: "Não tenha receio! É a minha vontade".

"Quer ser a primeira?", perguntou ele.

Ela queria retardar a execução, nem que fosse por alguns instantes.

"Não, por favor, não. Se possível, gostaria de ser a última."

"Como quiser", disse o homem e se aproximou dos outros. Seus dois assistentes não carregavam armas e estavam ali só para atender as pessoas que iam morrer. Seguravam-nas pelo braço e as acompanhavam pelo gramado. Era uma imensa relva que se estendia a perder de vista. Os candidatos à execução podiam escolher eles mesmos sua árvore. Paravam, olhavam demoradamente, não conseguiam se decidir. Por fim, dois deles escolheram dois plátanos, mas o terceiro ia cada vez mais longe, não encontrando nenhuma árvore adequada à sua morte. O assistente que o segurava frouxamente pelo braço, acompanhava-o sem se impacientar, mas depois o homem não teve mais coragem de continuar e parou perto de um bordo frondoso.

Os assistentes colocaram vendas nos olhos dos três homens.

No imenso gramado havia, portanto, três homens encostados nos troncos de três árvores, cada um deles com uma venda nos olhos e a cabeça virada para o céu.

O homem do fuzil apontou a arma e atirou. Não se ouviu nenhum barulho a não ser o canto dos pássaros. O fuzil tinha silenciador. Via-se somente que o homem encostado no bordo começava a cair.

Sem se afastar de onde estava, o homem do fuzil se virou para uma outra direção, e foi a vez de o personagem encostado no plátano tombar em silêncio total, e alguns instantes mais tarde (o homem do fuzil se virava sem sair do lugar) o terceiro candidato ao suplício também caiu na grama.

13

Um dos assistentes se aproximou de Tereza sem uma palavra. Segurava uma venda azul-escura.

Ela compreendeu que ele queria lhe vendar os olhos. Balançou a cabeça e disse: "Não, quero ver tudo".

Mas não era essa a verdadeira razão de sua recusa. Não tinha nada dos heróis que resolvem encarar bravamente direto nos olhos o pelotão de fuzilamento. Ela tentava apenas retardar sua morte. Achava que no momento em que seus olhos estivessem vendados, estaria na antecâmara da morte, sem esperança de volta.

O homem não tentou coagi-la e a tomou pelo braço. Andavam pelo imenso gramado e Tereza não conseguia escolher uma árvore. Ninguém a obrigava a se apressar, mas ela sabia que, de toda maneira, escapar era impossível. Vendo diante de si um castanheiro em flor, aproximou-se. Encostou-se no tronco e levantou a cabeça: via a folhagem atravessada pelos raios do sol e ouvia a cidade, que murmurava ao longe, fraca e molemente, como a voz de mil violinos.

O homem ergueu o fuzil.

Tereza se sentia sem coragem. Estava desesperada com sua fraqueza, mas não pôde dominá-la. Disse: "Não, não é a *minha* vontade!".

O homem imediatamente abaixou o cano do fuzil e disse muito calmamente: "Se não é a sua vontade, não podemos fazê-lo. Não temos esse direito".

A voz dele era amável, como se pedisse desculpas a Tereza por não poder executá-la contra a sua vontade. Essa gentileza lhe cortava o coração; virou o rosto para a casca da árvore e explodiu em soluços.

14

Abraçava a árvore, o corpo sacudido por soluços, como se aquilo fosse não uma árvore, mas o pai, que havia perdido, o avô, que não conhecera, o bisavô, o trisavô, um homem infinitamente velho vindo das profundezas mais distantes do tempo para lhe oferecer o rosto na casca rugosa da árvore.

Virou-se. Os três homens já estavam longe, iam e vinham no gramado como jogadores de golfe, e o fuzil na mão do homem armado lembrava mesmo um taco de golfe.

Descia as alamedas do monte Petrin, guardando no fundo da alma a saudade do homem que deveria tê-la fuzilado e não o fizera. Tinha necessidade dele. Enfim, precisava de alguém que a ajudasse. Tomas não a ajudaria. Tomas a enviava para a morte. Só outra pessoa podia ajudá-la!

Quanto mais se aproximava da cidade, mais falta sentia desse homem e mais medo sentia de Tomas. Ele não a perdoaria por não ter cumprido a promessa. Não a perdoaria por não ter tido coragem e por tê-lo traído. Ela já estava na rua onde moravam e sabia que iria vê-lo a qualquer minuto. Esse pensamento a pôs em pânico; sentia náuseas, vontade de vomitar.

15

O engenheiro a convidou para visitá-lo. Já tinha recusado duas vezes. Dessa vez, aceitou.

Como de hábito, almoçou de pé na cozinha e depois saiu. Eram quase duas horas.

Aproximou-se do lugar onde ele morava e sentiu as pernas se retardarem por conta própria.

Depois imaginou que na verdade era Tomas quem a enviava à casa daquele homem. Não era ele que vivia lhe explicando que o amor e a sexualidade não têm nada em comum? Ia apenas buscar uma confirmação de suas palavras. Ouvia sua voz lhe dizendo: "Eu a entendo. Sei o que você quer. Está tudo arranjado. Quando chegar lá em cima você vai entender".

Não fazia mais que cumprir as ordens de Tomas.

Só queria ficar um momento na casa do engenheiro; apenas o tempo de tomar um café, apenas o tempo de descobrir a sensação que dá chegar até a fronteira da infidelidade. Queria empurrar seu corpo até essa fronteira, deixá-lo ali por um instante como no pelourinho, depois, quando o engenheiro tentasse abraçá-la, diria, como dissera ao homem armado do monte Petrin: "Não, não! Não é minha vontade!".

E o homem abaixaria o cano do fuzil e diria com voz suave: "Se não é a sua vontade, não podemos fazê-lo. Não temos esse direito".

E ela se voltaria para o tronco da árvore e explodiria em soluços.

16

Era um prédio do começo do século num subúrbio operário de Praga. Entrou no corredor de paredes sujas revestidas de cal. Os degraus gastos da escada de pedra e o corrimão metálico a levaram ao primeiro andar. Virou à esquerda. Era a segunda porta, sem nome nem campainha. Bateu.

Ele abriu.

Todo o apartamento consistia numa só peça dividida em duas por uma cortina estendida a dois metros da porta para dar a ilusão de uma entrada; aí, havia uma mesa com um fogareiro, e uma geladeira pequena. Entrando, ela viu diante de si o retângulo vertical da janela na extremidade de um cômodo estreito e comprido; de um lado, havia uma estante, do outro um divã e uma única poltrona.

"Minha casa é muito simples", disse o engenheiro. "Espero que você não tenha se decepcionado."

"Não, absolutamente", disse Tereza, os olhos fixos na parede inteiramente coberta de estantes repletas de livros. O homem não tinha sequer uma mesa digna desse nome, mas tinha centenas de livros. Tereza ficou contente; a angústia que a acompanhara no caminho começava a ceder. Desde criança, via no livro o indício de uma irmandade secreta. Uma pessoa com uma biblioteca daquelas não podia lhe fazer mal nenhum.

Ele lhe perguntou o que queria beber. Vinho?

Não, não; não queria vinho. Se tomasse alguma coisa, seria café.

Ele desapareceu atrás da cortina e ela se aproximou da biblioteca. Um livro a fascinou. Era uma tradução do *Édipo* de Sófocles. Como era estranho encontrar aquele livro na casa de um desconhecido! Anos antes, Tomas dera um exemplar a Tereza, pedindo-lhe que o lesse com atenção, e conversara demoradamente com ela sobre a obra. Em seguida, publicara suas reflexões num jornal, e o artigo tinha posto a vida deles de pernas para o ar. Olhava a lombada do livro e isso a acalmava. Era como se Tomas houvesse deixado deliberadamente sua marca ali, uma mensagem que significava que tudo tinha sido arrumado por ele. Pegou o livro e o abriu. Quando o engenheiro voltasse, ela lhe perguntaria por que tinha aquele livro, se o lera e o que achava dele. Seria um estratagema para desviar a conversa do perigoso terreno do apartamento do desconhecido para o universo familiar das ideias de Tomas.

Depois sentiu uma pressão no ombro. O engenheiro lhe tirou o livro da mão, colocou-o de volta na estante sem dizer nada e a guiou até o divã.

Ela pensou novamente na frase que dissera ao carrasco do monte Petrin e a proferiu em voz alta: "Não, não! Não é a minha vontade!".

Estava convencida de que essa era uma fórmula mágica, que iria transformar imediatamente a situação, mas naquele quarto as palavras perderam seu poder. Acredito até que incitaram o homem a se mostrar ainda mais decidido: apertou-a contra si e pôs a mão em um de seus seios.

Estranho: esse contato a libertou logo da angústia. Como se, com esse contato, o engenheiro tivesse descoberto o corpo dela e ela tivesse compreendido que o que estava em jogo não era ela (sua alma), mas apenas seu corpo. Esse corpo que a traíra e que ela expulsara para longe de si, para o meio de outros corpos.

17

Ele desabotoou um botão da sua blusa, esperando que ela mesma desabotoasse os outros. Ela não correspondeu à sua expectativa. Tinha expulsado seu corpo para longe de si, mas não queria ter nenhuma responsabilidade por ele. Não se despia, mas não se defendia também. Sua alma queria mostrar assim que, apesar de desaprovar o que estava para acontecer, preferia permanecer neutra.

Ficou quase inerte enquanto ele a despia. Quando a beijou, seus lábios não responderam. Depois, ela percebeu subitamente que seu sexo estava úmido e ficou consternada.

A excitação que sentia era ainda maior porque estava excitada a contragosto. Desde então, sua alma concordava secretamente com tudo o que decerto iria se passar, mas ela sabia também que para prolongar essa grande excitação, seu consentimento devia continuar sendo tácito. Se ela tivesse dito sim em voz alta, se tivesse aceitado participar de boa vontade da cena de amor, a excitação teria desaparecido. Porque o que excita a alma é justamente ser traída pelo corpo, que age contra a sua vontade, e assistir a essa traição.

Depois, ele lhe tirou a calcinha; agora, estava completamente nua. A alma via o corpo desnudo nos braços do desconhecido e esse espetáculo lhe parecia inacreditável, era como se estivesse vendo de perto o planeta Marte. À luz do inacreditável, seu corpo perdia pela primeira vez sua banalidade; pela primeira vez, ela o olhava enfeitiçada; a singularidade, a unicidade inimitável do corpo dela passavam para o primeiro plano. Não era o mais comum de todos os corpos (era assim que ela o vira até então), mas o mais extraordinário. A alma não podia desviar os olhos da mancha de nascença, redonda e amarronzada, acima dos pelos; a alma via nessa mancha o sinal com que ela mesma marcara o corpo e achava um sacrilégio o fato de o membro de um desconhecido se movimentar tão perto desse sinal sagrado.

Quando Tereza levantou os olhos e viu o rosto dele, lembrou-se que jamais consentiria que aquele corpo onde a alma gravara sua assinatura se encontrasse nos braços de alguém que ela não conhecia e não queria conhecer. Foi invadida por um ódio atordoante. Encheu a boca de saliva para cuspir no rosto do desconhecido. Os dois se observavam com a mesma avidez; ele percebeu sua raiva e apressou os movimentos. Tereza, sentindo que a volúpia a venceria, começou a gritar: "Não, não, não", ela resistia ao gozo que chegava, e como resistia, o gozo reprimido se irradiava demoradamente por todo o seu corpo, sem ter por onde escapar; a volúpia se propagava como morfina injetada na veia. Debatia-se nos braços do homem, golpeava-o cegamente e lhe cuspia no rosto.

18

As privadas dos banheiros modernos se erguem do chão como a flor branca do nenúfar. O arquiteto faz o impossível para que o corpo esqueça sua miséria e para que o homem ignore o que acontece com os dejetos de suas entranhas quando a água da descarga os expulsa gorgolejando. Os canos dos esgotos, ainda que seus tentáculos cheguem até nossos apartamentos, são cuidadosamente escondidos de nossos olhares e nada sabemos acerca dessas invisíveis Venezas de merda sobre as quais estão construídos nossos banheiros, nossos quartos de dormir, nossos salões de festas e nossos parlamentos.

Os banheiros daquele velho prédio de um subúrbio operário de Praga eram menos hipócritas; o piso era coberto de lajes cinzentas, onde se erguia, órfã e miserável, a privada. Sua forma não evocava a flor do nenúfar, mas ao contrário parecia o que era: a embocadura alargada de um cano. Nela faltava até mesmo o assento de madeira e Tereza teve que sentar na borda esmaltada, que a fez estremecer.

Estava sentada na privada, e o desejo de esvaziar as entranhas que de repente a assaltara, era o desejo de ir até o fim da humilhação, o desejo de ser corpo, nada mais que corpo, aquele corpo que, como sua mãe sempre dizia, só existia para digerir e para evacuar. Tereza esvaziou as entranhas e nesse instante sentiu uma tristeza e uma solidão infinitas. Não existe nada mais miserável do que um corpo nu sentado na embocadura alargada de um cano de esgoto.

Sua alma perdeu a curiosidade de espectadora, sua malevolência, seu orgulho: retornou para o fundo do corpo em suas dobras mais ocultas e espera desesperadamente que a chamem de volta.

19

Levantou-se da privada, puxou a descarga e voltou para a entrada. Era uma manhã fria, nevava um pouco. A alma tremia no corpo nu e rejeitado. Tereza sentia ainda no ânus o contato do papel com que se limpara.

Aconteceu então uma coisa inesquecível: teve vontade de procurá-lo no quarto e de ouvir sua voz, seu chamado. Se ele tivesse lhe falado com voz doce e grave, sua alma teria tido a audácia de subir para a superfície do corpo, e ela teria começado a chorar. Ela o teria abraçado como abraçara em sonho o tronco grande do castanheiro.

Estava na entrada e se esforçava para dominar o desejo imenso de se desmanchar em lágrimas diante dele. Se ela não o dominasse, sabia que acabaria acontecendo o que não queria. Ela se apaixonaria.

Nesse momento, ouviu uma voz que vinha do fundo do apartamento. Quando ouviu aquela voz desencarnada (sem ver ao mesmo tempo a estatura alta do engenheiro), levou um susto: era uma voz fina e aguda. Como não percebera isso antes?

Foi sem dúvida graças à impressão desconcertante e desagradável que lhe causou a voz que pôde afastar a tentação. Voltou ao quarto, juntou suas roupas espalhadas, vestiu-se rapidamente e saiu.

20

Voltava das compras com Karenin, que trazia um croissant na boca. Era uma manhã fria, nevava um pouco. Passava por um loteamento em que havia pequenos jardins e minúsculas áreas cultivadas entre as casas. Karenin parou de repente; olhava fixamente numa direção. Ela também olhou para o mesmo lado, mas não notou nada de especial. Karenin a puxava e ela se deixou levar. Finalmente, em cima da argila gelada da orla de um canteiro deserto, viu a cabecinha preta de uma gralha de bico comprido. A cabecinha sem corpo se mexia suavemente e, de vez em quando, o bico emitia um som triste e rouco.

Karenin estava tão agitada que largou o croissant. Tereza teve que prendê-la numa árvore para que não machucasse a gralha. Depois se ajoelhou e tentou cavar a terra em volta do corpo do pássaro enterrado vivo. Não estava fácil. Quebrou uma unha; estava sangrando.

Nesse momento, uma pedra caiu a seu lado. Levantou os olhos e viu dois garotos de mais ou menos dez anos escondidos atrás da parede de uma casa. Levantou-se. Vendo sua reação e o cachorro preso na árvore, eles fugiram.

Ela se ajoelhou novamente para cavar a terra argilosa e conseguiu por fim libertar a gralha de seu túmulo. Mas o pássaro estava paralisado e não podia nem andar nem voar. Envolveu-o na echarpe vermelha que trazia em volta do pescoço e a apertou na mão esquerda contra seu corpo. Com a direita, soltou Karenin da árvore, e precisou empregar toda a sua força para dominá-la e mantê-la junto à perna.

Tocou a campainha, pois não tinha mão livre para apanhar a chave no bolso. Tomas abriu. Ela lhe entregou a guia de Karenin. "Segure!", ordenou, levando a gralha para o banheiro. Colocou-a no chão, debaixo da pia. A gralha se debatia mas não podia se mexer. Um líquido espesso e amarelado escorria de seu corpo. Tereza lhe fez uma pequena cama de trapos embaixo da pia para que ela não sentisse o frio dos ladrilhos. O pássaro agitava desesperadamente a asa paralisada; seu bico apontava como que uma acusação.

21

Estava sentada na borda da banheira e não conseguia tirar os olhos de cima da gralha agonizante. Via na sua solidão a imagem da sua própria sorte e repetia consigo mesma: não tenho ninguém no mundo a não ser Tomas.

O episódio do engenheiro teria lhe ensinado que as aventuras amorosas não têm nada a ver com o amor? Que são leves e imponderáveis? Estaria mais calma?

De maneira nenhuma.

Uma cena a perseguia: acabara de sair do banheiro e seu corpo estava em pé na entrada, nu e abandonado. A alma, apavorada, tremia em suas entranhas. Se naquele momento, do fundo do quarto, o homem tivesse se dirigido à sua alma, ela teria explodido em soluços, teria caído em seus braços.

Imaginava que uma amiga de Tomas se encontrasse no seu lugar na entrada em frente ao banheiro e Tomas no quarto no lugar do engenheiro. Ele teria dito uma palavra, apenas uma palavra, e ela o teria abraçado chorando.

Tereza sabe que é assim o instante em que nasce o amor: a mulher não resiste à voz que chama sua alma apavorada; o homem não resiste à mulher cuja alma se torna atenta à sua voz. Tomas nunca está seguro diante da armadilha do amor e Tereza treme por ele a cada hora, a cada minuto.

De que arma poderia dispor? De nenhuma, a não ser de sua fidelidade. A fidelidade que ela lhe ofertou desde o início, desde o primeiro dia, como se tivesse percebido imediatamente que não tinha outra coisa para lhe dar. O amor deles é uma arquitetura estranhamente assimétrica: repousa na certeza absoluta da fidelidade de Tereza como um palácio gigantesco sobre uma única coluna.

Agora, a gralha quase não batia as asas; mal movia a pata machucada, quebrada. Tereza não queria deixá-la, era como velar à cabeceira de uma irmã moribunda. Decidiu ir à cozinha para almoçar depressa.

Quando voltou, a gralha estava morta.

22

No primeiro ano de seu relacionamento com Tomas, Tereza gritava durante o amor, e seu grito, como já disse, procurava cegar e ensurdecer os sentidos. Depois, passou a gritar menos, mas sua alma continuava cega pelo amor e não via nada. Quando fez amor com o engenheiro, sua alma pôde enfim ver com clareza, já que não havia amor.

Voltou à sauna e estava de novo diante do espelho. Olhava para si mesma e revia em pensamento a cena de amor na casa do engenheiro. Lembra-se da cena, não do amante. Na verdade, não poderia nem descrevê-lo, talvez não tivesse nem notado como ele era nu. Só se lembrava (e era isso que olhava agora com excitação diante do espelho) do seu próprio corpo; os pelos e a mancha redonda logo acima deles. Essa mancha, que até então fora para ela um simples defeito de pele, estava gravada na sua memória. Queria vê-la e revê-la na proximidade inacreditável do membro do desconhecido.

Volto a repetir: não tinha vontade de ver o sexo do desconhecido. Queria ver seu próprio púbis próximo desse sexo. Não desejava o corpo do outro. Desejava seu próprio corpo, subitamente revelado, ainda mais excitante, já que mais próximo e mais estranho.

Olha para seu corpo coberto pelas gotas finas da ducha e imagina que um dia desses o engenheiro vai passar no bar. Queria que ele viesse, que a convidasse! E como desejava que isso acontecesse!

23

Dia após dia, temia ver o engenheiro aparecer no bar e não ter força para dizer "não". À medida que os dias passavam, o medo de vê-lo era substituído pelo medo de que ele não viesse mais.

Passara um mês e o engenheiro não dava sinal de vida. Para Tereza, era inexplicável. O desejo frustrado deu lugar à inquietude: por que ele não vinha?

Servia os clientes. O homem calvo voltara, o que a acusara naquela noite de servir bebida alcoólica a menores. Contava em voz alta uma história indecente, a mesma que ela ouvira centenas de vezes da boca de bêbados a quem servia chopes no interior. Sentindo-se outra vez assaltada pelo universo da mãe, interrompeu o homem brutalmente.

Ele se ofendeu: "Você não tem nada que me dar ordens! Devia se dar por feliz de nós a deixarmos trabalhar neste bar".

"Como *nós*? O que quer dizer com *nós*?"

"Nós", disse o homem, e pediu outra vodca. "E não esqueça que não vou aceitar insultos da sua parte."

Depois, apontando para o pescoço de Tereza, que usava diversos colares de pérolas baratas: "De onde vieram essas pérolas? É claro que não são presente do seu marido, que é um lavador de vidraças. Ele não pode lhe dar pérolas com o salário que ganha. São os clientes que dão isso para você? Em troca de quê, hein?".

"Cale a boca, e já!", gritou Tereza.

O homem tentou segurar o colar entre os dedos: "Lembre-se que a prostituição é proibida aqui!".

Karenin se levantou, apoiou as patas dianteiras no balcão e rosnou.

24

O embaixador disse: "É da polícia".

"Se é da polícia, devia ser mais discreto", observou Tereza. "Para que serve uma polícia secreta que não é secreta?"

O embaixador, sentado na cama, juntara os pés sob ele como aprendera no curso de ioga. Na parede, Kennedy sorria e concedia a suas palavras uma espécie de consagração.

"Dona Tereza", disse num tom paternal, "os policiais têm diversas funções. A primeira é clássica. Escutam o que as pessoas dizem e informam seus superiores.

"A segunda é uma função de intimidação. Mostram que nos têm à sua mercê e querem que fiquemos com medo. Era o que o seu careca pretendia.

"A terceira função consiste em encenar situações que possam nos comprometer. Ninguém mais tem nenhum interesse em nos acusar de conspiração contra o Estado, já que isso só atrairia novas simpatias para o nosso lado. Preferem encontrar haxixe no fundo do nosso bolso ou provar que violentamos uma menina de doze anos. Sempre acharão uma garota para servir de testemunha."

Tereza se lembrou do engenheiro. Qual a explicação para ele nunca mais ter voltado?

O embaixador prosseguia: "Eles precisam apanhar as pessoas na armadilha para tê-las submissas e assim poder usá-las para preparar outras armadilhas, e assim por diante, para transformar pouco a pouco todo um povo numa imensa organização de delatores".

Tereza não conseguia se livrar da ideia de que o engenheiro fora enviado pela polícia. E quem era o rapaz estranho que tinha ido se embriagar no bar em frente e voltara para lhe fazer declarações? Por causa desse rapaz é que o policial a havia acusado e o engenheiro a defendera. Cada um dos três havia representado um papel para ela num roteiro previamente ensaiado: a intenção era tornar simpático o homem encarregado de seduzi-la.

Como não pensara nisso antes? Aquele apartamento tinha alguma coisa de suspeito e não combinava com aquele indivíduo. Por que um engenheiro elegantemente vestido iria morar num apartamento tão precário? Seria realmente engenheiro? Nesse caso, como poderia ter saído do trabalho às duas horas da tarde? E como imaginar um engenheiro lendo Sófocles? Não, não era a biblioteca de um engenheiro! Aquele quarto mais parecia o apartamento confiscado a um intelectual pobre que estaria hoje atrás das grades. Quando Tereza tinha dez anos, haviam prendido seu pai e também tinham confiscado seu apartamento e toda a biblioteca. Quem poderia saber para que servira o apartamento depois disso?

Agora, compreendia claramente por que ele nunca mais voltara. Havia cumprido sua missão. Qual? O policial um tanto embriagado tinha revelado sem querer quando dissera: "A prostituição é proibida aqui, não se esqueça!". Esse engenheiro imaginário testemunharia que dormira com ela e que ela exigira dinheiro! Eles a ameaçariam de escândalo e a chantageariam para que denunciasse os clientes que vinham beber no bar.

O embaixador tentava tranquilizá-la: "Sua desgraça não me parece nada grave".

"Pode ser", disse ela com a voz embargada, e saiu com Karenin pelas ruas escuras de Praga.

161

25

Muitas vezes nos refugiamos no futuro para escapar do sofrimento. Imaginamos uma linha na estrada do tempo e que além dessa linha o sofrimento presente deixará de existir. Mas Tereza não via essa linha diante de si. Só podia encontrar consolo olhando para trás. Mais uma vez era domingo. Pegaram o carro e foram para longe de Praga.

Tomas dirigia, Tereza ia a seu lado e Karenin no banco de trás; de vez em quando esticava a cabeça para lamber a orelha deles. Duas horas depois, chegaram a uma pequena estação de águas onde tinham passado alguns dias juntos cinco ou seis anos antes. Pretendiam pernoitar ali.

Estacionaram o carro na praça e desceram. Nada mudara. Em frente ficava o hotel em que tinham se hospedado naquele ano, com a velha tília na entrada. À esquerda do hotel se enfileiravam antigas arcadas de madeira e, ao fundo, a água de uma fonte caía numa bacia de mármore. As pessoas se inclinavam, como antigamente, com um copo na mão.

Tomas mostrava o hotel. Afinal alguma coisa havia mudado. Em outros tempos, chamava-se Grande Hotel e agora, de acordo com o letreiro, chamava-se Baikal. Olharam para a placa, na esquina do prédio: era a praça Moscou. Em seguida percorreram todas as ruas que conheciam (Karenin os seguia sozinha, sem guia), lendo os nomes: havia a rua Stalingrado, a rua Leningrado, a rua Rostov, a rua Novossibirsk, a rua Kiev, a rua Odessa, havia o Sanatório Tchaikovski, o Sanatório Tolstói, o Sanatório Rimski-Korsakov, o Hotel Suvorov, o Cinema Górki e o Café Púchkin. Todos os nomes eram tirados da Rússia e da história russa.

Tereza se lembrou dos primeiros dias da invasão. As pessoas retiravam as placas das ruas de todas as cidades e arrancavam das estradas os painéis indicativos. O país se tornara anônimo numa noite. Durante sete dias, o Exército russo ficara errando pelo país sem saber onde estava. Os oficiais procuravam os prédios dos jornais, da televisão, da rádio para ocupá-los, mas não conseguiam encontrar nenhum deles. Perguntavam às pessoas, mas elas davam de ombros ou indicavam endereços falsos e um itinerário falso.

Com o passar dos anos, esse anonimato se mostrou nocivo ao país. Nem as ruas nem as casas conseguiram encontrar de novo seu nome original. Uma estação termal da Boêmia se tornara assim, do dia para a noite, uma pequena Rússia imaginária, e Tereza constatou que o passado que procuravam lhes fora confiscado. Era impossível pernoitar ali.

26

Voltaram para o carro em silêncio. Tereza dizia consigo mesma que todas as coisas e todas as pessoas se apresentavam sob um disfarce: a velha cidade da Boêmia estava coberta de nomes russos; ao tirar corajosamente fotos da invasão, os tchecos haviam, na realidade, trabalhado para a polícia secreta russa; o homem que a levava para a morte tinha a máscara de Tomas no rosto: o policial se fizera passar por engenheiro, e o engenheiro queria desempenhar o papel do homem do monte Petrin. O sinal do livro em seu apartamento era um sinal enganador, que estava lá para desorientá-la.

Agora, pensando no livro que ela havia apanhado, ocorreu-lhe uma ideia que a fez enrubescer: Como as coisas tinham acontecido? Ele dissera que ia fazer café. Ela se aproximara da biblioteca e pegara o *Édipo* de Sófocles. Em seguida, o engenheiro voltara. Mas sem café!

Reviu a situação em todos os aspectos: quando ele saíra, sob o pretexto de fazer café, quanto tempo demorara? No mínimo um minuto, sem dúvida, dois, até três talvez. O que fizera durante todo aquele tempo, naquela entrada minúscula?

Teria ido ao banheiro? Tereza tentou lembrar se ouvira barulho da porta ou da descarga. Não, com certeza não tinha ouvido a descarga, senão se lembraria. E, tinha quase certeza, não ouvira a porta bater. Então, o que ele fizera na entrada?

Subitamente, tudo ficou muito claro. Para apanhá-la na armadilha, o testemunho do engenheiro não seria suficiente. Seria necessária uma prova irrefutável. Durante essa longa ausência suspeita, o engenheiro havia instalado uma câmara na entrada. Ou, o que era ainda mais plausível, introduzira alguém com uma máquina fotográfica, que, escondido atrás da cortina, teria fotografado os dois.

Havia apenas algumas semanas, ficara espantada de que Prochazka não sabia que vivia num campo de concentração, onde não pode haver privacidade. E ela, então? Saindo da casa da mãe, havia acreditado, ingênua que era, que seria dona de sua vida de uma vez por todas. Mas a casa materna se alastrava pelo mundo inteiro e a agarrava por toda parte. Em lugar nenhum Tereza escaparia dela.

Desceram uma escada entre jardins para voltar ao local onde haviam estacionado o carro.

"O que você tem?", perguntou Tomas.

Antes que ela pudesse responder, alguém disse bom-dia a Tomas.

27

Era um homem de cinquenta anos, o rosto curtido pelo vento, um camponês que Tomas operara havia tempo. Desde então, todo ano o mandavam fazer um tratamento naquela estação de águas. Convidou Tomas e Tereza para tomar alguma coisa. Como não se permitia a entrada de cães em lugares públicos, Tereza foi deixar Karenin no carro e os homens sentaram no café para esperar. Quando ela voltou, o camponês dizia: "Lá onde moro, está tudo calmo. Fui até eleito presidente da cooperativa há dois anos".

"Parabéns", disse Tomas.

"Lá, como você sabe, é o campo. Todo mundo está indo embora. As autoridades devem dar graças a Deus que alguém queira ficar. Não podem se dar ao luxo de nos tirar o trabalho."

"Seria o lugar ideal para nós", disse Tereza.

"A senhora iria se aborrecer. Não se tem nada para fazer lá. Absolutamente nada."

Tereza olhava o rosto curtido pelo vento. O camponês lhe parecia bastante simpático. Depois de muito tempo, finalmente encontrara uma pessoa simpática! Uma cena campestre surgiu diante de seus olhos: um vilarejo e o campanário da igreja, campos, florestas, uma lebre fugindo pelo sulco deixado por um arado, um guarda-florestal com um gorro de feltro verde. Ela nunca vivera no campo. Era uma imagem que criara com base no que ouvira dizer. Ou em suas leituras. Ou talvez antepassados remotos a tivessem inscrito no subconsciente dela. No entanto, essa imagem estava nela, clara e nítida como a fotografia da bisavó no álbum de família, ou como uma velha gravura.

"Você ainda tem dores?", perguntou Tomas.

O camponês mostrou atrás do pescoço o ponto em que o crânio se junta à coluna vertebral: "Às vezes ainda sinto dor aqui".

Sem se levantar da cadeira, Tomas apalpou o local que ele acabara de indicar e fez algumas perguntas a seu ex-paciente. Depois disse: "Não tenho mais o direito de receitar. Mas, quando voltar, diga a seu médico que você falou comigo e que lhe receitei isto". Tirou um bloquinho do bolso e arrancou uma folha. Nela escreveu em letras maiúsculas o nome de um remédio.

28

Rodavam em direção a Praga.

Tereza pensava na foto em que seu corpo estava nu nos braços do engenheiro. Tentava se tranquilizar: se ela de fato existisse, Tomas jamais a veria. Para aquela gente, a foto só teria utilidade se servisse para fazer Tereza falar. No momento em que fosse enviada a Tomas, a foto perderia imediatamente todo o seu valor.

Mas o que aconteceria se a polícia decidisse que não valia a pena perder tempo com Tereza? Nesse caso, a foto não passava de uma boa piada e, se alguém quisesse, nada poderia impedir que a colocasse num envelope e a enviasse a Tomas, só para brincar.

O que aconteceria se Tomas recebesse uma foto como aquela? Ele a expulsaria de casa? Talvez não. Decerto que não. Mas o frágil edifício do amor deles seria inevitavelmente destruído, já que esse edifício se assentava sobre uma única coluna, a de sua fidelidade, e os amores são como os impérios: desaparecendo a ideia sobre a qual foram construídos, morrem com ela.

Tinha uma imagem diante dos olhos: uma lebre fugindo pelo sulco deixado por um arado, um guarda-florestal com um gorro de feltro verde e o campanário de uma igreja apontando acima da floresta.

Queria dizer a Tomas que deviam sair de Praga. Partir para longe das crianças que enterram gralhas vivas, para longe da polícia, para longe das mulheres armadas com guarda-chuvas. Queria lhe dizer que deviam ir morar no campo. Era a única chance de salvação para eles.

Virou a cabeça para ele. Mas Tomas estava calado, os olhos fixos na estrada diante dele. Era incapaz de atravessar a cerca de silêncio que se erguia entre eles. Perdeu a coragem de falar. Achava-se no mesmo estado em que se achava no dia em que voltara do monte Petrin. Tinha dores de estômago e vontade de vomitar. Tomas lhe metia medo. Ele era forte demais para ela e ela era fraca demais. Dava-lhe ordens que ela não compreendia. Esforçava-se para executá-las, mas não sabia como.

Queria voltar ao monte Petrin e pedir ao homem do fuzil que lhe permitisse vendar os olhos e se encostar no tronco do castanheiro. Tinha vontade de morrer.

29

Acordou e constatou que estava só em casa.

Saiu e tomou a direção do cais. Queria ver o Vltava. Queria parar à sua margem e olhar demoradamente para a água, pois a visão da água fluindo acalma e cura. O rio corre de século em século e as histórias dos homens se desenrolam na margem. Acontecem para ser esquecidas amanhã e para que o rio não pare de correr.

Apoiada na balaustrada, olhava para baixo. Estava no subúrbio de Praga, o Vltava já atravessara a cidade, deixando para trás o esplendor do Hradcany e das igrejas, como um ator depois da representação, cansado e pensativo. A água corria entre margens sujas cercadas por paliçadas e muros atrás dos quais havia fábricas e campos de esporte abandonados.

Durante muito tempo ficou olhando para a água, que naquele lugar parecia ainda mais triste, ainda mais sombria; depois, percebeu de repente no meio do rio um objeto estranho, um objeto vermelho, sim, um banco. Um banco de madeira com pés metálicos igual a tantos outros das praças públicas de Praga. Flutuava lentamente no meio do Vltava. E atrás dele vinha outro banco. Depois outro, depois outro ainda, e Tereza compreendeu afinal que estava vendo os bancos das praças públicas de Praga saírem da cidade na correnteza, havia muitos, cada vez mais, boiavam na água como folhas no outono, quando a água as carrega para longe das florestas, havia bancos vermelhos, amarelos, azuis.

Voltou-se para perguntar às pessoas o que queria dizer aquilo. Por que os bancos das praças públicas de Praga iam embora na correnteza? Mas as pessoas passavam com fisionomia indiferente, para elas pouco importava que um rio corresse, de século em século, no meio da sua efêmera cidade.

Voltou a contemplar a água. Sentia-se infinitamente triste. Compreendia que o que via era um adeus. O adeus à vida, que se ia com seu desfile de cores.

Os bancos tinham desaparecido do seu campo de visão. Viu alguns ainda, os últimos retardatários, depois havia ainda um banco amarelo, depois mais um, azul, o último.

Quinta parte
A LEVEZA E O PESO

1

Como já contei na primeira parte, quando Tereza chegou de surpresa à casa de Tomas em Praga, eles fizeram amor no mesmo dia, na mesma hora, mas em seguida ela teve febre. Estava deitada na cama, ele à sua cabeceira, convencido de que se tratava de uma criança que fora colocada numa cesta, a qual puseram no rio e enviaram para ele.

Depois, ele se afeiçoou à imagem da criança abandonada e com frequência pensava nos mitos antigos em que ela aparecia. Sem dúvida, aí está o motivo que o levou a ir procurar a tradução do *Édipo* de Sófocles.

A história de Édipo é bem conhecida: um pastor, tendo encontrado um recém-nascido abandonado, levou-o ao rei Pólibo, que o criou. Quando Édipo cresceu, encontrou num caminho das montanhas um carro em que viajava um príncipe desconhecido. Os dois se desentenderam, e Édipo matou o príncipe. Mais tarde, casou-se com a rainha Jocasta e se tornou rei de Tebas. Não suspeitava que o homem a quem tempos atrás assassinara nas montanhas era seu pai, e que a mulher com quem dormia era sua mãe. Enquanto isso a sorte perseguia seus súditos e os dizimava com doenças. Quando Édipo compreendeu que era o único culpado pelos sofrimentos deles, furou os olhos com espinhos e, cego para sempre, deixou Tebas.

2

Aqueles que pensam que os regimes comunistas da Europa Central são obra exclusiva de criminosos deixam na sombra uma verdade fundamental: os regimes criminosos não foram feitos por criminosos, mas por entusiastas convencidos de ter descoberto o único caminho para o paraíso. Defendiam corajosamente esse caminho, executando para isso centenas de pessoas. Mais tarde, ficou claro como o dia que o paraíso não existia e que, portanto, os entusiastas eram assassinos.

Então, todos passaram a acusar os comunistas: Vocês são os responsáveis pelas desgraças do país (está pobre e arruinado), pela perda de sua independência (caiu sob a tutela dos russos), pelos assassinatos judiciários!

Os acusados respondiam: Não sabíamos! Fomos enganados! Acreditávamos! Do fundo do coração, somos inocentes!

O debate conduzia, portanto, a esta pergunta: Era verdade que não sabiam? Ou apenas fingiam não saber?

Tomas acompanhava esse debate (como dez milhões de tchecos) e dizia consigo mesmo que haveria certamente entre os comunistas alguns que não eram assim tão ignorantes (deviam pelo menos ter ouvido falar dos horrores que tinham acontecido e não paravam de acontecer na Rússia pós-revolucionária). Mas é provável que a maior parte deles não soubesse mesmo de nada.

E ele dizia consigo mesmo que a questão fundamental não era: sabiam ou não sabiam? Mas: alguém é inocente apenas por não saber? um imbecil sentado no trono estaria isento de toda responsabilidade pelo simples fato de ser imbecil?

Vamos admitir que o procurador tcheco que no começo dos anos 50 pedia a pena de morte para um inocente tivesse sido enganado pela polícia secreta russa e pelo governo de seu país. Mas agora que sabemos que as acusações eram absurdas e os condenados inocentes, como podemos admitir que o mesmo procurador defenda sua pureza de alma batendo no peito: minha consciência está limpa, eu não sabia, eu acreditava! Não é precisamente no seu "eu não sabia! eu acreditava!" que reside sua falta irreparável?

Nesse ponto, Tomas se lembrou da história de Édipo: Édipo não sabia que dormia com a própria mãe e, no entanto, quando compreendeu o que tinha acontecido, não se sentiu inocente. Não pôde suportar a visão da infelicidade provocada por sua ignorância, furou os olhos e, cego, deixou Tebas.

Tomas ouvia o uivo dos comunistas, que defendiam sua pureza de alma, e dizia consigo mesmo: Por causa da ignorância de vocês, o país talvez tenha perdido séculos de liberdade e vocês gritam que se sentem inocentes? Como ainda podem olhar em torno? Como não estão apavorados? Talvez não tenham olhos para ver! Se tivessem, deveriam furá-los e deixar Tebas!

Essa comparação lhe agradava tanto que se servia dela com frequência nas conversas com os amigos e a exprimia por meio de fórmulas cada vez mais mordazes e cada vez mais elegantes.

Na época, como todos os intelectuais, Tomas lia um semanário com tiragem de cerca de trezentos mil exemplares publicado pela União dos Escritores Tchecos; tal semanário adquirira considerável autonomia no interior do regime e falava de coisas de que os outros não ousavam falar publicamente. O jornal dos escritores publicava até artigos em que se perguntava quem era culpado, e em que medida, pelos assassinatos judiciários cometidos nos processos políticos dos primeiros anos do comunismo.

Em todas essas discussões, a mesma pergunta voltava sempre. Eles sabiam ou não sabiam? Como Tomas achava essa pergunta secundária, escreveu um dia suas reflexões sobre Édipo e as enviou ao semanário. Um mês mais tarde, recebeu uma resposta. Pediam-lhe que fosse à redação. Ao chegar, foi recebido por um jornalista baixo, reto como um *i*, que lhe propôs a modificação da sintaxe de uma frase. Pouco depois o texto foi publicado na antepenúltima página entre as cartas dos leitores.

Tomas não ficou nem um pouco satisfeito. Tinham achado bom chamá-lo ao jornal para que aprovasse uma mudança de sintaxe, mas em seguida, sem lhe pedir licença, tinham cortado tanto seu texto que suas reflexões se reduziam a uma tese fundamental (demasiado esquemática e agressiva) e não lhe agradavam absolutamente.

Isso aconteceu na primavera de 1968. Alexander Dubcek estava no poder, cercado de comunistas, que se sentiam culpados e estavam dispostos a fazer qualquer coisa para reparar seus erros. Mas os outros comunistas, que uivavam que eram inocentes, temiam que o povo enraivecido os julgasse. Iam todos os dias se queixar ao embaixador da Rússia e implorar apoio. Quando a carta de Tomas foi publicada, houve um clamor: Chegamos a isso! Ousam escrever publicamente que temos que furar nossos olhos!

Dois ou três meses mais tarde, os russos decidiram que a livre discussão era inadmissível no domínio deles e mandaram seu exército ocupar no espaço de uma noite o país de Tomas.

3

Quando voltou de Zurique, Tomas reassumiu seu antigo posto no mesmo hospital de Praga. Mas pouco depois foi chamado por seu superior.

"Afinal, meu caro colega", disse-lhe, "você não é nem escritor nem jornalista, nem o salvador do povo, é médico e cientista. Não gostaria de perdê-lo e faria qualquer coisa para que ficasse aqui. Mas é necessário se retratar do artigo que escreveu sobre Édipo. Acha que é tão importante assim?"

"Chefe", disse Tomas, lembrando-se de que haviam cortado um terço de seu texto, "é a última coisa do mundo a que dou importância."

"Você sabe o que está em jogo?", perguntou o superior.

Ele sabia: havia duas coisas na balança: de um lado, sua honra (que exigia que ele não se retratasse), e do outro, o que se habituara a considerar como o sentido da vida (seu trabalho como cientista e como médico).

Seu superior prosseguiu: "É uma prática medieval exigir que um homem se retrate do que escreveu. O que quer dizer 'se retratar'? hoje em dia, não é possível retratar uma ideia, apenas refutá-la. E como, meu caro colega, retratar uma ideia é uma coisa impossível, puramente verbal, formal, mágica, não vejo por que você não faria o que estão pedindo. Numa sociedade regida pelo terror, as declarações não comprometem ninguém, já que são extorquidas pela violência; eis por que o homem honesto tem o dever de não dar atenção a elas, de não ouvi-las. Digo-lhe, meu caro colega, que é do meu interesse e do de seus pacientes que você permaneça em seu cargo".

"Chefe, o senhor certamente tem razão", disse Tomas, com ar infeliz.

"Mas?", perguntou o superior, esforçando-se para adivinhar seus pensamentos.

"Tenho medo de sentir vergonha."

"De quem? Você tem uma opinião tão elevada assim das pessoas que o cercam para se importar com o que pensam?"

"Não", disse Tomas. "Não tenho uma opinião elevada das pessoas."

"Aliás", acrescentou o superior, "asseguraram-me que não seria uma declaração pública. São burocratas. Precisam ter em seus dossiês alguma coisa que prove que você não é contra o regime para poderem se defender caso alguém venha recriminá-los por terem permitido que você permanecesse em seu cargo. Prometeram-me que sua declaração ficará entre você e as autoridades, e que não pretendem que ela seja publicada."

"Dê-me uma semana para pensar", disse Tomas, encerrando a conversa.

4

Ele era considerado o melhor cirurgião do hospital. Dizia-se mesmo que seu superior, que estava quase se aposentando, breve lhe cederia o lugar. Quando se espalhou o boato de que as autoridades superiores exigiam dele uma retratação, ninguém duvidou de que iria se submeter.

Foi a primeira coisa que o surpreendeu: embora nunca tivesse feito nada que justificasse tal suposição, as pessoas apostavam na sua desonestidade e não na sua retidão.

Outra coisa surpreendente era a reação delas ao comportamento que esperavam dele. Eu poderia, em resumo, dividi-la em duas categorias:

O primeiro tipo de reação era encontrado entre aqueles que haviam eles próprios (ou os parentes) renegado alguma coisa, que tinham sido obrigados a se declarar publicamente de acordo com o regime de ocupação ou se preparavam para fazê-lo (a contragosto, certamente; ninguém faz isso com prazer).

Essas pessoas lhe dirigiam um estranho sorriso, que jamais conhecera: o sorriso tímido de uma cumplicidade secreta. Era o sorriso de dois homens que se cruzam por acaso num bordel; têm um pouco de vergonha e ao mesmo tempo sentem prazer de que essa vergonha seja recíproca. Cria-se entre eles como que um elo de fraternidade.

Sorriam-lhe com maior boa vontade porque ele nunca tivera a reputação de conformista. Sua suposta aceitação da oferta do superior era, portanto, a prova de que a covardia se tornava lenta e inegavelmente uma regra de conduta e, sendo assim, breve deixaria de ser considerada o que de fato era. Nunca tinha sido amigo dessas pessoas, e compreendeu com assombro que se fizesse a declaração que lhe exigiam, seria convidado por elas para um drinque e acabariam ficando amigos.

O segundo tipo de reação era a reação daqueles que eram eles próprios (ou os parentes) perseguidos, que se recusavam a aceitar qualquer tipo de acordo com a potência invasora, ou daqueles de quem ninguém exigia acordos ou declarações (talvez porque fossem jovens demais e ainda não tivessem se envolvido em nada) mas que estavam convencidos de que não cederiam.

Um deles, S., médico jovem, aliás muito talentoso, perguntou um dia a Tomas: "Estão, escreveu o negócio?".

"Por favor, pode me dizer do que está falando?"

"Da sua retratação", disse S. Não dizia isso com maldade. Estava até sorrindo. No variado jardim dos sorrisos, era um sorriso de todo diferente: o sorriso da superioridade moral satisfeita.

"Escute", disse Tomas, "o que sabe da minha retratação? Você a leu?"

"Não", respondeu S.

"Então, do que é que você está falando?", perguntou Tomas.

S. tinha sempre o mesmo sorriso satisfeito: "Ora! sabemos como isso é feito. Essas declarações são redigidas sob forma de carta ao diretor, ao ministro ou a um fulano qualquer que promete que a carta não será publicada, para que o autor não se sinta humilhado. Não é assim?".

Tomas encolheu os ombros e esperou a continuação.

"Depois disso, a declaração é cuidadosamente arquivada, mas o autor sabe que ela pode ser publicada a qualquer momento. Nessas condições, ele não poderá nunca mais abrir a boca, nunca mais criticar nada, nunca mais protestar, pois, se o fizer, sua declaração será publicada e ele ficará desonrado aos olhos de todos. Afinal de contas, é um método até delicado. Poderiam imaginar coisa pior."

"Sim, é um método muito delicado", disse Tomas, "mas gostaria de saber quem disse que concordei."

O colega deu de ombros, mas o sorriso não desaparecia de seu rosto.

Tomas compreendeu uma coisa estranha. *Todo mundo* sorria para ele, *todo mundo* queria que ele escrevesse a retratação, retratando-se faria *todo mundo* feliz! Uns ficavam contentes porque o alastramento da covardia banalizava suas próprias condutas, devolvendo-lhes a honra perdida. Outros estavam acostumados a ver um privilégio particular em sua honra, ao qual não queriam renunciar. Também nutriam um amor secreto pelos covardes; sem eles sua coragem seria um esforço banal e inútil, que ninguém admiraria.

Tomas não suportava esses sorrisos, que pareciam estar em toda parte, mesmo na rua, no rosto dos desconhecidos. Não conseguia dormir. Por quê? Dava tanta importância a essas pessoas? De maneira nenhuma. Não as tinha em bom conceito e ficava com raiva de se deixar perturbar por seus olhares. Não havia nada de lógico nisso. Como é que podia ficar dependendo da opinião de pessoas que tinha em tão mau conceito?

Pode ser que a profunda desconfiança que sentia dos homens (a dúvida quanto ao direito deles de decidir sua sorte e de julgá-lo) já tivesse tido influência na escolha de uma profissão que o afastava dos olhos do público. Aquele que escolhe, por exemplo, a carreira de político faz do público necessariamente seu juiz, na fé ingênua e confessa de conquistar o seu favor. A hostilidade eventual da multidão o incita em seguida a atuações cada vez mais esmeradas, da mesma forma como Tomas era estimulado pela dificuldade de um diagnóstico.

O médico (ao contrário do político ou do ator) só é julgado por seus pacientes e pelos colegas mais próximos, portanto entre quatro paredes e de homem para homem. Confrontado com os olhares daqueles que o julgam, pode responder no mesmo momento, explicar-se ou se defender. Mas agora Tomas se encontrava (pela primeira vez na vida) numa situação em que havia mais olhares voltados para ele do que ele era capaz de captar. Não podia responder nem com olhares nem com palavras. Estava à mercê deles. Falava-se dele no hospital e fora do hospital (Praga tinha os nervos à flor da pele e as notícias daqueles que se curvavam, denunciavam pessoas, colaboravam, ali circulavam com a velocidade extraordinária de um tantã africano), ele sabia e contra isso não podia fazer nada. Ele próprio estava surpreso de ver como isso lhe era insuportável e em que pânico o deixava. O interesse de todo mundo por ele se tornava desagradável como a pressão de uma multidão ou como o contato com pessoas que nos arrancam a roupa num pesadelo.

Foi procurar seu superior e lhe anunciou que não assinaria nada.

O superior apertou sua mão com muito mais força do que de costume e disse que já esperava por essa decisão.

"Chefe, talvez você possa me conservar aqui, mesmo sem a declaração", disse Tomas, pretendendo assim dar a entender que para isso bastaria que todos os seus colegas ameaçassem de pedir demissão se ele fosse obrigado a ir embora.

Mas ninguém pensou em pedir demissão, e pouco mais tarde Tomas (o superior apertou sua mão com mais força ainda que da última vez; ficou até roxa) teve que deixar o hospital.

5

Primeiro, encontrou emprego numa clínica do interior a oitenta quilômetros de Praga. Ia para lá de trem todos os dias e voltava terrivelmente cansado. Um ano depois, conseguiu encontrar um trabalho mais cômodo mas inteiramente subalterno num dispensário de subúrbio. Não podia mais fazer cirurgias e trabalhava como clínico geral. A sala de espera ficava lotada, mal tinha cinco minutos para cada paciente, prescrevia-lhes comprimidos de aspirina, redigia-lhes atestados médicos para seus empregadores e os encaminhava para consultas com especialistas. No seu entender, não era mais médico, e sim um empregado de escritório.

Um dia, no fim das consultas, recebeu a visita de um homem de cinquenta anos presumíveis, a quem a gordura dava um ar sério. O homem se apresentou como chefe de repartição do Ministério do Interior, e convidou Tomas para ir ao café em frente.

Pediu uma garrafa de vinho. Tomas protestou: "Estou dirigindo. Se a polícia me pega, apreende minha carta". O homem do Ministério do Interior sorriu: "Se lhe acontecer alguma coisa, fale comigo", e entregou a Tomas um cartão de visita em que havia seu nome (certamente falso) e o número de telefone do ministério.

Depois, explicou demoradamente a Tomas o quanto o admirava. No ministério, todo mundo deplorava que um cirurgião tão respeitado estivesse reduzido a prescrever comprimidos de aspirina num dispensário de subúrbio. Deu até a entender indiretamente que a polícia, sem poder dizer abertamente, lamentava que os especialistas fossem afastados de maneira tão estúpida de seus cargos.

Como fazia muito tempo que Tomas não ouvia um elogio, escutava com muita atenção o homenzinho barrigudo e constatava com surpresa que ele estava muito bem informado, e com detalhes, de seus sucessos como cirurgião. Como a adulação nos desarma! Tomas não conseguia deixar de levar a sério o que o homem do ministério dizia.

Mas não era apenas por vaidade. Era sobretudo por inexperiência. Quando nos defrontamos com alguém que é amável, atencioso, gentil, é muito difícil se convencer a cada instante de que *nada* do que é dito é verdadeiro, de que *nada* é sincero. Para conseguir *não acreditar* (contínua e sistematicamente, sem um segundo de hesitação), é necessário um esforço gigantesco, e também muita prática, ou seja: interrogatórios policiais frequentes. Era essa prática que faltava a Tomas.

O homem do ministério prosseguia: "Doutor, sabemos que o senhor gozava de excelente reputação em Zurique. E apreciamos imensamente que tenha voltado. O senhor fez muito bem. Sabia que seu lugar era aqui". Depois acrescentou, como se estivesse censurando Tomas: "Mas seu lugar é na sala de operações!".

"Concordo com o senhor", disse Tomas.

Fez-se uma pausa breve e o homem do ministério prosseguiu numa voz desolada: "Mas diga-me, doutor, acredita mesmo que seja necessário furar os olhos dos comunistas? Não acha curioso que seja o senhor que o diga, logo o senhor, que devolveu a saúde a tantas pessoas?".

"Mas isso não tem sentido", protestou Tomas. "Leia bem o que escrevi."

"Já li", disse o homem do ministério numa voz que se pretendia desolada.

"E eu por acaso escrevi que era necessário furar os olhos dos comunistas?"

"Foi isso que todo mundo entendeu", disse o homem do ministério e sua voz ficava cada vez mais desolada.

"Se o senhor tivesse lido o texto inteiro, como eu o escrevi, jamais pensaria tal coisa. O texto foi cortado."

"Como?", disse o homem do ministério, agora mais atento. "Não publicaram seu texto original?"

"Eles o cortaram."

"Muito?"

"Mais ou menos um terço."

O homem do ministério parecia sinceramente indignado: "Não foi muito leal da parte deles".

Tomas encolheu os ombros.

"O senhor devia ter protestado! Devia ter exigido uma retificação imediatamente!"

"O que o senhor quer? Os russos chegaram logo depois. Tínhamos outras coisas com que nos preocupar", disse Tomas.

"Por que deixar que pensem que um médico como o senhor deseja que outros homens fiquem cegos?"

"Ora! Meu artigo foi publicado no fim do jornal, no meio de outras cartas. Ninguém prestou atenção nele. Ninguém a não ser a embaixada da Rússia, evidentemente, porque lhes convinha."

"Não diga isso, doutor! Eu mesmo conversei com várias pessoas que leram seu artigo e que ficaram surpresas de que ele tivesse sido escrito pelo senhor. Mas agora, para mim está tudo explicado, depois que o senhor me contou que seu artigo não corresponde exatamente àquilo que foi publicado. Alguém lhe sugeriu que o escrevesse?"

"Não", disse Tomas, "eu o enviei espontaneamente."

"O senhor conhece aquele pessoal?"

"Que pessoal?"

"Os que publicaram o seu artigo."

"Não."

"Nunca falou com eles?"

"Só os vi uma vez. Pediram-me que fosse até a redação."

"Por quê?"

"Por causa do artigo."

"E com quem o senhor falou?"

"Com um jornalista."

"Como se chamava?"

Tomas compreendeu enfim que era um interrogatório. Sabia que cada palavra sua podia pôr alguém em perigo. Evidentemente sabia o nome do jornalista, mas negou: "Não sei".

"Ora, doutor!", disse o homem num tom repleto de indignação diante de tanta falta de sinceridade. "Ele deve ter se apresentado!"

É tragicômico que precisamente nossa boa educação tenha se tornado uma aliada da polícia. Não sabemos mentir. O imperativo "Diga a verdade!", que papai e mamãe nos inculcaram, leva-nos automaticamente a ter vergonha de mentir, mesmo diante do policial que nos interroga. É mais fácil discutirmos com ele, insultá-lo (o que não faz sentido) do que mentir para ele tranquilamente (a única coisa a ser feita).

Ouvindo o homem do ministério censurar sua falta de sinceridade, Tomas se sentia quase culpado; teve que passar por cima de uma espécie de bloqueio moral para perseverar na sua mentira: "Com certeza se apresentou", disse, "mas como seu nome não significava nada para mim, esqueci-o logo".

"Como ele era?"

O jornalista com quem estivera era de estatura baixa e tinha cabelos claros muito curtos cortados à escovinha. Tomas tentou escolher características diametralmente opostas: "Era alto. Tinha cabelos escuros e compridos".

"Sei, sei!", disse o homem do ministério. "Tinha queixo grande?"

"Isso mesmo", disse Tomas.

"Um sujeito um pouco curvado?"

"Isso", repetiu Tomas ainda uma vez, e viu que o homem do ministério acabara de identificar alguém. Tomas não somente havia denunciado um pobre jornalista, mas além disso sua denúncia era falsa.

"Mas por que o senhor foi chamado? Sobre o que o senhor falou?"

"Queriam mudar a sintaxe de uma frase."

Essa resposta parecia um subterfúgio ridículo. O homem do ministério estava revoltado por Tomas continuar se recusando a lhe dizer a verdade: "Ora, doutor! O senhor acabou de me dizer que cortaram um terço do seu texto e agora me diz que só discutiram uma mudança de sintaxe! Não tem lógica nenhuma!".

Tomas encontrou com mais facilidade uma resposta, já que o que dizia era a pura verdade: "Não tem lógica, mas foi assim", disse, rindo. "Pediram-me autorização para mudar a sintaxe de uma frase e depois cortaram um terço do artigo."

O homem do ministério balançou a cabeça novamente, como se não pudesse compreender um comportamento tão imoral, e disse: "Essa gente não foi correta com o senhor".

Esvaziou o copo de vinho e concluiu: "Doutor, o senhor foi vítima de uma manipulação. Seria pena que o senhor e os seus pacientes pagassem por isso. Sabemos muito bem das suas qualidades, doutor. Vamos ver o que podemos fazer".

Estendeu a mão para Tomas e se despediu cordialmente. Saíram do café e cada um se dirigiu para seu carro.

6

O encontro deixou Tomas de mau humor. Recriminava-se por ter se deixado envolver pelo tom jovial da conversa. Já que não se recusara a falar com o policial (não estava preparado para uma situação daquelas e não sabia o que a lei autoriza e o que proíbe), pelo menos poderia ter se recusado a ir com ele ao café como se fossem amigos! E se alguém o tivesse visto, alguém que conhecesse aquele sujeito! Decerto concluiria que Tomas trabalhava para a polícia! E por que lhe dissera que seu artigo tinha sido cortado? Por que lhe dera essa informação sem a menor necessidade? Estava profundamente descontente consigo mesmo.

Cerca de quinze dias depois, o homem do ministério voltou. Sugeriu que fossem ao café em frente como da última vez, mas Tomas preferiu ficar no consultório.

"Entendo, doutor", disse o outro com um sorriso.

Essa frase impressionou Tomas. O homem do ministério acabava de se expressar como um jogador de xadrez confirmando ao adversário que ele cometera um erro na jogada anterior.

Estavam sentados frente a frente, separados pela mesa de Tomas. Passados dez minutos, em que falaram da epidemia de gripe que se alastrava, o homem disse: "Pensamos no seu caso, doutor. Se se tratasse apenas do senhor, as coisas seriam simples. Mas devemos levar em conta a opinião pública. Queira o senhor ou não, seu artigo contribuiu para a histeria anticomunista. Não vou esconder que nos sugeriram até processá-lo por causa dele. Existe um dispositivo do código a respeito disso. Incitação pública à violência".

O homem do Ministério do Interior fez uma pausa e olhou Tomas nos olhos. Tomas deu de ombros. O homem assumiu um tom tranquilo: "Descartamos essa ideia. Qualquer que seja a sua responsabilidade, o interesse da sociedade exige que o senhor trabalhe onde suas aptidões são aproveitadas da melhor maneira. Seu antigo superior lhe tem muita estima. E também nos informamos com seus pacientes. O senhor é um grande especialista, doutor! Ninguém pode exigir que um médico entenda de política. O senhor se deixou envolver, doutor. É preciso corrigir essa situação. Por isso, queríamos lhe propor o texto de uma declaração que o senhor deveria, em nossa opinião, pôr à disposição da imprensa. Em seguida, daremos um jeito para que seja publicada no momento oportuno", disse ele, estendendo um papel a Tomas.

Tomas leu o que estava escrito ali e ficou chocado. Era muito pior do que aquilo que o superior lhe exigira dois anos antes. Não era apenas uma retratação do artigo sobre Édipo. Havia frases sobre o amor à União Soviética e a fidelidade ao Partido Comunista, havia uma condenação aos intelectuais que, estava escrito ali, queriam levar o país à guerra civil, mas sobretudo havia uma denúncia da redação do semanário dos escritores com o nome do jornalista da longa silhueta curvada (Tomas só o conhecia de nome e fotografia), o qual havia deliberadamente deturpado o sentido de seu artigo, transformando-o num apelo contrarrevolucionário; estava escrito que eles eram covardes demais para redigir um artigo daqueles e tinham se escondido atrás de um médico ingênuo.

O homem do ministério leu o espanto nos olhos de Tomas. Inclinando-se para a frente, bateu-lhe amistosamente no joelho por baixo da mesa: "Doutor, isso é um rascunho! O senhor pode pensar e, se quiser mudar uma coisa ou outra, a gente certamente poderá se entender. Afinal de contas, é *seu* texto".

Tomas devolveu o papel ao policial como se temesse segurá-lo por mais um segundo. Quase chegou a imaginar que poderiam procurar nele suas impressões digitais.

Em vez de apanhar o papel, o homem do ministério abriu os braços num gesto fingido de surpresa (era o gesto do papa abençoando os fiéis da sacada): "Mas, doutor, por que está me devolvendo o papel? Deve ficar com ele. Pense sobre isso tranquilamente em sua casa".

Tomas balançava a cabeça e segurava pacientemente o papel na mão estendida. O homem do ministério parou de imitar o santo papa abençoando os fiéis e se resignou em pegar o papel.

Tomas queria lhe dizer com firmeza que jamais redigiria nem assinaria nada. Mas mudou de tom no último momento. Disse calmamente: "Não sou analfabeto. Por que assinaria uma coisa que não escrevi?".

"Muito bem, doutor, podemos inverter as coisas. Escreva o senhor alguma coisa e depois veremos isso juntos. O que acabou de ler pode pelo menos lhe servir de modelo."

Por que Tomas não recusara categoricamente a proposta do policial?

Ele raciocinou depressa: declarações desse tipo tinham por finalidade desmoralizar o país inteiro (a estratégia geral dos russos era essa) e além disso, no seu caso, a polícia tinha um objetivo mais preciso: talvez estivessem preparando um processo contra os jornalistas do semanário para o qual Tomas mandara o artigo. Nesse caso, a declaração de Tomas lhes serviria de prova e eles a utilizariam também na campanha de imprensa que desencadeariam contra os jornalistas. Se recusasse logo, firme e categoricamente, correria o risco de ver a polícia publicar o texto já preparado, com sua assinatura devidamente falsificada. Nenhum jornal publicaria seus desmentidos! Ninguém no mundo acreditaria que ele não o escrevera nem o assinara! Já havia compreendido que as pessoas se alegravam demais com a humilhação moral alheia para deixar esse prazer ser estragado por uma explicação.

Dando à polícia esperanças de que ele próprio redigiria um texto, ganharia tempo. No dia seguinte, escreveu sua carta de demissão. Supunha (corretamente) que uma vez descendo, por vontade própria, ao degrau mais baixo da escala social (como já haviam feito milhares de intelectuais de outras áreas), a polícia não teria mais poderes sobre ele e deixaria de se interessar por sua pessoa. Nessas condições, não poderiam mais publicar declarações supostamente assinadas por ele, pois não teriam credibilidade. Essas ignóbeis declarações públicas em geral acompanhavam a promoção, jamais a queda de seus signatários.

Como na Boêmia os médicos são funcionários, o Estado

pode liberá-los de suas funções, porém não é obrigado a fazê-lo. O funcionário com quem Tomas discutiu a demissão conhecia sua reputação e o admirava. Tentou convencê-lo a não deixar o cargo. Tomas compreendeu subitamente que não estava nada seguro de ter tomado a decisão acertada. Mas, sentindo-se já comprometido com ela por uma espécie de fidelidade, não cedeu. Tornou-se lavador de vidraças.

7

Alguns anos antes, quando ia de Zurique a Praga, Tomas, pensando em seu amor por Tereza, repetia suavemente consigo mesmo: "es muß sein!". Passada a fronteira, começou a duvidar se realmente isso era verdade: compreendeu que fora empurrado para Tereza por uma série de acasos ridículos ocorridos sete anos antes (o primeiro foi a ciática do chefe do departamento), que o encerraram numa gaiola de que não teria mais como escapar.

Deve-se, portanto, concluir que não havia em sua vida um "es muß sein!", uma grande necessidade? Na minha opinião, havia uma. Não era o amor, era a profissão. Não fora conduzido à medicina pelo acaso nem por um cálculo racional, mas por um profundo desejo interior.

Se fosse possível classificar os seres por categorias, seria certamente com base nesses desejos profundos que os conduzem para esta ou aquela atividade que exercem durante toda a vida. Um francês é diferente do outro. Mas todos os atores do mundo se parecem — em Paris, em Praga, e até mesmo no mais modesto teatro do interior. É ator aquele que aceita desde a infância se expor a um público anônimo. Sem esse consentimento fundamental, que nada tem a ver com o talento, que é algo mais profundo do que o talento, não se pode ser ator. Da mesma maneira, o médico é aquele que aceita tratar de corpos humanos durante toda a vida e com todas as consequências. É esse acordo fundamental (não o talento ou a habilidade) que lhe permite entrar numa sala de dissecação no primeiro ano e se tornar médico seis anos depois.

A cirurgia eleva o imperativo fundamental da profissão de médico ao limite extremo, em que o humano toca o divino. Quando se bate violentamente no crânio de um homem com um porrete, ele cai e para de respirar para sempre. Mas um dia ou outro ele acabaria mesmo parando de respirar. O assassinato só apressou o que o próprio Deus providenciaria depois. Bem podemos supor que Deus previu o homicídio, mas não a cirurgia. Nunca podia imaginar que ousaríamos mergulhar a mão no interior do mecanismo que ele inventou, embalou cuidadosamente com pele, lacrou e escondeu dos olhos do homem. Quando Tomas encostou pela primeira vez um bisturi na pele de um paciente adormecido pela anestesia, depois cortou essa pele com um gesto enérgico, abrindo uma incisão regular e precisa (como se fosse o tecido inanimado de um casaco, uma saia, uma cortina), experimentou uma breve mas intensa sensação de sacrilégio. Mas, com certeza, era isso que o atraía! Era essa necessidade, esse "es muß sein!" profundamente enraizado nele, para o qual não contribuíra nenhum acaso, nenhuma ciática do chefe do departamento, nenhum fator externo.

Mas, então, como pôde largar tão depressa, com tanta firmeza e facilidade, uma coisa tão profunda?

Ele nos responderia que agira assim para impedir que a polícia o manipulasse. Mas, francamente, mesmo que fosse possível em teoria (casos assim de fato aconteceram), era improvável que a polícia publicasse uma declaração falsa com sua assinatura.

Temos, é claro, o direito de temer mesmo os riscos improváveis. Admitamos. E admitamos também que ele estivesse irritado consigo mesmo, com sua própria inabilidade, e que quisesse evitar novos contatos com a polícia que só lhe exacerbariam o sentimento de impotência. E admitamos ainda que na verdade já havia renunciado à sua profissão, pois o trabalho mecânico no dispensário receitando comprimidos de aspirina não tinha nada em comum com a ideia que fazia da medicina. Apesar disso, a rapidez de sua decisão me parece estranha. Não esconderia ela algo mais profundo, algo que escapava à sua reflexão racional?

8

Tomas começou a gostar de Beethoven para agradar a Tereza, mas não era muito apaixonado por música e duvido que conhecesse a verdadeira história do famoso motivo beethoveniano "muß es sein? es muß sein!".

Tinha acontecido o seguinte: um certo sr. Dembscher devia cinquenta florins a Beethoven, e o compositor, que vivia sempre sem um tostão, foi cobrar dele. *"Muß es sein?* Tem que ser assim?", suspirou o pobre sr. Dembscher, e Beethoven respondeu com um sorriso malicioso: *"Es muß sein!* Tem que ser assim", depois anotou essas palavras com sua melodia em seu caderno de apontamentos e compôs com esse motivo realista uma pequena peça para quatro vozes: três vozes cantam "es muß sein, ja, ja, ja", "tem que ser assim, sim, sim, sim", e a quarta voz acrescenta: "heraus mit dem Beutel!", "abra sua bolsa!".

O mesmo motivo se tornou um ano mais tarde o núcleo do quarto movimento do último quarteto opus 135. Beethoven já não pensava na bolsa de Dembscher. As palavras "es muß sein!" iam assumindo para ele uma tonalidade cada vez mais solene, como se o próprio destino as tivesse pronunciado. Na língua de Kant, mesmo a expressão "bom dia!", devidamente articulada, pode parecer uma tese metafísica. O alemão é uma língua de palavras *pesadas*. "Es muß sein!" não era mais uma brincadeira, mas "der schwer gefaßte Entschluß", a decisão gravemente pesada.

Beethoven transformara, portanto, uma inspiração cômica num quarteto sério, uma brincadeira em verdade metafísica. É um exemplo interessante da passagem do leve para o pesado (portanto, segundo Parmênides, da mudança do positivo em negativo). Curioso, essa mutação não nos surpreende. Mas ficaríamos indignados se Beethoven tivesse passado do tom sério de seu quarteto à brincadeira leve do cânone a quatro vozes sobre a bolsa de Dembscher. No entanto, estaria agindo inteiramente de acordo com o pensamento de Parmênides: passaria do pesado ao leve, portanto do negativo ao positivo! No começo, haveria (sob a forma de esboço imperfeito) uma grande verdade metafísica e no fim (como obra terminada) a mais leve das brincadeiras. Só que não sabemos mais pensar como Parmênides.

Creio que no fundo Tomas se irritava havia muito tempo com esse agressivo, solene e austero "es muß sein!" e que existia nele um desejo profundo de mudar o pesado em leve, segundo o pensamento de Parmênides. Lembremo-nos de que no passado lhe bastara um só instante para decidir que nunca mais veria a primeira mulher e o filho e que ficara aliviado quando o pai e a mãe romperam com ele. O que era isso senão um gesto brusco e pouco racional, pelo qual rejeitava aquilo que se impunha a ele como uma obrigação pesada, como um "es muß sein!"?

Evidentemente, tratava-se então de um "es muß sein!" exterior, imposto pelas convenções sociais, ao passo que o "es muß sein!" de seu amor pela medicina era uma necessidade interior. Justamente por isso, era pior. Pois o imperativo interior é ainda mais forte e incita mais fortemente à revolta.

Ser cirurgião é abrir a superfície das coisas e olhar o que se esconde dentro delas. Talvez tenha sido esse desejo que despertou em Tomas a vontade de ver o que havia *além* do "es muß sein!"; em outras palavras, de ver o que sobra da vida quando o homem se livra de tudo o que considerara até então como missão.

Quando, porém, foi se apresentar à amável diretora da companhia de limpeza de vidraças e vitrines de Praga, o resultado de sua decisão lhe apareceu de repente em toda a sua realidade e ele quase entrou em pânico. Viveu nesse terror os primeiros dias do novo emprego. Mas uma vez superada (mais ou menos após uma semana) a estranheza entorpecente de sua nova vida, constatou subitamente que se encontrava em longas férias.

Fazia coisas às quais não atribuía nenhuma importância, e isso era bom. Compreendia a felicidade das pessoas (das quais até então sentira pena) que exercem uma atividade a que não foram levadas por um "es muß sein!" interior e que podem esquecê-la quando vão para casa. Jamais conhecera essa bem-aventurada indiferença. Antigamente, quando uma operação não corria como ele esperava, ficava desesperado e não conseguia dormir. Perdia até o gosto pelas mulheres. O "es muß sein!" de seu trabalho era como um vampiro que lhe sugava o sangue.

Agora, percorria as ruas de Praga com sua longa vara de lavar vitrines e constatava com surpresa que se sentia dez anos mais moço. As vendedoras das grandes lojas o chamavam de "doutor" (o tantã de Praga continuava funcionando perfeitamente) e lhe pediam conselho sobre seus resfriados, dores lombares e menstruação atrasada. Quase sentiam vergonha quando o viam jogando água nas vitrines, enrolando um pano na ponta da vara e começando a lavá-las. Se pudessem abandonar os clientes na loja, certamente iriam tomar a vara de suas mãos para lavar as vitrines no lugar dele.

Tomas trabalhava sobretudo em lojas grandes, mas às vezes a empresa o mandava também à casa de clientes. Nessa época, as pessoas viviam ainda numa espécie de euforia de solidariedade com a perseguição aos intelectuais tchecos. Quando os antigos pacientes souberam que Tomas virara lavador de vidraças, passaram a telefonar à empresa para chamá-lo. Eles o recebiam com uma garrafa de champanhe ou de aguardente, escreviam no recibo que lavara treze janelas e em seguida ficavam duas horas conversando e bebendo com ele. Quando partia para a casa de outros clientes ou para uma outra loja, estava de excelente humor. As famílias dos oficiais russos se estabeleciam no país, o rádio transmitia discursos ameaçadores de funcionários do Ministério do Interior que substituíam os jornalistas demitidos, e enquanto isso ele perambulava entre dois copos de vinho pelas ruas de Praga, no estado de espírito de um homem que vai de festa em festa. Eram suas grandes férias.

Voltava à vida de solteiro. Pois de repente estava sem Tereza. Só a via à noite, quando ela voltava do bar e ele abria um olho no primeiro sono, depois de manhã, quando era ela que estava sonolenta e ele que se apressava para o trabalho. Tinha dezesseis horas só para si e era um espaço de liberdade que lhe era oferecido de maneira imprevista. Para ele, desde a juventude, um espaço de liberdade significava mulheres.

9

Quando os amigos lhe perguntavam quantas mulheres tivera, ele dava uma resposta evasiva e, se insistiam, dizia: "Umas duzentas". Alguns invejosos afirmavam que exagerava. Defendia-se: "Nem tanto. Minhas relações com as mulheres começaram há mais ou menos vinte e cinco anos. Dividindo duzentos por vinte e cinco, dá mais ou menos oito mulheres por ano. Não é tanto assim".

Mas desde que vivia com Tereza, sua atividade erótica

tropeçava em dificuldades de organização; só podia dedicar a ela (entre a sala de operações e sua casa) uma pequena faixa de tempo, que decerto explorava intensamente (como um agricultor aproveita ao máximo sua faixa de terra) mas que não podia se comparar ao espaço de dezesseis horas que súbito recebera de presente. (Digo dezesseis, pois mesmo as oito horas em que lavava os vidros ofereciam mil oportunidades para marcar encontros com novas vendedoras, funcionárias ou donas de casa.)

O que procurava em todas essas mulheres? O que o atraía para elas? Não seria o amor físico a eterna repetição de um mesmo ato?

De maneira nenhuma. Há sempre uma pequena porcentagem de inimaginável. Ao ver uma mulher vestida, podia evidentemente imaginar mais ou menos como seria ela nua (nisso sua experiência de médico completava a experiência de amante), mas entre a aproximação da ideia e a precisão da realidade subsistia uma pequena lacuna de inimaginável, e era essa lacuna que não o deixava em paz. Além disso, a busca do inimaginável não termina com a descoberta da nudez, vai além dela: que cara faria ela ao tirar a roupa? o que diria quando fizessem amor? como soariam seus suspiros? que rictos se estampariam em seu rosto no momento do gozo?

A unicidade do "eu" se esconde exatamente no que o ser humano tem de inimaginável. Só podemos imaginar o que é idêntico em todos os seres, o que lhes é comum. O "eu" individual é o que se distingue do geral, portanto o que não se deixa adivinhar nem calcular antecipadamente, o que precisa ser desvendado, descoberto, conquistado no outro.

Tomas, que durante os últimos dez anos de atividade médica vinha tratando exclusivamente do cérebro humano, sabia que não havia nada mais difícil do que identificar o "eu". Entre Hitler e Einstein, entre Brejnev e Soljenítzin, há muito mais semelhanças do que diferenças. Se quiséssemos expressar essa ideia aritmeticamente, poderíamos dizer que existe entre eles um milionésimo de dessemelhança e novecentos e noventa e nove mil novecentos e noventa e nove milionésimos de semelhança.

Tomas era obcecado pelo desejo de descobrir esse milionésimo e de se apoderar dele e era esse, a seu ver, o sentido de sua obsessão pelas mulheres. Não era obcecado pelas mulheres, era obcecado pelo que em cada uma delas há de inimaginável, em outras palavras, era obcecado por esse milionésimo de dessemelhança que distingue uma mulher das outras.

(Talvez sua paixão de cirurgião se juntasse aqui à sua paixão de mulherengo. Não largava o bisturi imaginário, nem mesmo quando estava com suas amantes. Desejava se apoderar de algo que estava profundamente enterrado no interior delas, e para isso era preciso rasgar a camada superficial que as envolvia.)

Temos, é claro, o direito de perguntar por que ia buscar na sexualidade esse milionésimo de dessemelhança. Por que não procurá-lo, por exemplo, no andar, nas preferências culinárias ou no senso estético de uma ou de outra?

De fato, esse milionésimo de dessemelhança está presente em todos os aspectos da vida humana e por toda parte é revelado em público, não havendo necessidade de descobri-lo, não havendo necessidade de um bisturi. Que uma mulher prefira queijo a todas as outras comidas e que outra não suporte couve-flor é certamente um sinal de originalidade, mas se vê logo que essa originalidade é insignificante e inútil e que perderíamos tempo procurando encontrar algum valor nela.

É só na sexualidade que o milionésimo de dessemelhança aparece como uma coisa preciosa, pois não é acessível em público e é preciso conquistá-lo. Há meio século apenas, esse gênero de conquista exigia tempo (semanas, às vezes meses!) e o valor do conquistado se media pelo tempo consagrado a conquistá-lo. Mesmo hoje em dia, ainda que o tempo da conquista tenha diminuído consideravelmente, a sexualidade ainda é para nós o cofre de prata em que se esconde o mistério do eu feminino.

Não era, portanto, o desejo do prazer (o prazer vinha, digamos, como prêmio), mas o desejo de se apoderar do mundo (de abrir com bisturi o corpo prostrado do mundo) que o levava à conquista das mulheres.

10

Os homens que perseguem uma multidão de mulheres podem facilmente ser divididos em duas categorias. Uns procuram em todas as mulheres seu próprio sonho, sua ideia subjetiva da mulher. Outros são movidos pelo desejo de se apoderar da infinita diversidade do mundo feminino objetivo.

A obsessão dos primeiros é uma obsessão *romântica*: o que procuram nas mulheres é a si próprios, é ao ideal deles, e ficam sempre e continuamente decepcionados, porque, como sabemos, o ideal é o que é impossível encontrar. Como a decepção que os leva de mulher em mulher dá à sua inconstância uma espécie de desculpa melodramática, muitas mulheres sentimentais acham comovente essa poligamia obstinada.

A outra obsessão é uma obsessão *libertina*, e as mulheres não veem nisso nada de comovente: como o homem não projeta nas mulheres um ideal subjetivo, tudo lhe interessa e nada pode decepcioná-lo. E precisamente essa inaptidão para a decepção tem algo de escandaloso. Aos olhos do mundo, a obsessão do fornicador libertino não pode ser perdoada (porque não é resgatada pela decepção).

Como o fornicador romântico persegue sempre o mesmo tipo de mulher, nem notamos que muda de amantes; seus amigos estão sempre cometendo gafes, pois não percebem a diferença entre suas companheiras e chamam todas pelo mesmo nome.

Na sua caça ao conhecimento, os fornicadores libertinos (e é evidentemente nessa categoria que se deve colocar Tomas) se distanciam cada vez mais da beleza feminina convencional (da qual enjoam bem depressa) e acabam se tornando fatalmente colecionadores de curiosidades. Eles sabem disso, sentem um pouco de vergonha e, para não constranger os amigos, evitam aparecer em público com as amantes.

Tomas lavava vidraças fazia dois anos quando foi chamado por uma nova cliente. A primeira vez que a viu à porta do apartamento, ficou impressionado com sua estranheza. Era uma estranheza discreta, reservada, que se mantinha nos limites de uma banalidade agradável (o gosto de Tomas pelas curiosidades nada tinha em comum com a afeição felliniana pelos monstros): ela era extraordinariamente grande, ainda mais alta do que ele, tinha o nariz comprido e afilado, e seu rosto, de tão insólito, não podia ser chamado de bonito (todo mundo teria protestado!), ainda que ela não fosse de todo destituída de beleza (pelo menos segundo Tomas). Vestia calça e blusa brancas, e parecia a estranha síntese de um menino esbelto com uma girafa e uma cegonha.

Olhou para ele com um demorado olhar atento e perscrutador, ao qual não faltava uma centelha de ironia inteligente.

"Entre, doutor", disse.

Viu que a mulher sabia quem ele era. Para que ela não percebesse isso, perguntou: "Onde posso pegar água?".

Ela abriu a porta do banheiro. Ele viu diante de si a pia, a banheira, a privada; diante da banheira, da pia e da privada havia tapetinhos cor-de-rosa.

A mulher semelhante a uma girafa e a uma cegonha sorria, piscando os olhos, e tudo o que dizia parecia impregnado de duplo sentido ou de ironia velada.

"O banheiro está à sua disposição, doutor", disse ela. "Faça o que quiser."

"Posso até tomar um banho?"

"Gosta de banhos?", perguntou ela.

Tomas encheu o balde de água quente e voltou à sala. "Por onde quer que eu comece?"

"Depende de você", disse ela levantando os ombros.

"Posso ver as janelas dos outros cômodos?"

"Quer visitar meu apartamento?" Ela sorriu como se a limpeza das vidraças fosse um capricho de Tomas, pelo qual não estava absolutamente interessada.

Ele entrou no cômodo vizinho. Era um quarto com uma janela grande, duas camas encostadas uma na outra e um quadro representando uma paisagem outonal de bétulas iluminadas pelo sol poente.

Quando voltou, havia sobre a mesa uma garrafa de vinho aberta e dois copos. "Não quer ganhar força para começar seu duro trabalho?", perguntou ela.

"Com muito prazer", disse Tomas, sentando-se.

"Deve ser interessante para você, ir à casa das pessoas, não?", indagou ela.

"Não é de todo mau", disse Tomas.

"Em todos os lugares encontra mulheres sós cujos maridos estão no trabalho?"

"Encontro com mais frequência avós e sogras", disse Tomas.

"E não sente falta de sua antiga profissão?"

"Diga-me primeiro como soube da minha antiga profissão."

"Seu patrão tem muito orgulho de você", disse a mulher-cegonha.

"Ainda?", espantou-se Tomas.

"Quando telefonei pedindo que me mandassem alguém para limpar as vidraças, perguntaram-me se não queria que você viesse. Parece que você é um grande cirurgião que foi posto para fora do hospital. Admito que fiquei curiosa."

"Você é maravilhosamente curiosa", disse ele.

"Nota-se?"

"Sim, pela maneira de você olhar."

"E como é que eu olho?"

"Você aperta os olhos. E faz centenas de perguntas."

"Você não gosta de responder?"

Graças a ela, a conversa teve desde o começo um clima jocoso. Nada do que se dizia tinha relação com o mundo exterior. Era somente aos dois que se referiam todas as palavras. Já que a conversa os colocava como tema principal, nada mais fácil que completar as frases com toques, e Tomas, enquanto falava que ela apertava os olhos, acariciava-os. E ela respondia a cada um dos toques com outras carícias. Não agia espontaneamente, mas com uma perseverança deliberada, como se eles estivessem brincando de seu-mestre-mandou. Estavam sentados frente a frente, um com as mãos no corpo do outro.

Quando Tomas tentou passar a mão entre suas coxas, ela afinal começou a se defender. Ele não conseguia discernir se a defesa era a sério, mas muito tempo já se passara e em dez minutos ele era esperado em casa de outro cliente.

Levantou-se e explicou que tinha que ir embora. O rosto dela estava em chamas.

"Preciso assinar seu recibo", disse ela.

"Mas não fiz nada", protestou ele.

"Foi culpa minha", disse ela. Depois acrescentou com voz suave, lânguida, inocente: "Vou ter que chamá-lo de novo, para que termine o que nem mesmo pôde começar por minha causa."

Como Tomas se recusava a lhe entregar o recibo para que assinasse, ela disse meiga, no tom que empregaria para solicitar um serviço: "Por favor, dê-me isso", e acrescentou apertando os olhos: "Não sou eu quem paga, é meu marido, e não é você quem recebe, mas o Estado. Essa transação não tem nada a ver conosco".

11

Ficava excitado só de pensar na curiosa assimetria da mulher que parecia girafa e cegonha: a sedução aliada à falta de jeito; um desejo sexual ingenuamente declarado acompanhado de um sorriso irônico; a banalidade vulgar do apartamento e a singularidade da proprietária. Como seria fazendo amor? Tentava imaginar, mas não era fácil. Foi sua única preocupação durante vários dias.

Quando ela o convidou pela segunda vez, a garrafa de vinho já esperava sobre a mesa, com dois copos. Mas, dessa vez, tudo foi muito rápido. Logo se viram frente a frente no quarto (o sol se punha na paisagem de bétulas brancas) e se beijaram. Ele disse seu habitual "Tire a roupa!", mas em vez de obedecer ela ordenou: "Não, você primeiro".

Não estava acostumado a isso e ficou desconcertado. Ela começou a lhe desabotoar a calça. "Tire a roupa!", ordenou ele ainda várias vezes (com insucesso cômico), mas só lhe restava aceitar o acordo; segundo as regras do jogo que já estabelecera da última vez (seu-mestre-mandou), ela o livrou da calça e ele da saia, depois ela lhe tirou a camisa e ele a blusa dela, até ficarem nus frente a frente. A mão dele estava pousada sobre seu sexo úmido e ele fez os dedos escorregarem até o orifício anal, o lugar do corpo que preferia em todas as mulheres. Ela o tinha extremamente protuberante, o que sugeria com nitidez a ideia do comprido tubo digestivo que terminava ali com uma ligeira saliência. Apalpou o anel firme e sadio, o mais belo de todos os anéis, chamado esfíncter em linguagem médica, quando de repente sentiu os dedos da mulher se colocarem no mesmo lugar de seu traseiro. Ela repetia todos os gestos dele com a precisão de um espelho.

Embora, como eu disse antes, ele tivesse conhecido mais ou menos duzentas mulheres (e depois que se tornara lavador de vidraças esse número havia aumentado muito), nunca lhe acontecera que uma mulher maior do que ele se colocasse na sua frente, apertando os olhos e lhe apalpando o ânus. Para superar seu constrangimento, empurrou-a com energia para a cama.

O imprevisto do gesto a apanhou desprevenida. Seu corpo grande caía para trás, e o rosto coberto de manchas vermelhas tinha o ar assustado de quem perde o equilíbrio. Como ele estava em pé diante dela, segurou-a por baixo dos joelhos e ergueu bem alto suas pernas levemente afastadas. De repente, elas pareciam os braços levantados do soldado tomado de pânico que se rende diante de uma arma.

A falta de jeito aliada ao ardor, o ardor aliado à falta de jeito, excitavam magnificamente Tomas. Fizeram amor bem demoradamente. Ele observava o rosto coberto de manchas vermelhas procurando nele a expressão de pavor de uma mulher que leva uma rasteira e cai, expressão inimitável que acabara de lhe fazer subir à cabeça o fluxo da excitação.

Quando terminaram, foi se lavar no banheiro. Ela o acompanhou e lhe explicou demoradamente onde estava o sabonete, a luva de banho e como abrir a água quente. Ele achava engraçado que ela lhe explicasse essas coisas simples com tantos detalhes. Disse-lhe que tinha entendido e que queria ficar sozinho no banheiro.

"Você não deixa que eu o veja se lavar?", perguntou ela num tom suplicante.

Conseguiu enfim fazê-la sair. Lavou-se, urinou na pia (hábito comum entre os médicos tchecos) e teve a impressão de que ela ia e vinha impaciente em frente ao banheiro, procurando um pretexto para entrar. Quando fechou as torneiras, notou que reinava um silêncio total no apartamento e achou que ela o observava. Estava quase certo de que havia um buraco na porta e que ela espiava por ele com seus belos olhos apertados.

Ao deixá-la, estava de excelente humor. Esforçava-se para lembrar o essencial, para condensar a lembrança numa fórmula química que permitisse definir a unicidade (o seu milionésimo de dessemelhança) daquela mulher. Chegou finalmente a uma fórmula que se compunha de três elementos:

1. a falta de jeito aliada ao ardor;
2. o rosto amedrontado de alguém que perde o equilíbrio e cai;
3. as pernas levantadas como os braços de um soldado que se rende diante de uma arma.

Enquanto repetia consigo mesmo essa fórmula, experimentava o sentimento radiante de ter mais uma vez se apoderado de um fragmento do mundo; de ter cortado com seu bisturi imaginário uma estreita tira de tecido na tela infinita do universo.

12

Eis o que lhe aconteceu mais ou menos na mesma época: tivera vários encontros com uma jovem no apartamento que um velho amigo lhe emprestava todos os dias até meia-noite. Depois de um ou dois meses, ela lhe lembrou um dos encontros passados: disse que tinham feito amor no tapete diante da janela enquanto do lado de fora relâmpagos faiscavam e trovoadas ribombavam. Fizeram amor durante toda a tempestade, disse ela, e tinha sido um momento de beleza inesquecível.

Ouvindo-a, Tomas se espantava: sim, lembrava-se de que tinham feito amor no tapete (no apartamento havia apenas um divã estreito, onde ele não se sentia à vontade), mas esquecera completamente a tempestade! Era estranho: conseguia se lembrar de alguns encontros com ela, recordava-se exatamente como tinham feito amor (ela se recusava a fazer amor por trás), lembrava as poucas frases que ela dissera enquanto faziam amor (pedia sempre que lhe apertasse com força os quadris, e protestava quando ele olhava para ela), lembrava-se até do modelo de sua roupa de baixo — mas não se lembrava absolutamente da tempestade.

Das aventuras amorosas, sua memória só registrava o caminho estreito e íngreme da conquista sexual: a primeira agressão verbal, o primeiro toque, a primeira obscenidade que lhe dissera, e ela a ele, todas as pequenas perversões que aos poucos a fizera aceitar e as que ela recusara. Todo o resto (com um cuidado quase pedante) eliminara da memória. Esquecia-se até do lugar onde encontrara esta ou aquela mulher pela primeira vez, já que isso precedia a conquista sexual propriamente dita.

A jovem falava da tempestade, o rosto banhado de um sorriso sonhador, e ele a olhava pasmo e quase envergonhado: ela vivera uma coisa bonita e ele não a vivera com ela. A reação dicotômica da memória dos dois à tempestade exprimia toda a diferença que pode haver entre o amor e o não amor.

Por não amor, não quero dizer que Tomas tenha se comportado com cinismo em relação a essa moça, que tenha visto nela, como se diz, somente um objeto sexual: ao contrário, gostava dela como amiga, apreciava seu caráter e inteligência, estava sempre pronto a ajudá-la quando precisasse. Não era ele que se comportava mal em relação a ela; era a sua memória que, independente da vontade, excluíra-a da esfera do amor.

Parece que existe no cérebro uma zona específica, que poderíamos chamar *memória poética* e que registra o que nos encantou, o que nos comoveu, o que dá beleza à nossa vida. Desde que Tomas conhecera Tereza, nenhuma outra mulher tinha o direito de deixar marca, por efêmera que fosse, nessa zona do cérebro dele.

Tereza ocupava como déspota sua memória poética e dela varrera todos os vestígios das outras mulheres. Não era justo porque, por exemplo, a jovem com quem fizera amor no tapete durante a tempestade não era menos digna de poesia do que Tereza. Ela gritava: "Feche os olhos, segure meus quadris, aperte-me com força!". Não podia suportar que Tomas ficasse com os olhos abertos, atentos e perscrutadores durante o amor, e que seu corpo, ligeiramente suspenso acima do dela, não se colasse à sua pele. Não queria que ele a estudasse. Queria levá-lo na onda de encantamento em que só se pode entrar com os olhos fechados. Recusava-se a ficar de quatro, pois nessa posição seus corpos mal se tocavam e ele podia observá-la a uma distância de quase cinquenta centímetros. Detestava esse distanciamento. Queria se confundir com ele. Por isso lhe afirmava obstinadamente, olhando nos seus olhos, que não tinha gozado, ainda que o tapete ficasse molhado com seu orgasmo: "Não procuro o gozo, procuro a felicidade, e o gozo sem felicidade não é gozo". Em outras palavras, ela batia na porta de sua memória poética. Mas a porta estava fechada. Não havia lugar para ela na memória poética de Tomas. Só havia lugar para ela no tapete.

A aventura de Tomas com Tereza tinha começado exatamente onde terminavam suas aventuras com as outras mulheres. Ela se desenrolava do outro lado do imperativo que o impelia à conquista das mulheres. Não queria desvendar nada em Tereza. Já a havia encontrado desvendada. Fizera amor com ela sem ter tido tempo para apanhar o bisturi imaginário com que abria o corpo prostrado do mundo. Sem perder tempo tentando imaginar como ela seria durante o amor, já a amava.

A história de amor começara depois: ela tivera febre e ele não pudera levá-la de volta como fazia com as outras mulheres. Ajoelhado à sua cabeceira, ocorrera-lhe a ideia de que ela lhe fora enviada numa cesta pelo rio. Já disse que as metáforas são perigosas. O amor começa por uma metáfora. Ou melhor: o amor começa no instante em que uma mulher se inscreve com uma palavra em nossa memória poética.

13

Ela não demorou a imprimir sua marca: tinha ido buscar leite como todas as manhãs e, quando ele abriu a porta, ela trazia uma gralha apertada contra o peito, envolta em sua echarpe vermelha. É assim que as ciganas carregam os filhos. Não esqueceria nunca o imenso bico acusador da gralha perto de seu rosto.

Ela a tinha encontrado semienterrada. Antigamente, os cossacos tratavam assim os inimigos feitos prisioneiros. "Foram os garotos que fizeram isso", disse, e era mais que uma simples constatação; era a expressão de um desgosto súbito pelo gênero humano. Lembrava-se do que ela havia dito recentemente: "Começo a me sentir grata a você por nunca ter querido filhos".

Na véspera, queixara-se de que fora insultada por um sujeito no bar onde trabalhava. Ele segurava seu colar ordinário afirmando que na certa o ganhara se prostituindo. Ela ficara transtornada. Além da conta, pensou Tomas. De repente, ficou angustiado ao lembrar que nos dois últimos anos a vira muito pouco e que nem mesmo encontrava tempo de apertar demoradamente suas mãos para impedi-las de tremer.

Pensava nisso de manhã a caminho do escritório, onde uma funcionária passava aos lavadores de vidraças o trabalho do dia. Um cliente particular pedira expressamente que lhe enviassem Tomas para limpar as janelas. Seguiu de mau humor para o endereço citado, temendo que quem o chamara fosse mais uma mulher. Estava pensando em Tereza e as aventuras não o tentavam.

Quando a porta se abriu, sentiu-se aliviado. Viu diante de si um homem de estatura alta, um pouco curvado. O homem tinha o queixo comprido e lhe lembrava alguém.

Sorriu para ele: "Entre, doutor", disse, levando-o para a sala.

Um rapaz o esperava. Estava de pé, o rosto escarlate. Fitava Tomas e se esforçava para sorrir.

"Creio não ser necessário apresentá-los", disse o homem.

"Não", disse Tomas sem sorrir, estendendo a mão ao rapaz. Era seu filho.

O homem de queixo comprido enfim se apresentou.

"Sabia que você me lembrava alguém!", disse Tomas. "É claro que o conheço! De nome."

Sentaram em poltronas entre as quais havia uma mesa baixa. Tomas pensou que os dois homens em frente a ele eram suas criações não voluntárias e não queridas. Obrigado pela mulher, tivera um filho, e obrigado pelo policial que o interrogara, esboçara o retrato daquele homem grande e curvado.

Para expulsar tais pensamentos, disse: "Bem, por qual janela vamos começar?".

Os dois homens na frente dele riram alto.

Sim, estava claro, não se tratava absolutamente de janelas. Não fora chamado para lavar janelas, caíra numa armadilha. Nunca tinha falado com o filho. Era a primeira vez que lhe apertava a mão. Só o conhecia de vista e não queria conhecê-lo de outra maneira. Não queria saber nada dele e desejava que o filho também pensasse assim.

"Bonito cartaz, não acha?", disse o jornalista, indicando um grande desenho emoldurado, na parede em frente a Tomas.

Pela primeira vez desde que entrara, Tomas levantou os olhos. As paredes estavam cobertas de quadros interessantes, e também havia muitas fotografias e cartazes. O desenho que o jornalista mostrara tinha aparecido em 1969 num dos últimos números da revista, antes de sua proibição pelos russos. Era uma imitação de um célebre cartaz da guerra civil russa de 1918 convocando a população a se alistar no Exército Vermelho: um soldado com um boné enfeitado com uma estrela vermelha e de olhar extraordinariamente severo nos encara e aponta o indicador para nós. O original russo, que dizia: "Cidadão, você ainda não se alistou no Exército Vermelho?", tinha sido mudado para o seguinte texto em tcheco: "Cidadão, você também assinou as duas mil palavras?".

Era uma ótima piada! As duas mil palavras foram o primeiro manifesto importante da Primavera de 1968, exigindo uma democratização radical do regime comunista. Foram assinadas por uma multidão de intelectuais, depois pelas pessoas comuns, e as assinaturas eram tantas que nunca puderam ser contadas. Quando o Exército Vermelho invadiu a Boêmia e os expurgos políticos começaram, uma das perguntas feitas ao cidadão era: "Você também assinou as duas mil palavras?". Aqueles que confessavam ter assinado eram demitidos na hora.

"Bonito desenho. Lembro-me dele", disse Tomas.

O jornalista sorriu. "Esperemos que o soldado do Exército Vermelho não ouça o que estamos falando."

Acrescentou num tom sério: "Para que tudo fique claro, doutor: aqui não é a minha casa. É o apartamento de um amigo. Portanto, não estou certo de que a polícia esteja nos escutando neste momento. Acho apenas possível. Se o tivesse chamado à minha casa, estaria certo disso".

Depois continuou num tom novamente mais leve: "Mas parto do princípio de que não temos nada a esconder de ninguém. Aliás, imagine a vantagem dos historiadores tchecos do futuro! Acharão nos arquivos da polícia a vida de todos os intelectuais gravada em fitas magnéticas! Sabe o esforço que representa para o historiador de literatura reconstituir a vida sexual de um Voltaire, um Balzac, ou um Tolstói? No caso dos escritores tchecos, não haverá dúvida nenhuma. Tudo está gravado. O menor suspiro".

Depois, virando-se para os microfones imaginários escondidos na parede, disse, elevando a voz: "Meus senhores, como sempre numa ocasião dessas, quero encorajá-los em vosso trabalho, e agradecer em meu nome e em nome dos futuros historiadores".

Eles riram, todos os três, depois o jornalista começou a comentar os fatos relacionados ao fechamento da revista, o que estava fazendo o desenhista que tivera a ideia daquela caricatura e o que estavam fazendo os pintores, filósofos e escritores tchecos. Depois da invasão russa, todos tinham perdido o emprego e se tornado lavadores de vidraças, guardas de estacionamento, vigias noturnos, eletricistas de caldeiras em prédios públicos e, na melhor das hipóteses, quando tinham pistolão, motoristas de táxi.

O que o jornalista dizia era interessante, mas Tomas não conseguia se concentrar em suas palavras. Pensava no filho. Lembrava que nos últimos meses cruzara com ele na rua várias vezes. Evidentemente não fora por acaso. O que o surpreendia era vê-lo agora em companhia do jornalista perseguido. A primeira mulher de Tomas era uma comunista convicta, e Tomas deduzia automaticamente que o filho devia estar sob sua influência. Não sabia nada sobre ele. Poderia, é claro, ter lhe perguntado como era seu relacionamento com a mãe, mas a pergunta lhe pareceu inconveniente na presença de um estranho.

O jornalista chegou enfim ao assunto. Disse que a cada dia mais pessoas eram presas, apenas por terem defendido uma opinião, e terminou sua exposição com as palavras: "E finalmente chegamos à conclusão de que era preciso fazer alguma coisa".

"E o que pretende fazer?", perguntou Tomas.

Nesse momento, seu filho interveio. Era a primeira vez que o ouvia falar. Constatou, surpreso, que ele gaguejava.

"Pelo que sabemos, os presos políticos são maltratados. Alguns se encontram em estado realmente crítico. Assim, pensamos que seria uma boa ideia redigir um requerimento para ser assinado pelos intelectuais tchecos mais visados, aqueles cujos nomes ainda têm um certo peso."

Não, não era gagueira, era mais um soluço que retardava sua elocução, assim cada palavra que ele pronunciava era martelada e sublinhada contra a sua vontade. Com certeza tinha consciência disso, pois seu rosto, depois de readquirir uma cor mais normal, voltara a ficar vermelho.

"Gostaria que eu indicasse pessoas da minha especialidade às quais pudesse se dirigir?", perguntou Tomas.

"Não", sorriu o jornalista. "Não queremos um conselho seu. Queremos a sua assinatura!"

Mais uma vez, sentiu-se lisonjeado! Mais uma vez, alegrou-se por ainda não terem esquecido que era um cirurgião! Protestou por modéstia: "Escute! Não é pelo fato de ter sido mandado embora que devo ser considerado um grande médico!".

"Não esquecemos o que escreveu em nossa revista", disse o jornalista a Tomas, sorrindo.

"É isso!", falou o filho com um entusiasmo que talvez tenha escapado a Tomas.

"Não consigo ver", disse Tomas, "de que forma meu nome num manifesto pode ajudar os presos políticos. Na verdade, deveriam assinar os que ainda não caíram em desgraça e conservam um mínimo de prestígio junto às pessoas influentes, não acham?"

"Claro que deveriam assinar!", respondeu o jornalista, e riu.

O filho de Tomas deixou escapar uma risada de homem já vivido: "Só que esses nunca assinariam!".

O jornalista prosseguiu: "Isso não quer dizer que não vamos procurá-los! Não somos tão bondosos a ponto de lhes poupar constrangimentos", disse. "Gostaria que ouvisse as desculpas que dão! São incríveis!"

O filho riu com aprovação.

O jornalista prosseguiu: "É claro que afirmam estar de acordo conosco em tudo, só que, no nosso lugar, agiriam de outra maneira: como táticos, com mais inteligência, mais discrição. Têm medo de assinar e ao mesmo tempo têm medo que pensemos mal deles se não assinarem".

O filho e o jornalista trocaram sorrisos de cumplicidade.

O jornalista estendeu a Tomas uma folha de papel com um texto curto pedindo aos presidente da República, em tom relativamente cortês, a anistia dos presos políticos.

Tomas tentou refletir rápido: Anistiar presos políticos? Muito bem. Mas iriam anistiá-los se fossem pessoas marginalizadas pelo regime (presos políticos em potencial, portanto) que pedissem isso ao presidente da República? O único resultado de um manifesto desse tipo seria não anistiarem os presos políticos, mesmo se, por acaso, estivessem pretendendo fazê-lo!

Esses pensamentos foram interrompidos pelo filho: "O essencial é mostrar que ainda existe neste país um punhado de homens e mulheres que não têm medo. Mostrar quem está com quem. Separar o joio do trigo".

Tomas refletia: Está certo, mas o que tem isso a ver com os presos políticos? Das duas, uma: ou se trata de conseguir uma anistia, ou de separar o joio do trigo. Não é a mesma coisa.

"Ainda hesita, doutor?", perguntou o jornalista.

Sim, ele hesitava. Mas temia confessá-lo. Na parede em frente, a imagem do soldado ameaçava com o dedo e dizia: "Você ainda hesita em se alistar no Exército Vermelho?". Ou então: "Você ainda não assinou as duas mil palavras?". Ou então: "E você, assinou as duas mil palavras?". Ou ainda: "Você não quer assinar o manifesto pela anistia?". O que quer que o soldado dissesse era uma ameaça.

O jornalista acabara de manifestar o que pensava das pessoas que, apesar de achar necessário anistiar os presos políticos, invocavam mil argumentos para não assinar o manifesto. Segundo o jornalista, esses raciocínios eram apenas pretextos sob os quais se escondia a covardia. Assim, o que Tomas podia responder?

O silêncio se prolongava, mas, dessa vez, foi ele quem o quebrou com uma risada. Mostrando o desenho na parede, disse: "Veja esse sujeito que me ameaça e me pergunta se vou assinar ou não. É difícil raciocinar diante desse olhar!".

Por um momento os três riram.

Tomas continuou: "Muito bem. Vou pensar. Poderíamos nos encontrar nos próximos dias?".

"É sempre um prazer revê-lo", disse o jornalista, "mas não temos muito tempo para esse manifesto. Queremos enviá-lo amanhã ao presidente."

"Amanhã?"

Tomas pensou no policial gordo que lhe estendera um texto em que ele deveria denunciar justamente o homem de queixo comprido. Todo mundo queria obrigá-lo a assinar textos que não escrevera.

"Neste caso, não é preciso pensar!", disse o filho.

As palavras eram agressivas, mas o tom quase suplicante. Dessa vez se olharam nos olhos e Tomas percebeu que o filho, quando olhava atentamente, levantava ligeiramente o canto esquerdo do lábio superior. Conhecia esse ricto, pois já o vira em seu próprio rosto quando verificava com cuidado no espelho se estava bem barbeado. Não pôde reprimir um sentimento de mal-estar ao percebê-lo agora no rosto de outro.

Quem sempre viveu com os filhos, habitua-se a essas semelhanças, acha-as normais, e até mesmo ri quando repara nelas. Mas era a primeira vez que Tomas falava com seu filho! Não tinha o hábito de se encontrar diante de seu próprio ricto!

Imagine que uma de suas mãos foi amputada e implantada em outra pessoa. E um dia, alguém senta na sua frente e gesticula com essa mão bem debaixo do seu nariz. Sem dúvida, você pensa que está diante de um fantasma. E, mesmo a conhecendo intimamente, mesmo sabendo que se trata de sua própria mão, teme que ela toque em você!

O filho continuava: "Espero que você esteja do lado dos perseguidos!".

Durante toda a conversa, Tomas perguntara a si mesmo se o filho o trataria de senhor ou de você. Até agora ele havia organizado as frases de maneira a não ter que escolher. Dessa vez, enfim, escolhera. Tratava-o de você e Tomas de repente teve certeza de que toda aquela encenação não tinha nada a ver com a anistia de presos políticos, o que estava em jogo era seu filho: se assinasse, seus destinos se encontrariam e Tomas seria mais ou menos forçado a se aproximar dele. Se não assinasse, o relacionamento entre os dois seria inexistente como até então, mas, dessa vez, não seria por sua vontade, e sim pela vontade do filho, que renegaria o pai por causa de sua covardia.

Estava na situação do jogador de xadrez que não pode tentar mais nada para escapar à derrota e se vê forçado a abandonar o jogo. Afinal, assinar ou não, daria no mesmo. Não mudaria o seu destino, nem o destino dos presos políticos.

"Dê-me isso", disse, e pegou o papel.

14

Como se quisesse recompensá-lo pela decisão, o jornalista disse: "Estava ótimo o que escreveu sobre Édipo".

Seu filho lhe estendeu a caneta, acrescentando: "Existem ideias que são como um atentado".

Os elogios do jornalista lhe agradavam, mas a metáfora

do filho lhe pareceu exagerada e fora de propósito. "Infelizmente, um atentado que só fez uma vítima: eu. Por causa do artigo, não pude mais operar meus doentes."

Essas palavras soaram com frieza e quase com hostilidade.

Para apagar essa pequena dissonância, o jornalista observou (com o ar de quem apresenta desculpas): "Mas seu artigo ajudou muita gente".

Para Tomas, as palavras "ajudar as pessoas" só se identificavam desde a infância com uma atividade: a medicina. Um artigo de jornal teria alguma vez ajudado alguém? Pretendiam convencê-lo de quê, aqueles dois? Eles resumiam toda a sua vida a uma miserável reflexão sobre Édipo, ou a ainda menos do que isso: a um só "não" simplista que pronunciara na cara do regime.

Tomas respondeu (sempre com a mesma frieza na voz, mas sem se dar conta dela): "Ignoro se o artigo ajudou alguém. Mas em meu trabalho de cirurgião, salvei a vida de muita gente".

Fez-se uma nova pausa. Ela foi interrompida pelo filho: "As ideias também podem salvar a vida".

Tomas via sua boca no rosto do filho e dizia consigo mesmo: curioso ver a própria boca gaguejando.

O filho continuou com um esforço perceptível: "Há uma coisa formidável no seu artigo: a recusa do compromisso. Essa capacidade que estamos perdendo de distinguir claramente entre o bem e o mal. Não sabemos mais o que é se sentir culpado. Os comunistas acharam uma desculpa: Stálin os enganou. Um assassino se desculpa dizendo que a mãe não o amava e por isso ele era frustrado. E, de repente, você afirma: Não existe nenhuma justificativa. Ninguém tinha a alma e a consciência mais inocentes do que Édipo. No entanto, ele próprio se puniu quando viu o que tinha feito".

Tomas fez um esforço para desviar o olhar de seu lábio que via no rosto do filho e tentou concentrar a atenção no jornalista. Estava irritado e tinha vontade de contrariá-los. Disse: "Sabe, tudo isso não passa de um mal-entendido. A fronteira entre o bem e o mal é terrivelmente vaga. Não estava reclamando o castigo de ninguém, não era esse meu objetivo. Castigar alguém que não sabe o que faz é uma coisa bárbara. O mito de Édipo é um belo mito. Mas usá-lo dessa maneira...".

Pretendia acrescentar alguma coisa, mas lembrou que suas palavras podiam estar sendo gravadas. Não tinha a menor ambição de ser citado pelos historiadores dos séculos futuros. Temia, porém, ser citado pela polícia. Pois o que ela exigira dele fora exatamente a condenação de seu artigo. Desagradava-lhe que agora ela pudesse ouvir isso de sua própria boca. Sabia que cada frase pronunciada no país poderia um dia ser transmitida pelo rádio. Calou-se.

"O que o levou a mudar de ideia?", perguntou o jornalista.

"O que eu me pergunto, isso sim, é o que me levou a escrever o artigo", disse Tomas, e logo em seguida lembrou: ela encalhara na margem da sua cama como uma criança largada numa cesta ao sabor da corrente. Sim, por isso é que fora procurar o livro; voltara às histórias de Rômulo, de Moisés, de Édipo. De repente, ela estava ali, podia vê-la diante dele, apertando contra o peito uma gralha envolta na echarpe vermelha. Essa imagem o consolava. Como se dissesse que Tereza estava viva, que ela estava nesse momento na mesma cidade que ele e que nada mais importava.

O jornalista rompeu o silêncio: "Compreendo-o, doutor. Também não gosto de castigos. Mas não estamos reivindicando o castigo, estamos pedindo a suspensão do castigo".

"Sei", disse Tomas. Aceitava a ideia de que iria fazer, em poucos segundos, uma coisa talvez generosa, mas perfeitamente inútil (porque não ajudaria em nada os presos políticos), e que lhe era pessoalmente desagradável (porque o fazia em circunstâncias que lhe estavam sendo impostas).

214

O filho disse ainda (num tom quase suplicante): "É seu dever assinar".

Dever? Então seu filho iria dizer qual era o seu dever? Era a pior coisa que podiam lhe dizer! A imagem de Tereza apertando a gralha nos braços reapareceu diante de seus olhos. Lembrou-se de que ela lhe contara que na véspera um policial estivera no bar e a importunara. Suas mãos recomeçavam a tremer. Tinha envelhecido. Nada mais importava para ele. Só ela importava. Ela, surgida de seis acasos, ela, a flor nascida da ciática do chefe do departamento, ela, que estava além de todos os "es muß sein!", ela, a única coisa que realmente contava.

Por que se perguntar ainda se devia ou não assinar? Existia um único critério para todas as suas decisões: não fazer nada que pudesse prejudicar Tereza. Tomas não podia salvar os presos políticos, mas podia fazer Tereza feliz. Não, nem mesmo disso ele era capaz. Mas, se assinasse o manifesto, estava quase certo de que os policiais viriam com mais frequência ainda importuná-la e que suas mãos tremeriam ainda mais.

Disse: "É muito mais importante desenterrar uma gralha enterrada viva do que enviar um manifesto a um presidente".

Sabia que essa frase era incompreensível, mas isso o deixava mais satisfeito. Sentia uma embriaguez súbita e inesperada. A mesma embriaguez obscura do dia em que anunciara à mulher que não queria vê-la nunca mais, nem ela nem o filho. A mesma embriaguez obscura do dia em que colocara na caixa do correio a carta em que renunciava para sempre à sua profissão de médico. Não estava certo de ter agido bem, mas estava certo de ter agido como queria.

"Desculpem", disse, "mas não vou assinar."

15

Alguns dias mais tarde, todos os jornais falavam do manifesto.

Naturalmente, em nenhuma parte era mencionado que se tratava de uma humilde petição em favor dos presos políticos, requerendo sua libertação. Nenhum jornal mencionava sequer uma frase do texto sucinto. Mas se referiam demoradamente, em termos vagos e ameaçadores, a uma convocação subversiva que serviria de trampolim a uma nova campanha contra o socialismo. Os signatários eram citados nominalmente, e seus nomes seguidos de calúnias e ataques que davam frio na espinha.

Isso era previsível, claro. A não ser que fosse organizada pelo Partido Comunista, toda ação pública (reunião, manifesto, manifestação de rua) era considerada ilegal, pondo em perigo qualquer pessoa que dela participasse. Todos sabiam. Por isso, sem dúvida, Tomas se arrependia de não ter assinado o manifesto. Na verdade, por que não o assinara? Não entendia muito bem os motivos de sua decisão.

E, mais uma vez, vejo-o como me pareceu no começo deste romance. Está à janela e olha, do outro lado do pátio, a parede do prédio defronte.

Ele nasceu dessa imagem. Como já disse, os personagens não nascem de um corpo materno como os seres vivos, mas de uma situação, uma frase, uma metáfora que contém em embrião uma possibilidade humana fundamental que o autor imagina não ter sido ainda descoberta ou sobre a qual nada de essencial ainda foi dito.

Mas não se costuma dizer que o autor só pode falar de si mesmo?

Olhar o pátio, impotente, e não conseguir tomar uma decisão; ouvir o ruído obstinado do próprio ventre num momento de exaltação amorosa; trair e não saber parar na estrada tão bela das traições; erguer o punho no desfile da Grande Marcha; demonstrar humor diante dos microfones escondidos pela polícia: conheci e eu mesmo vivi todas essas situações; de nenhuma delas, no entanto, saiu o personagem que eu mesmo sou no meu curriculum vitae. Os personagens de meu romance são minhas próprias possibilidades, que não foram realizadas. É o que me faz amá-los, todos, e ao mesmo tempo a todos temer. Uns e outros atravessaram uma fronteira que me limitei apenas a contornar. O que me atrai é essa fronteira que eles atravessaram (fronteira além da qual termina o meu eu). E é somente do outro lado que começa o mistério que o romance interroga. O romance não é uma confissão do autor, mas uma exploração do que é a vida humana na armadilha que se tornou o mundo. Mas basta. Voltemos a Tomas.

Está à janela e olha, do outro lado do pátio, a parede suja do prédio defronte. Sente uma espécie de nostalgia pelo sujeito grande de queixo comprido e pelo grupo de amigos dele, que não conhece e do qual não faz parte. É como se tivesse cruzado com uma bela desconhecida na plataforma de uma estação e, antes que dela pudesse se aproximar, ela subisse no vagão-leito de um trem que partia para Lisboa ou Istambul.

Recomeça a pensar: o que deveria ter feito? Mesmo pondo de lado tudo o que lhe inspiravam os sentimentos (a admiração que sentira pelo jornalista, a irritação que lhe provocara o filho), não estava ainda convencido de que deveria ter assinado o texto que lhe tinham apresentado.

É justo levantar a voz, quando se tenta reduzir um homem ao silêncio? Sim.

Mas por outro lado: Por que os jornais dedicavam tanto espaço ao manifesto? A imprensa (totalmente manipulada pelo Estado) poderia muito bem não ter dito uma palavra sobre a questão, e ninguém jamais ficaria sabendo de nada. Se falava, é porque isso era útil aos donos do país! Para eles, era um presente dos céus, do qual se serviam para justificar e desencadear uma nova onda de perseguições.

Portanto, o que deveria ter feito? Deveria ter assinado ou não assinado?

Pode-se também formular a pergunta nestes termos: Será melhor gritar e assim precipitar o próprio fim? Ou calar e barganhar uma agonia mais lenta?

Existirá resposta para essas perguntas?

E, de novo, veio-lhe à cabeça uma ideia que já conhecemos: A vida humana só acontece uma vez e não poderemos jamais verificar qual seria a boa ou a má decisão, porque, em todas as situações, só podemos decidir uma vez. Não nos é dada uma segunda, uma terceira, uma quarta vida para que possamos comparar decisões diferentes.

Acontece na história como na vida do indivíduo. Os tchecos só têm uma história. Ela terminará um dia como a vida de Tomas, sem que seja possível repeti-la uma segunda vez.

Em 1618, a nobreza da Boêmia tomou coragem, decidiu defender suas liberdades religiosas e, furiosa contra o imperador sentado em seu trono vienense, jogou por uma janela do Hradcany dois de seus eminentes representantes. Foi assim que começou a Guerra dos Trinta Anos, que provocou a destruição quase total do povo tcheco. Os tchecos teriam então mais necessidade de prudência que de coragem? A resposta parece fácil, mas não é.

Trezentos e vinte anos mais tarde, em 1938, depois da Conferência de Munique, o mundo inteiro decidiu sacrificar o país dos tchecos a Hitler. Deveriam então ter lutado sozinhos contra um inimigo oito vezes superior em número? Ao contrário do que tinham feito em 1618, revelaram então mais prudência do que coragem. A capitulação deles marcou o começo da Segunda Guerra Mundial, que consolidou por muitos decênios ou por muitos séculos a perda definitiva de sua liberdade como nação. Teriam então mais necessidade de coragem que de prudência? O que deveriam ter feito?

Se a história tcheca pudesse se repetir, seria certamente interessante experimentar a cada vez a outra alternativa e em seguida comparar os dois resultados. Como essa experiência não pode ser feita, todos os raciocínios são apenas um jogo de hipóteses.

Einmal ist keinmal. Uma vez não conta. Uma vez é nunca. A história da Boêmia não vai se repetir uma segunda vez, nem a história da Europa. A história da Boêmia e a história da Europa são dois esboços que a inexperiência fatal da humanidade traçou. A história é tão leve quanto a vida do indivíduo, insustentavelmente leve, leve como uma pluma, como uma poeira que voa, como uma coisa que vai desaparecer amanhã.

Tomas pensou mais uma vez com uma espécie de nostalgia, quase com amor, no jornalista da silhueta alta e curvada. Esse homem agia como se a história não fosse um esboço, mas um quadro terminado. Agia como se tudo o que fizesse fosse se repetir um número incalculável de vezes no eterno retorno, e estava certo de que nunca iria ter dúvidas sobre seus atos. Estava persuadido de que tinha razão e isso não era nele sinal de um espírito limitado, mas uma marca de virtude. Ele vivia numa história diferente da de Tomas: numa história que não era (ou não tinha consciência de ser) um esboço.

16

Pouco mais tarde, fez ainda esta reflexão, que menciono para esclarecer o capítulo precedente: Suponhamos que existisse no universo um planeta onde viríamos ao mundo uma segunda vez. Ao mesmo tempo, nós nos lembraríamos perfeitamente da vida passada na Terra, de toda a experiência adquirida aqui.

E talvez existisse um outro planeta onde se nasceria uma terceira vez com a experiência de duas vidas já vividas.

E talvez ainda outros planetas onde a espécie humana renasceria, subindo cada vez um degrau (uma vida) na escala do amadurecimento.

Era essa a ideia que Tomas fazia do eterno retorno.

Nós, aqui na Terra (no planeta 1, no planeta da inexperiência), podemos ter evidentemente apenas uma ideia muito vaga do que aconteceria com o homem nos outros planetas. Teria mais sabedoria? A maturidade estaria a seu alcance? Poderia atingi-la por meio da repetição?

É só na perspectiva dessa utopia que as noções de pessimismo e de otimismo fazem sentido: o otimista é aquele que acredita que a história humana será menos sangrenta no planeta número 5. O pessimista é aquele que não acredita nisso.

17

Um célebre romance de Júlio Verne, de que Tomas gostava muito quando criança, chamava-se *Dois anos de férias*, e é bem verdade que essa deve ser a duração máxima para umas férias. Em pouco tempo faria três anos que Tomas era lavador de vidraças.

No decorrer das últimas semanas compreendera (com tristeza, e também com uma risada secreta) que começava a ficar fisicamente cansado (travava um, às vezes dois combates amorosos por dia) e que, apesar de não ter perdido o desejo, só conseguia possuir as mulheres com um esforço supremo. (Acrescento: não se trata absolutamente de forças sexuais, mas de forças físicas; não tinha dificuldade com o sexo, mas com o fôlego, e era justamente isso que lhe parecia um tanto cômico.)

Um dia, tentava marcar um encontro para a tarde, mas, como às vezes acontece, nenhuma de suas amigas atendia o telefone, e a tarde, ao que tudo indicava, ficaria vazia. Estava desesperado. Telefonou umas dez vezes para a casa de uma jovem, estudante de arte dramática muito charmosa, cujo corpo, dourado pelo sol das praias de nudistas em alguma parte da Iugoslávia, ostentava uma tonalidade perfeitamente uniforme, como se tivesse assado lentamente num espeto automático de mecanismo espantosamente preciso.

Telefonou para ela em vão de todas as lojas em que trabalhou. Mais ou menos às quatro horas, ao terminar seu trabalho, voltava ao escritório para entregar os recibos assinados, quando foi abordado por uma desconhecida numa rua do centro de Praga. Ela sorria: "Doutor, onde foi que se escondeu? Perdi-o completamente de vista!".

Tomas se esforçou para lembrar de onde a conhecia. Seria uma de suas ex-pacientes? Ela se comportava como se tivessem sido amigos íntimos. Tentava responder de maneira a não revelar que não a estava reconhecendo. Já se perguntava como iria convencê-la a acompanhá-lo ao apartamento do amigo cuja chave estava em seu bolso, quando um comentário inesperado lhe revelou quem era aquela mulher: era a estudante de arte dramática de corpo magnificamente bronzeado com quem tentara falar o dia inteiro.

Esse contratempo o divertiu e assustou ao mesmo tempo: estava cansado, não apenas fisicamente, mas também mentalmente; os dois anos de férias não poderiam ser indefinidamente prolongados.

18

As férias longe da mesa de operações eram também férias sem Tereza: ficavam vários dias sem se ver, e aos domingos, finalmente juntos, sentiam-se cheios de desejo mas distanciados um do outro, como na noite em que Tomas voltara de Zurique, quando tiveram que percorrer um longo caminho antes de se tocarem e se beijarem. O amor físico lhes dava prazer mas nenhuma consolação. Ela não gritava mais como antigamente, e, no momento do orgasmo, seu rosto contraído parecia exprimir dor e uma estranha ausência. Só ficavam unidos ternamente durante a noite, enquanto dormiam. Davam-se as mãos, e ela esquecia o abismo (o abismo da luz do dia) que os separava. Mas essas noites não davam a Tomas nem tempo nem meios de protegê-la e de cuidar dela. de manhã, quando a via, seu coração ficava apertado e ele tremia por ela: tinha um ar triste e doente.

Um domingo, ela propôs que fizessem um passeio de carro fora da cidade. Foram a uma estação de águas onde constataram que todas as ruas tinham sido rebatizadas de nomes russos e onde encontraram um ex-paciente de Tomas. Esse encontro o perturbou. De repente, falavam de novo com ele tratando-o como médico e acreditou por um momento encontrar novamente sua vida de outrora, com sua regularidade reconfortante, os horários de consulta, o olhar confiante dos doentes, que ele fingia não notar mas que na verdade lhe dava uma satisfação de que necessitava.

Voltaram, e Tomas, enquanto dirigia, vinha pensando que a volta deles de Zurique para Praga fora um erro catastrófico. Mantinha os olhos fixos na estrada para não ver Tereza. Estava irritado com ela. Sentia a presença dela a seu lado como uma contingência insustentável. Por que estava ao lado dele? Quem a teria colocado numa cesta e a largado ao sabor da corrente? E por que essa cesta teria ido parar na beira da cama de Tomas? E por que ela e não uma outra?

Durante todo o trajeto, nenhum dos dois abriu a boca. Chegando em casa jantaram em silêncio.

O silêncio se instalava entre eles como a desgraça. Tornava-se mais pesado a cada minuto. Para se livrar dele, foram cedo para a cama. Durante a noite, ele a acordou para arrancá-la a seus soluços.

Ela lhe contou: "Estava enterrada. Fazia muito tempo. Você vinha me visitar uma vez por semana. Batia na sepultura e eu saía. Meus olhos estavam cheios de terra.

"Você dizia: 'Assim você não pode ver nada', e tirava a terra dos meus olhos.

"E eu respondia: 'De qualquer maneira, não vejo nada. Tenho buracos no lugar dos olhos'.

"Depois, você partiu para longe e eu sabia que você estava com outra. As semanas passavam e você não voltava nunca. Eu não dormia mais, porque tinha medo de não ouvi-lo chegar. Finalmente, um dia você voltou e bateu na sepultura, mas eu estava tão cansada de ter ficado sem dormir por um mês que mal tive forças para subir. Quando consegui, você fez uma expressão decepcionada. Disse que eu estava abatida. Senti que lhe desagradava, que estava com o rosto encovado, que fazia gestos bruscos e incoerentes.

"Para me desculpar, disse: 'Desculpe, não dormi durante todo esse tempo'.

"E você disse com uma voz tranquilizadora mas que soava falso: 'Viu, você tem que descansar. Devia tirar um mês de férias'.

"E eu sabia muito bem o que você queria dizer falando de férias! Sabia que você queria ficar um mês inteiro sem me ver porque estava com outra. Você partiu e eu desci para o fundo da sepultura, e sabia que ia ficar mais um mês sem poder dormir, para ouvi-lo chegar, e que quando você voltasse,

223

depois de um mês, eu estaria ainda mais feia e que você ficaria ainda mais decepcionado."

Ele nunca ouvira nada mais dilacerante do que aquele sonho. Abraçou Tereza, sentia seu corpo tremer e achava que não tinha mais força para carregar o amor que tinha por ela.

O planeta podia vacilar sob o impacto da explosão das bombas, a pátria podia ser espoliada todos os dias por um novo intruso, todos os habitantes do bairro podiam ser levados ao pelotão de fuzilamento, teria suportado tudo isso com mais facilidade do que ousaria confessar. Mas a tristeza de um só sonho de Tereza era intolerável para ele.

Tentou penetrar no sonho que ela acabara de lhe contar. Via-se de frente para ela: acariciava-lhe o rosto e, discretamente, para que ela quase não pudesse perceber, tirava a terra de suas órbitas. Depois a ouviu pronunciar a mais dilacerante de todas as frases: "De qualquer maneira, não vejo nada. Tenho buracos no lugar dos olhos".

Seu coração se apertou; sentiu-se à beira de um infarto.

Tereza adormecera novamente; agora era ele que não podia dormir. Imaginava-a morta. Ela estava morta e tinha sonhos horríveis; mas como estava morta, ele não podia acordá-la. Sim, era isso a morte: Tereza dormia, tinha sonhos atrozes e ele não podia acordá-la.

19

Cinco anos depois que o Exército russo invadira o país de Tomas, Praga estava completamente mudada: as pessoas com quem Tomas cruzava na rua não eram as mesmas de antes. Metade de seus amigos tinha emigrado e a metade dos que ficaram estava morta. É um fato que jamais será relatado por um historiador: os anos que se seguiram à invasão russa foram um período de enterros; nunca o número de falecimentos foi tão elevado. E não estou falando só dos casos (raros, aliás) de pessoas que foram perseguidas até morrer, como Jan Prochazka. Quinze dias depois de o rádio ter começado a transmitir todos os dias a gravação de suas conversas particulares, ele foi hospitalizado. O câncer, que sem dúvida dormitava discretamente em seu corpo, em pouco tempo desabrochou como uma rosa. Foi operado na presença da polícia, e quando esta constatou que o romancista estava condenado, parou de se interessar por ele e o deixou morrer nos braços da mulher. Mas a morte também atingia os que não eram perseguidos diretamente. Infiltrando-se através da alma, o desespero que tomara conta do país invadia os corpos e os prostrava. Alguns fugiam desesperadamente dos favores do regime, que, cumulando-os de honrarias, queria constrangê-los a aparecer em público ao lado dos novos dirigentes. Assim morreu o poeta Frantisek Hrubine, fugindo ao amor do Partido. O ministro da Cultura, a quem tentara escapar com as forças que ainda lhe restavam, alcançou-o em seu caixão. Pronunciou sobre seu túmulo um discurso sobre o amor do poeta à União Soviética. Talvez tivesse proferido aquela enormidade para acordá-lo. Mas o mundo estava tão feio que entre os mortos ninguém queria ressuscitar.

Tomas foi ao crematório assistir ao funeral de um célebre biólogo que tinha sido expulso da universidade e da Academia de Ciências. Para evitar que a cerimônia se transformasse em manifestação, a menção de horário no anúncio fúnebre foi proibida, e os parentes só souberam em cima da hora que o corpo seria incinerado às seis e meia da manhã.

Entrando na sala do crematório, Tomas demorou a entender o que estava acontecendo: a sala estava iluminada como um estúdio de cinema. Surpreso, olhou em volta e viu câmeras instaladas em três cantos da sala. Não, não era a televisão, era a polícia que filmava o enterro para poder identificar os que estavam ali. Um ex-colega do cientista falecido, que ainda era membro da Academia de Ciências, teve a coragem de pronunciar algumas palavras diante do caixão. Não pensou que assim se tornava astro do cinema.

Depois da cerimônia, quando todo mundo tinha cumprimentado a família do falecido, Tomas percebeu num canto da sala um pequeno grupo em que reconheceu o jornalista de silhueta alta e curvada. Voltou a sentir uma espécie de nostalgia por essas pessoas que não têm medo de nada e que, certamente, são ligadas por uma grande amizade. Aproximou-se dele, sorriu, queria cumprimentá-lo, mas o homem alto e curvado lhe disse: "Atenção, doutor, é melhor não se aproximar".

Era uma frase ambígua. Podia ser um aviso sincero e amigo ("tome cuidado, estamos sendo filmados, se nos dirigir a palavra, pode ser chamado para um novo interrogatório"), mas não se podia excluir uma intenção irônica ("Você não teve coragem de assinar o manifesto, seja coerente e se afaste de nós"). Qualquer que fosse a interpretação correta, Tomas obedeceu e foi embora. Teve a impressão de que a bela desconhecida com quem cruzara na plataforma de uma estação subia no vagão-leito de um expresso e, no momento em que ele ia lhe dizer que a admirava, ela punha um dedo nos lábios para proibi-lo de falar.

20

Durante a tarde ele teve outro encontro interessante. Estava lavando a vitrine de uma loja de calçados quando um homem ainda jovem parou perto dele. O homem se debruçava na vitrine para examinar as etiquetas com os preços.

"Está tudo aumentando", disse Tomas, sem parar de passar a esponja no vidro molhado.

O homem virou o rosto. Era um colega do hospital, aquele que chamei de S., e que sorrira com indignação ao imaginar que Tomas tinha redigido uma autocrítica. Tomas se alegrou com o encontro (era apenas o prazer ingênuo que nos traz o inesperado), mas percebeu no olhar do colega (no primeiro minuto, quando S. não tinha ainda tido tempo de controlar suas reações) uma expressão de desagradável surpresa.

"Como vai?", perguntou S.

Antes mesmo de ter formulado a resposta, Tomas compreendeu que S. estava com vergonha da pergunta. Era evidentemente inábil, da parte de um médico que continuava a exercer sua profissão, perguntar "como vai?" a um médico que estava lavando vitrines.

"Não podia estar melhor", respondeu Tomas, mostrando-se alegre para aliviar o constrangimento do outro mas logo percebendo que aquele "não podia estar melhor" podia ser interpretado, contra as suas intenções (e precisamente por causa do tom satisfeito que empregara), como uma amarga ironia.

Por isso se apressou a acrescentar: "O que há de novo no hospital?".

"Nada, tudo normal", respondeu S.

Até mesmo essa resposta, que se pretendia completamente neutra, não podia estar mais deslocada e cada um deles o sabia e sabia que o outro sabia: como é que tudo podia estar normal se um dos dois médicos estava lavando vidros?

"E o chefe?", indagou Tomas.

"Você não o tem visto?", perguntou S.

"Não", disse Tomas.

Era verdade. Desde sua saída do hospital, ele não vira mais o chefe do departamento, se bem que tivessem sido, em outros tempos, excelentes companheiros de trabalho e quase se considerassem amigos. De toda maneira, o "não" que pronunciara soava triste e Tomas percebeu que S. estava aborrecido de ter feito essa pergunta, porque tanto ele, S., como o chefe do departamento nunca tinham procurado Tomas, nem para perguntar se estava precisando de alguma coisa.

A conversa entre os ex-colegas estava se tornando impossível, apesar de ambos, sobretudo Tomas, lamentarem que isso acontecesse. Ele não censurava os colegas por o terem esquecido. Gostaria de ter explicado isso logo ao jovem médico. Sentia vontade de lhe dizer: "Não fique com esse ar constrangido! É normal, até inevitável, você não procurar minha companhia. Não se sinta culpado! Foi um prazer tê-lo encontrado", mas até isso tinha medo de dizer, porque até então nenhuma das suas palavras soara como ele pretendia e seu ex-colega poderia desconfiar que houvesse algum sarcasmo por trás dessa frase no entanto sincera.

"Desculpe-me", disse por fim S., "estou com pressa", e lhe estendeu a mão. "Vou lhe telefonar."

Antigamente, quando os colegas o desprezavam por causa de sua suposta covardia, todos lhe sorriam. Agora, que não podiam mais desprezá-lo, que eram obrigados a respeitá-lo até, eles o evitavam.

Aliás, seus ex-pacientes não o chamavam mais para tomar champanhe. A situação dos intelectuais decaídos deixara de ser excepcional; era um estado de coisas permanente e desagradável de ver.

21

Voltou para casa, deitou-se e dormiu mais rápido que de costume. Depois de mais ou menos uma hora, acordou com dor de estômago. Era seu antigo mal-estar que se manifestava sempre nos momentos de depressão. Abriu o armário de remédios e ficou furioso. Não havia nada. Tinha esquecido de comprar. Tentou debelar a crise com a força da vontade e conseguiu em parte, mas não houve meio de dormir de novo. Quando Tereza chegou, por volta de uma e meia da manhã, sentiu vontade de conversar com ela. Contou-lhe o enterro, o episódio do jornalista que tinha se recusado a conversar com ele, seu encontro com o colega S.

"Praga ficou feia", disse Tereza.

"É verdade", disse Tomas.

Logo em seguida, Tereza disse a meia voz: "A melhor coisa seria ir embora daqui".

"É", disse Tomas. "Mas não podemos ir para lugar nenhum."

Ele estava de pijama, sentado na cama; ela veio sentar a seu lado e passou o braço em volta de sua cintura.

"Podemos ir para o interior", disse Tereza.

"Para o interior?", disse ele, surpreso.

"Lá, ficaríamos sozinhos. Você não encontraria nem o jornalista nem os ex-colegas. Lá, vivem outras pessoas, e existe a natureza, que continua como antes."

Nesse momento, Tomas sentiu ainda uma dor confusa no estômago; estava se achando velho, tinha a impressão de desejar apenas um pouco de paz e sossego.

"Talvez você tenha razão", disse ele com dificuldade, pois respirava mal quando sentia aquela dor.

Tereza continuou: "Poderíamos achar uma pequena casa com um jardinzinho, que Karenin iria adorar".

"É", disse Tomas.

Em seguida, tentou imaginar o que aconteceria se realmente fossem morar no interior. Numa cidade pequena, seria difícil ter uma mulher nova a cada oito dias. Significaria o fim de suas aventuras eróticas.

"Só que você poderia se entediar, sozinho comigo no interior", disse Tereza, adivinhando seus pensamentos.

A dor aumentava. Ele não podia falar. Ocorreu-lhe que também a busca de mulheres era um "es muß sein!", um imperativo que o reduzia à escravidão. Ansiava por férias. Mas férias totais, abandonando *todos* os imperativos, todos os "es muß sein!". Se pudera abandonar para sempre a mesa de operações do hospital, por que não poderia abandonar a mesa de operações do mundo, em que seu bisturi imaginário abria o cofre do "eu" feminino para encontrar ali um ilusório milionésimo de dessemelhança?

"Está com dor de estômago?", percebeu afinal Tereza.

Ele confirmou.

"Tomou a injeção?"

Ele balançou a cabeça negativamente. "Esqueci de comprar remédios."

Ela censurou sua negligência e lhe acariciou a testa, onde o suor escorria.

"Já estou melhor", disse ele.

"Deite-se", disse ela, cobrindo-o. Foi ao banheiro e voltou pouco depois, deitando-se ao lado dele.

Ele virou a cabeça para ela no travesseiro e entrou em pânico: a tristeza que emanava dos olhos de Tereza era insuportável.

Disse: "Tereza, escute! O que é que você tem? De uns tempos para cá você está estranha. Estou percebendo. Sei que tem alguma coisa".

Ela negou, balançando a cabeça: "Não, não tenho nada".

"Não negue!"

"É sempre a mesma coisa", disse ela.

"Sempre a mesma coisa", queria dizer que ela estava com ciúme e que ele continuava infiel.

Mas Tomas insistia: "Não, Tereza, desta vez é outra coisa. Nunca a vi nesse estado".

Tereza replicou: "Pois bem. Se você quer saber o que é, eu digo: vá lavar a cabeça!".

Ele não estava entendendo.

Ela falou com tristeza, sem agressividade, quase com ternura: "Seu cabelo está com um cheiro forte há muitos meses. Está fedendo a sexo. Não queria lhe dizer isso. Mas não sei há quantas noites você me faz respirar o sexo de uma de suas amantes".

Diante dessas palavras, suas dores de estômago voltaram. Era desesperador. Ele se lavava tanto! Esfregava escrupulosamente o corpo inteiro, as mãos, o rosto para não deixar nenhum vestígio de cheiro desconhecido. No banheiro das outras, evitava os sabonetes perfumados. Estava sempre munido de seu sabão neutro. Mas esquecera dos cabelos. Não, não tinha pensado nos cabelos!

E lembrou da mulher que se punha a cavalo sobre seu rosto e exigia que ele fizesse amor com ela usando todo o rosto e o topo da cabeça. Como a detestava agora! Que ideias idiotas! Viu que não era possível negar e que só lhe restava rir feito bobo e ir ao banheiro lavar a cabeça.

Ela voltou a lhe acariciar a testa. "Fique na cama. Não vale mais a pena. Agora já estou acostumada."

Ele estava com dor de estômago e só queria paz e sossego. Disse: "Vou escrever àquele ex-paciente que encontramos na estação de águas. Conhece a região em que fica a cidadezinha onde ele mora?".

"Não", respondeu Tereza.

Tomas mal podia falar. Conseguiu articular apenas: "Bosques... colinas...".

"Sim, é isso. Vamos embora daqui. Mas agora não fale mais", e ela continuava lhe acariciando a testa. Estavam deitados um ao lado do outro e já não diziam nada. A dor refluía lentamente. Logo adormeceram.

22

Ele acordou no meio da noite e constatou, surpreso, que tinha tido sonhos eróticos. Só se lembrava com precisão do último: uma mulher gigante nadava nua numa piscina, era pelo menos cinco vezes maior do que ele e tinha o ventre inteiramente recoberto por pelos grossos, da virilha ao umbigo. Observava-a da borda da piscina e estava tremendamente excitado.

Como podia ficar excitado quando estava com o corpo enfraquecido pelas dores de estômago? Como podia ficar excitado ao ver uma mulher que, se estivesse acordado, só lhe inspiraria repulsa?

Disse consigo mesmo: Existem duas rodas dentadas que giram em sentido inverso no mecanismo de relojoaria do cérebro. Numa, estão as visões, na outra, as reações do corpo. O dente em que está gravada a visão de uma mulher nua encaixa no dente oposto, em que está inscrito o imperativo da ereção. Se, por qualquer motivo, uma roda saltar um encaixe e o dente da excitação entrar em contato com o dente em que está desenhada a imagem de uma andorinha em pleno voo, nosso sexo endurecerá ao vermos a andorinha.

Aliás, ele lera um estudo em que um de seus colegas, especialista em sono, afirmava que um homem que sonha está sempre em ereção, *seja qual for* o sonho que tenha. A associação da ereção com uma mulher nua não era, portanto, mais do que uma regulagem escolhida pelo Criador entre mil outras regulagens possíveis para ajustar o mecanismo de relojoaria na cabeça do homem.

E o que há de comum entre tudo isso e o amor? Nada. Se uma roda saltar um encaixe na cabeça de Tomas e ele ficar excitado só ao ver uma andorinha, isso não mudará em nada seu amor por Tereza.

Se a excitação é um mecanismo com que o Criador se diverte, o amor, ao contrário, é o que só pertence a nós e por que escapamos ao Criador. O amor é nossa liberdade. O amor está além do "es muß sein!".

Mas nem isso é toda a verdade. Mesmo que o amor seja algo diferente do mecanismo de relojoaria da sexualidade imaginado pelo Criador para seu divertimento, ele está, ainda assim, ligado a esse mecanismo como uma doce mulher nua ao pêndulo de um relógio enorme.

Tomas disse consigo mesmo: Ligar o amor à sexualidade é uma das ideias mais bizarras do Criador.

E disse ainda: O único meio de salvar o amor da tolice da sexualidade seria regular o relógio de maneira diferente em nossa cabeça para que pudéssemos ficar excitados com a visão de uma andorinha.

Embalou-se com esse pensamento doce. E, à beira do sono, no espaço encantado das visões confusas, de repente teve certeza de que acabara de achar a solução para todos os enigmas, a chave do mistério, uma nova utopia, o Paraíso: um mundo onde se tem uma ereção com a visão de uma andorinha e onde ele pode amar Tereza sem ser importunado pela tolice agressiva da sexualidade.

Voltou a adormecer.

23

Estava no meio de mulheres seminuas, que giravam em torno dele, e se sentia cansado. Para escapar delas, abriu uma porta que dava para o cômodo ao lado. Na sua frente, viu uma jovem deitada num divã. Também estava seminua, vestia apenas uma calcinha; estava deitada de lado, apoiada no cotovelo. Olhava para ele sorrindo, como se soubesse que ele viria.

Ele se aproximou. Uma felicidade imensa o invadia porque enfim a encontrara e podia ficar com ela. Sentou-se a seu lado, e trocaram algumas palavras. Ela irradiava calma. Os movimentos de sua mão eram lentos e fluidos. A vida inteira desejara esses gestos tranquilos. Era essa calma feminina que lhe faltara a vida inteira.

Mas nesse momento passou do sono à semiconsciência. Estava nesse *no man's land* em que não se está mais dormindo e não se está ainda desperto. Temia ver essa mulher sumir e dizia consigo mesmo: Meu Deus, não posso perdê-la! Esforçava-se para lembrar onde a tinha encontrado e o que vivera com ela. Como podia ter esquecido se a conhecia tão bem? Prometeu a si mesmo telefonar para ela na primeira oportunidade. Logo depois, estremeceu à ideia de que não poderia fazê-lo porque não lembrava seu nome. Como podia ter esquecido o nome de alguém que conhecia tão bem? Depois, quase completamente acordado, de olhos abertos, disse consigo mesmo: onde estou? sim, estou em Praga, mas essa mulher é de Praga? não a teria encontrado em outro lugar? talvez na Suíça? Precisou de um momento para compreender que não conhecia essa mulher, que ela não era nem de Zurique nem de Praga, que essa mulher era do seu sonho e de nenhum outro lugar.

Estava tão perturbado que sentou na beirada da cama. A seu lado, Tereza respirava profundamente. Dizia consigo mesmo que a jovem do sonho não se parecia com nenhuma das mulheres que conhecera. Essa jovem, que tinha um jeito tão familiar, era na verdade totalmente desconhecida. Mas era ela que ele sempre desejara. Se um dia encontrasse seu paraíso pessoal, supondo-se que esse paraíso existisse, nele deveria viver ao lado dessa mulher. A jovem do seu sonho era o "es muß sein!" do seu amor.

Lembrou-se do célebre mito do *Banquete* de Platão: antigamente, os seres humanos eram hermafroditas, até que Deus os separou em duas metades, que a partir daí erram pelo mundo e se procuram. O amor é o desejo dessa metade perdida de nós mesmos.

Admitamos que seja assim; que cada um de nós tenha em alguma parte do mundo um parceiro com quem outrora formava um só corpo. Essa outra metade de Tomas era a jovem com quem sonhara. Mas ninguém encontrará jamais a outra metade de si próprio. No lugar dela, mandaram-lhe uma Tereza ao sabor da corrente numa cesta. Mas o que acontecerá mais tarde se encontrar realmente a mulher que lhe estava destinada, a outra metade de si mesmo? A quem dar preferência? À mulher achada numa cesta ou à mulher do mito de Platão?

Imagina que vive num mundo ideal com a mulher do sonho. E eis que Tereza passa sob as janelas abertas de sua mansão. Está só, para na calçada e pousa nele, de leve, um olhar infinitamente triste. E ele não pode suportar esse olhar. Mais uma vez, sente a dor de Tereza em seu próprio coração! Mais uma vez, é vitimado pela compaixão e penetra na alma de Tereza. Pula a janela. Mas ela lhe diz com amargura que ele deve ficar onde se sente feliz, e faz os gestos bruscos e incoerentes que sempre o irritaram e que ele sempre achara desagradáveis. Segura-lhe as mãos nervosas, apertando-as nas suas para acalmá-las. E sabe que a qualquer momento está pronto para deixar a casa da sua felicidade, que a qualquer momento está pronto para deixar o paraíso onde vive com a jovem do sonho, que vai trair o "es muß sein!" do seu amor para ir embora com Tereza, essa mulher nascida de seis acasos grotescos.

Sentado na cama, olhava a mulher deitada a seu lado, que, dormindo, apertava-lhe a mão. Sentia por ela um amor inexprimível. Nesse momento, ela sem dúvida dormia um sono muito leve, porque abriu os olhos e os pousou nele com ar espantado.

"O que você está olhando?", perguntou ela.

Sabia que não devia acordá-la, mas fazê-la adormecer; tentou responder com palavras que fizessem nascer em seu pensamento a centelha de um novo sonho.

"Estou olhando as estrelas", respondeu.

"Não minta, você não está olhando as estrelas, está olhando para o chão."

"É que estamos num avião, as estrelas estão abaixo de nós."

"Ah, bom!", murmurou Tereza. Apertou com mais força ainda a mão de Tomas e voltou a dormir. Tomas sabia que Tereza olhava agora pela janela de um avião que voava muito alto acima das estrelas.

Sexta parte
A GRANDE MARCHA

1

Só em 1980 se soube da morte do filho de Stálin, Iacov, por um artigo publicado no *Sunday Times*. Prisioneiro de guerra na Alemanha durante a Segunda Guerra Mundial, ele ficou no mesmo campo que os oficiais ingleses. Tinham latrinas comuns. O filho de Stálin as deixava sempre sujas. Os ingleses não gostavam de ver as latrinas sujas de merda, mesmo que fosse a merda do filho do homem mais poderoso do universo na época. Chamaram-lhe a atenção. Ficou aborrecido. Repetiram as repreensões e o obrigaram a limpar as latrinas. Ele se irritou, vociferou, brigou. Finalmente, pediu uma audiência ao comandante do campo. Queria que ele fosse o árbitro da discussão. Mas o alemão estava imbuído demais de sua importância para discutir sobre merda. O filho de Stálin não pôde suportar a humilhação. Bradando aos céus palavrões russos atrozes, jogou-se contra os fios de alta-tensão que cercavam o campo. Deixou-se cair sobre os fios. Seu corpo, que nunca mais sujaria as latrinas britânicas, ficou ali dependurado.

2

O filho de Stálin não teve uma vida fácil. Fruto da união entre o pai e uma mulher que, ao que tudo indica, acabou sendo fuzilada por ele, o jovem Stálin era, portanto, ao mesmo tempo filho de Deus (pois seu pai era venerado como Deus) e amaldiçoado por ele. As pessoas tinham medo dele em dobro: podia lhes fazer mal com seu poder (afinal, era o filho de Stálin) e com sua amizade (o pai podia castigar o amigo no lugar do filho repudiado).

A maldição e o privilégio, a felicidade e a desgraça, ninguém mais do que ele sentiu tão concretamente como esses opostos são intercambiáveis e como é estreita a margem entre os dois polos da existência humana.

Logo no início da guerra foi capturado pelos alemães e acusado de sujo por prisioneiros provenientes de uma nação que considerava incompreensivelmente reservada e pela qual sempre tivera, por isso, uma antipatia visceral. Como podia ele, que carregava nas costas o drama mais sublime que se possa conceber (era ao mesmo tempo filho de Deus e anjo caído), ser julgado e, ainda por cima, julgado não por coisas nobres (relacionadas com Deus e com os anjos) mas pela merda? O drama mais nobre e o incidente mais trivial estariam tão vertiginosamente próximos?

Vertiginosamente próximos? A proximidade pode causar vertigem?

É claro que sim. Quando o polo norte se aproximar do polo sul quase a ponto de tocá-lo, o planeta desaparecerá e o homem ficará num vazio que o atordoará e o levará a ceder à sedução da queda.

Se a maldição e o privilégio são uma só e única coisa, se não existe diferença entre o nobre e o vil, se o filho de Deus pode ser julgado pela merda, a existência humana perde suas dimensões e adquire uma leveza insustentável. Assim, o filho de Stálin corre para os fios eletrificados e se atira neles como no prato de uma balança que sobe, lamentavelmente, elevado pela leveza infinita de um mundo que já não tem dimensões.

O filho de Stálin deu a vida por merda. Mas a morte por merda não é destituída de sentido. Os alemães que sacrificaram a vida para ampliar seu império em direção ao leste, os russos que morreram para que o poder de seu país se estendesse em direção ao oeste, esses, sim, morreram por uma tolice e a morte deles é destituída de sentido e de qualquer valor geral. Em contrapartida, a morte do filho de Stálin foi a única morte metafísica em meio à idiotia universal da guerra.

3

Quando era garoto e folheava o Velho Testamento para crianças, ilustrado com gravuras de Gustave Doré, via nele o Bom Deus em cima de uma nuvem. Era um velho senhor, tinha olhos, nariz, uma barba comprida e eu dizia comigo mesmo que, como ele tinha boca, devia comer. E se comia, devia ter também intestinos. Mas essa ideia logo me assustava, porque apesar de pertencer a uma família pouco católica, eu sentia que a ideia dos intestinos de Deus era sacrílega.

Sem o menor preparo teológico, espontaneamente a criança que eu era então já compreendia, portanto, que existe incompatibilidade entre a merda e Deus e, consequentemente, percebia a fragilidade da tese fundamental da antropologia cristã segundo a qual o homem foi criado à imagem de Deus. Das duas uma: ou o homem foi criado à imagem de Deus e então Deus tem intestinos, ou Deus não tem intestinos e o homem não se parece com ele.

Os antigos gnósticos sentiam isso tão claramente quanto eu aos cinco anos. Para resolver esse maldito problema, Valentim, grão-mestre da gnose do século II, afirmava que Jesus "comia, bebia, mas absolutamente não defecava".

A merda é um problema teológico mais espinhoso que o mal. Deus deu liberdade ao homem e, portanto, podemos admitir que ele não é o responsável pelos crimes da humanidade. Mas a responsabilidade pela merda cabe inteiramente àquele que criou o homem, e somente a ele.

4

No século IV, são Jerônimo rejeitava categoricamente a ideia de que Adão e Eva tivessem feito amor no Paraíso. Johannes Scotus Erigena, ilustre teólogo do século IX, ao contrário, admitia tal ideia. Mas, segundo ele, Adão podia levantar seu membro mais ou menos como levantamos um braço ou uma perna, portanto quando quisesse e como quisesse. Não procuremos atrás dessa ideia o eterno sonho do homem obcecado pela ameaça da impotência. A ideia de Scotus Erigena tem outro significado. Se o membro viril pode se levantar por uma simples injunção do cérebro, presume-se que a excitação não é necessária. O membro não se levanta porque estamos excitados, mas porque lhe ordenamos que o faça. O que o grande teólogo achava incompatível com o Paraíso não era o coito nem a volúpia a ele associada. O incompatível com o Paraíso era a excitação. Guardemos bem isto: no Paraíso existia a volúpia, mas não a excitação.

Pode-se encontrar no raciocínio de Scotus Erigena a chave de uma justificativa teológica (ou teodiceia) para a merda. Enquanto foi permitido ao homem permanecer no Paraíso, ou (como Jesus segundo a teoria de Valentim) ele não defecava, ou, o que parece mais verossímil, a merda não era considerada algo repugnante. Ao expulsar o homem do Paraíso, Deus lhe revelou sua natureza imunda e o nojo. O homem passou a esconder aquilo que o envergonhava, e mal afastava o véu, era ofuscado por uma grande claridade. Assim, logo depois de ter descoberto a imundície, descobriu também a excitação. Sem a merda (no sentido literal e figurado da palavra) o amor sexual não seria como o conhecemos: acompanhado por um martelar do coração e pela cegueira dos sentidos.

Na terceira parte deste romance, evoquei Sabina seminua, de pé, com um chapéu-coco na cabeça, ao lado de Tomas completamente vestido. Há uma coisa que omiti. Enquanto eles se observavam no espelho e ela se sentia excitada com o ridículo da situação, imaginou que Tomas fosse fazê-la sentar na privada tal qual estava, com o chapéu-coco na cabeça, e que ela evacuaria na frente dele. Seu coração disparou, seus pensamentos se confundiram e ela derrubou Tomas no tapete; um instante depois urrava de prazer.

5

O debate entre os que afirmam que o universo foi criado por Deus e os que pensam que o universo apareceu por si mesmo implica algo que vai além de nosso entendimento e experiência. Muito mais real é a diferença entre os que duvidam da existência tal como foi dada ao homem (pouco importa como e por quem) e os que aderem a ela sem reservas.

Por trás de todas as crenças europeias, sejam religiosas ou políticas, está o primeiro capítulo do Gênese, a ensinar que o mundo foi criado como devia ser, que o ser humano é bom e que, portanto, deve procriar. Chamemos essa crença fundamental de *acordo categórico com o ser*.

Se, ainda recentemente, a palavra *merda* era substituída nos livros por reticências, isso não se devia a razões morais. Afinal de contas, não se pode pretender que a merda seja imoral! A objeção à merda é metafísica. O instante da defecação é a prova cotidiana do caráter inaceitável da Criação. Das duas uma: ou a merda é aceitável (e nesse caso não precisamos nos trancar no banheiro!), ou a maneira como fomos criados é inadmissível.

Segue-se que o *acordo categórico com o ser* tem por ideal estético um mundo onde a merda é negada e onde cada um de nós se comporta como se ela não existisse. Esse ideal estético se chama *kitsch*.

Esta é uma palavra alemã que apareceu em meados do sentimental século XIX e que em seguida se espalhou por todas as línguas. Mas o uso frequente do termo apagou seu valor metafísico original: o kitsch, em essência, é a negação absoluta da merda; tanto no sentido literal como no sentido figurado: o kitsch exclui de seu campo visual tudo o que a existência humana tem de essencialmente inaceitável.

6

A primeira revolta interior de Sabina contra o comunismo não tinha um caráter ético, mas estético. O que lhe repugnava não era tanto a feiura do mundo comunista (os castelos convertidos em estábulos), mas a máscara de beleza com que ele se cobrira, isto é, o kitsch comunista. O modelo desse kitsch era a chamada festa do Primeiro de Maio.

Tinha assistido aos desfiles do Primeiro de Maio na época em que as pessoas ainda estavam entusiasmadas ou ainda se esforçavam para dar a impressão de estarem entusiasmadas. As mulheres vestiam blusas vermelhas, brancas ou azuis e, vistas das varandas e das janelas, formavam os mais diversos motivos: estrelas de cinco pontas, corações, letras. Entre os diferentes setores do desfile, avançavam pequenas bandas que davam o ritmo da marcha. Quando o desfile se aproximava do palanque, mesmo as fisionomias mais taciturnas se abriam num sorriso, como se quisessem provar que estavam alegres como deviam, ou, mais exatamente, que *estavam de acordo* com o que se esperava delas. E não se tratava de um simples acordo político com o comunismo, mas de um acordo com o ser como tal. A festa do Primeiro de Maio se abastecia na fonte profunda do *acordo categórico com o ser*. A palavra de ordem tácita e não escrita do desfile não era "Viva o comunismo!", e sim "Viva a vida!". A força e a astúcia da política comunista foi ter se apossado dessa palavra de ordem. Era precisamente essa estúpida tautologia ("Viva a vida!") que levava ao desfile comunista até mesmo os que eram completamente indiferentes às ideias comunistas.

7

Por volta de dez anos mais tarde (ela já morava na América), um senador americano amigo de seus amigos a levou para passear num carro enorme. Quatro garotos se apertavam no banco de trás. O senador parou; as crianças desceram e desataram a correr num gramado imenso em direção a um estádio onde havia um rinque. O senador ficou ao volante olhando com ar sonhador as quatro pequenas silhuetas que corriam; virou-se para Sabina: "Olhe para eles!", disse, descrevendo com a mão um círculo que englobava o estádio, o gramado e as crianças: "É isso que eu chamo de felicidade".

Essas palavras não eram apenas uma expressão de alegria diante das crianças que corriam e da grama que crescia, era também uma manifestação de compreensão em relação a uma mulher que vinha de um país comunista onde, o senador estava convencido, a grama não cresce e as crianças não correm.

Mas, nesse momento, Sabina imaginou o senador num palanque de uma praça de Praga. Em seu rosto, havia exatamente o mesmo sorriso que os estadistas comunistas dirigiam do alto de seu palanque aos cidadãos igualmente sorridentes, que desfilavam a seus pés.

8

Como o senador podia saber que as crianças significavam felicidade? Enxergaria dentro de suas almas? E se três dessas crianças, assim que saíssem de seu campo visual, se atirassem sobre a quarta e começassem a espancá-la?

O senador tinha apenas um argumento a favor de sua afirmação: a sensibilidade dele. Quando o coração fala, não é conveniente que a razão faça objeções. No reino do kitsch se pratica a ditadura do coração.

É preciso evidentemente que os sentimentos suscitados pelo kitsch possam ser compartilhados pelo maior número possível de pessoas. Por isso, o kitsch não se interessa pelo insólito; ele apela para as imagens-chaves profundamente ancoradas na memória dos homens: a filha ingrata, o pai abandonado, os garotos correndo num gramado, a pátria traída, a lembrança do primeiro amor.

O kitsch faz nascer, uma após outra, duas lágrimas de emoção. A primeira lágrima diz: Como é bonito crianças correndo num gramado!

A segunda lágrima diz: Como é bonito se emocionar com toda a humanidade ao ver crianças correndo num gramado!

Somente essa segunda lágrima faz o kitsch ser o kitsch.

A fraternidade entre todos os homens não poderá ter outra base senão o kitsch.

9

Ninguém sabe disso melhor do que os políticos. Assim que percebem uma máquina fotográfica por perto, correm até a primeira criança que veem para levantá-la nos braços e beijá-la na face. O kitsch é o ideal estético de todos os políticos, de todos os movimentos políticos.

Numa sociedade em que coexistem diversas correntes e em que suas influências se anulam ou se limitam mutuamente, ainda é possível escapar mais ou menos à inquisição do kitsch; o indivíduo pode salvaguardar sua originalidade e o artista criar obras inesperadas. Mas nos lugares em que um só movimento político detém todo o poder, todos se encontram sem escapatória no reino do *kitsch totalitário*.

Se digo "totalitário" é porque nesse caso tudo o que possa prejudicar o kitsch é banido da vida: toda manifestação de individualismo (porque toda discordância é uma cusparada no rosto da fraternidade sorridente), todo ceticismo (porque quem começa duvidando do detalhe mais ínfimo acaba duvidando da própria vida), a ironia (porque no reino do kitsch tudo tem que ser levado a sério), mas também a mãe que abandona a família ou o homem que prefere os homens às mulheres ameaçando assim o slogan sacrossanto "amai-vos e multiplicai-vos".

Desse ponto de vista, aquilo a que chamamos "gulag" pode ser considerado uma fossa séptica em que o kitsch totalitário joga suas imundícies.

10

Os dez primeiros anos que se seguiram à Segunda Guerra Mundial foram a época do mais apavorante terror stalinista. Foi nessa época que o pai de Tereza foi preso por uma bobagem e que ela, a garota de dez anos, teve que sair de casa. Sabina, então com vinte anos, estudava na Escola de Belas-Artes. O professor de marxismo explicava, a ela e a seus colegas, o postulado da arte socialista: a sociedade soviética já estava tão avançada que o conflito fundamental não era mais o conflito entre o bem e o mal mas o conflito entre o bom e o melhor. A merda (ou seja, o que é essencialmente inaceitável) só podia existir, portanto, "do outro lado"(por exemplo, na América) e era somente a partir de lá, do exterior, e somente como um corpo estranho (por exemplo, sob a aparência de espiões) que ela podia penetrar no mundo "dos bons e dos melhores".

Com efeito, na mais cruel das épocas, os filmes soviéticos que inundavam os cinemas dos países comunistas eram impregnados de uma inocência incrível. O mais grave conflito concebível entre dois russos era o desentendimento amoroso: ele imagina que ela não o ama mais, e ela pensa a mesma coisa dele. No final, um cai nos braços do outro e lágrimas de felicidade escorrem pelo rosto.

A explicação convencional desses filmes, hoje em dia, é a seguinte: eles descreviam o ideal comunista, enquanto a realidade comunista era bem mais sombria.

Essa interpretação revoltava Sabina. A ideia de que o universo do kitsch soviético podia se tornar realidade e que ela podia ser obrigada a viver nessa realidade lhe dava calafrios. Preferia, sem hesitar, a vida no regime comunista real, com todas as suas perseguições e suas filas na porta dos açougues. No mundo comunista real, é possível viver. No mundo do ideal comunista realizado, naquele mundo de cretinos sorridentes com quem ela não poderia ter o menor diálogo, teria morrido de horror depois de uma semana.

Parece-me que o que Sabina sentia em relação ao kitsch soviético era semelhante ao medo que Tereza experimentava no sonho em que desfilava com mulheres nuas em torno de uma piscina e era obrigada a cantar canções alegres. Cadáveres boiavam na superfície da água. Não havia ali nenhuma mulher a quem Tereza pudesse dizer uma só palavra, fazer uma só pergunta. Teria ouvido como resposta apenas a estrofe seguinte da canção. Não havia ninguém a quem ela pudesse dirigir um discreto piscar de olhos. Imediatamente teriam feito sinal ao homem em pé na cesta sobre a piscina para que ele a fuzilasse.

O sonho de Tereza revela a verdadeira função do kitsch: o kitsch é um biombo que dissimula a morte.

11

No reino do kitsch totalitário, as respostas são dadas de antemão e excluem qualquer pergunta nova. Daí decorre que o verdadeiro adversário do kitsch totalitário é o homem que interroga. A pergunta é como a faca que rasga a cortina do cenário para que se possa ver o que está atrás. Foi assim que Sabina explicou a Tereza o significado de seus quadros: na frente, a mentira inteligível, e atrás a incompreensível verdade.

Mas os que lutam contra os regimes ditos totalitários não podem lutar com interrogações e dúvidas. Necessitam também da certeza e da verdade simplista deles, que devem ser compreensíveis para um grande número de pessoas e provocar lágrimas coletivas.

Um dia, um movimento político organizou uma exposição de quadros de Sabina na Alemanha. Sabina pegou o catálogo: na frente de sua foto haviam desenhado fios de arame farpado. No texto, sua biografia parecia a hagiografia de mártires e santos: havia sofrido, havia combatido a injustiça, havia sido forçada a abandonar seu país torturado e continuava o combate. "Com seus quadros, ela luta pela liberdade", dizia a última frase.

Ela protestou, mas não a entenderam.

Ora, então não era verdade que o comunismo perseguia a arte moderna?

Respondeu irada: "Meu inimigo não é o comunismo, é o kitsch!".

Daí em diante, passou a alterar sua biografia e, mais tarde, quando já morava na América, conseguiu até ocultar o fato de ser tcheca. Era um esforço desesperado para escapar ao kitsch que queriam fabricar com sua vida.

12

Ela estava de pé diante do cavalete sobre o qual havia uma tela ainda inacabada. Atrás dela, um velho senhor estava sentado numa poltrona e observava cada traço de seu pincel.

Depois ele olhou o relógio: "Acho que está na hora do jantar", disse.

Ela pôs a paleta de lado e foi se arrumar no banheiro. O homem se levantou da poltrona e apanhou a bengala encostada numa mesa. A porta do ateliê dava direto para um gramado. Estava anoitecendo. Do outro lado, a uns vinte metros, havia uma casa branca de madeira, cujas janelas do térreo estavam iluminadas. Sabina estava emocionada por ver aquelas duas janelas que brilhavam no crepúsculo.

A vida inteira, afirmou que seu inimigo era o kitsch. Mas será que ela própria não o carrega no fundo do seu ser? Seu kitsch é a visão de um lar sossegado, doce, harmonioso, onde reinam uma mãe cheia de amor e um pai cheio de sabedoria. Essa imagem nasceu dentro dela quando os pais morreram. Como sua vida foi bem diferente desse belo sonho, ela é ainda mais sensível ao encanto dele, e, mais de uma vez, assistindo a um filme sentimental na televisão, seus olhos se umedeceram diante da cena de uma filha ingrata abraçando um pai abandonado, enquanto brilham no crepúsculo as janelas de uma casa onde vive uma família feliz.

Conhecera o velho senhor em Nova York. Era rico e gostava de pintura. Morava com a mulher, que tinha a mesma idade que ele, numa mansão. Em frente à casa, em terreno de sua propriedade, havia uma velha estrebaria. Transformara-a em ateliê, convidara Sabina a ocupá-lo e, desde então, passava dias inteiros acompanhando os movimentos de seu pincel.

Agora, os três estão jantando. A velha senhora chama Sabina de "minha filhinha!", mas apesar de todas as aparências o que acontece é justamente o contrário: Sabina está ali como uma mãe com duas crianças dependuradas na saia, eles a admiram e estão prontos para obedecer a qualquer ordem sua.

Terá encontrado agora, chegando à velhice, os pais que lhe foram arrancados quando criança? Terá enfim encontrado os filhos que não tivera?

Ela sabe que é uma ilusão. Sua estada na casa desses velhinhos encantadores é uma etapa provisória. O velho senhor está muito doente e sua mulher, quando ficar sem ele, vai morar com o filho no Canadá. Sabina retomará o caminho de traições e, de vez em quando, no mais fundo do seu ser, soará na insustentável leveza do ser uma ridícula canção sentimental falando de duas janelas iluminadas atrás das quais vive uma família feliz.

Essa canção a toca, mas ela não leva essa emoção a sério. Sabe que a canção não passa de uma bela mentira. No momento em que o kitsch é reconhecido como mentira, ele entra para o contexto do não kitsch. Perdendo seu poder autoritário, é emocionante como qualquer outra fraqueza humana. Nenhum de nós é sobre-humano a ponto de poder escapar completamente ao kitsch. Não importa o desprezo que nos inspire, o kitsch faz parte da condição humana.

13

A origem do kitsch é o acordo categórico com o ser.

Mas qual é o fundamento do ser? Deus? A humanidade? A luta? O amor? O homem? A mulher?

A esse respeito, existem várias opiniões, assim como existem várias espécies de kitsch: kitsch católico, protestante, judeu, comunista, fascista, democrático, feminista, europeu, americano, nacional, internacional.

Desde a Revolução Francesa metade da Europa se intitulou de *esquerda* e a outra metade recebeu a denominação de *direita*. É praticamente impossível definir uma ou outra dessas noções por meio dos princípios teóricos em que elas se apoiam. Não há nisso nada de surpreendente: os movimentos políticos não se baseiam em atitudes racionais, mas em representações, imagens, palavras, arquétipos, cujo conjunto constitui este ou aquele *kitsch político*.

A ideia da Grande Marcha, com a qual Franz gosta de se embriagar, é o kitsch político que une as pessoas de esquerda de todos os tempos e de todas as tendências. A Grande Marcha é essa magnífica caminhada para a frente, a caminhada em direção à fraternidade, à igualdade, à justiça, à felicidade, e mais longe ainda, a despeito de todos os obstáculos, pois os obstáculos são necessários para que a marcha possa ser a Grande Marcha.

A ditadura do proletariado ou a democracia? A recusa da sociedade de consumo ou o aumento da produção? A guilhotina ou a abolição da pena de morte? Isso não tem a menor importância. O que faz um homem de esquerda ser um homem de esquerda não é esta ou aquela teoria, mas sua capacidade de levar qualquer que seja a teoria a se tornar parte integrante do kitsch chamado Grande Marcha.

14

Não quero dizer com isso que Franz seja o homem do kitsch. A ideia da Grande Marcha desempenha na vida dele mais ou menos o mesmo papel que a canção sentimental que fala sobre janelas iluminadas representa na vida de Sabina. Em que partido político Franz vota? Receio que não vote em nenhum e que no dia das eleições prefira fazer um passeio nas montanhas. Isso não quer dizer que a Grande Marcha tenha deixado de emocioná-lo. É bonito sonhar que fazemos parte de uma multidão em marcha que caminha através dos séculos, e Franz nunca esqueceu esse belo sonho.

Um dia, amigos lhe telefonaram de Paris. Estavam organizando uma marcha pelo Camboja e queriam convidá-lo para ir com eles.

Nessa época, o Camboja passara por uma guerra civil, bombardeios americanos e atrocidades cometidas pelos comunistas locais, que haviam reduzido a um quinto a população desse pequeno país, e por fim fora ocupado pelo vizinho Vietnã, que não passava, na época, de um instrumento da Rússia. O Camboja estava dizimado pela fome e a população morria por falta de cuidados médicos. As organizações internacionais de médicos tinham pedido diversas vezes autorização para entrar no país, mas os vietnamitas negavam. Eminentes intelectuais do Ocidente decidiram então organizar uma marcha na fronteira do Camboja e, por meio desse grande espetáculo divulgado no mundo inteiro, forçar a entrada dos médicos no país ocupado.

O amigo que telefonou para Franz era um daqueles que em outros tempos participara com ele das passeatas em Paris. A princípio ficou entusiasmado com o convite, mas logo depois seu olhar pousou na estudante. Estava sentada numa poltrona em frente a ele e seus olhos pareciam ainda maiores atrás dos óculos na moda. Franz achou que aqueles olhos estavam implorando para ele não ir. Deu uma desculpa.

Mas assim que desligou o telefone, arrependeu-se. Tinha atendido sua amante terrestre, mas negligenciara seu amor celeste. Não era o Camboja uma variante da pátria de Sabina? Um país ocupado pelo exército comunista de um país vizinho! Um país ocupado sobre o qual se abatera o punho da Rússia! De repente disse consigo mesmo que o telefonema do amigo quase esquecido fora um sinal secreto de Sabina.

As criaturas celestes sabem tudo e veem tudo. Se participasse daquela marcha, Sabina iria vê-lo e se alegraria. Compreenderia que ele permanecia fiel.

"Você ficaria sentida se eu fosse?", perguntou à amiga de óculos, que lamentava cada dia passado longe dele mas não sabia lhe recusar nada.

Alguns dias depois, estava a bordo de um grande avião no aeroporto de Paris. Entre os passageiros, havia cerca de vinte médicos escoltados por mais ou menos cinquenta intelectuais (professores, escritores, deputados, cantores, atores e prefeitos) e quatrocentos jornalistas e fotógrafos que os acompanhavam.

15

O avião aterrissou em Bangkok. Os quatrocentos e setenta médicos, intelectuais e jornalistas foram para o salão de um hotel internacional onde já os esperavam outros médicos, atores, cantores e filólogos acompanhados de outras centenas de jornalistas munidos de seus blocos de anotações, gravadores, máquinas fotográficas e filmadoras. No fundo da sala havia um estrado com uma mesa comprida à qual estavam sentados em torno de vinte americanos que presidiam a reunião.

Os intelectuais franceses com quem Franz viajava se sentiram marginalizados e humilhados. A marcha pelo Camboja fora uma ideia deles e eis que os americanos, com a maior naturalidade, não só tinham tomado conta da reunião, como conduziam os debates em inglês, sem se perguntar se um francês ou um dinamarquês podiam compreendê-los. Como os dinamarqueses já havia muito tinham esquecido que em tempos idos formavam uma nação, os únicos europeus que sonharam em protestar foram os franceses. Por uma questão de princípios, recusaram-se a protestar em inglês e se dirigiram em sua língua materna aos americanos sentados no estrado. Como não entendiam nada do que estava sendo dito, os americanos responderam às suas palavras com sorrisos amáveis e aprovadores. Finalmente, os franceses não tiveram outra alternativa senão reclamar em inglês: "Por que se fala inglês nesta reunião? Aqui também há franceses!".

Os americanos ficaram surpresos com essa curiosa objeção, mas mantendo o sorriso concordaram que todos os discursos fossem traduzidos. Demoraram a encontrar um intérprete para que a reunião pudesse continuar. Como era necessário ouvir cada frase em inglês, depois em francês, a reunião durou o dobro do tempo, na verdade, mais que o dobro, porque todos os franceses sabiam inglês e interrompiam o intérprete, corrigindo-o e discutindo cada palavra traduzida.

O aparecimento de uma estrela de cinema americana no estrado marcou o apogeu da reunião. Por causa dela, outros fotógrafos e outros cinegrafistas irromperam na sala e cada palavra que a atriz pronunciava era saudada pelos cliques das máquinas. A atriz falava das crianças que sofriam, da barbárie da ditadura comunista, do direito do homem à segurança, das ameaças que pesam sobre os valores tradicionais da sociedade civilizada, da liberdade individual e do presidente Carter, que estava aflito com o que se passava no Camboja. Essas últimas palavras foram ditas aos prantos.

Nesse momento, um jovem médico francês de bigode ruivo se levantou e começou a vociferar: "Estamos aqui para salvar os moribundos! Não estamos aqui para glorificar o presidente Carter! Essa manifestação não pode degenerar em circo de propaganda americana! Não viemos aqui para protestar contra o comunismo, mas para cuidar dos doentes!".

Outros franceses se uniram ao médico bigodudo. O intérprete ficou com medo e não traduzia o que eles diziam. Como tinham feito pouco antes, os vinte americanos do estrado olhavam para eles com sorrisos cheios de simpatia, e muitos deles aprovavam balançando a cabeça. Um chegou até a levantar o punho, porque sabia que os europeus faziam esse gesto nos momentos de euforia coletiva.

16

Como era possível que intelectuais de esquerda (porque o médico bigodudo era um deles) aceitassem desfilar contra os interesses de um país comunista se o comunismo fora sempre parte integrante da esquerda?

Quando os crimes do país batizado de União Soviética se tornaram escandalosos demais, o homem de esquerda deparou com um dilema: ou renegava sua vida passada e se recusava a desfilar, ou (com algum embaraço) enquadrava a União Soviética entre os obstáculos da Grande Marcha e continuava participando do desfile.

Já disse que o que faz a esquerda ser a esquerda é o kitsch da Grande Marcha. A identidade do kitsch não é determinada por uma estratégia política, mas por imagens, metáforas, um vocabulário. É possível, portanto, transgredir os hábitos e desfilar contra os interesses de um país comunista. Mas não é possível substituir as palavras por outras. Pode-se ameaçar com o punho fechado o exército vietnamita. Mas não se pode gritar: "Abaixo o comunismo!". Pois "Abaixo o comunismo!" é a palavra de ordem dos inimigos da Grande Marcha, e aquele que não quer perder a integridade deve permanecer fiel à pureza de seu próprio kitsch.

Só digo isso para explicar o mal-entendido entre o médico francês e a estrela americana, que acreditava, em seu egocentrismo, estar sendo vítima de invejosos ou misóginos. Na realidade, o médico francês dera provas de uma grande sensibilidade estética: as palavras "o presidente Carter", "nossos valores tradicionais", "a barbárie comunista", faziam parte do vocabulário do *kitsch americano* e não tinham nada a ver com o kitsch da Grande Marcha.

17

Na manhã seguinte, entraram todos nos ônibus para atravessar a Tailândia rumo à fronteira do Camboja. À noite, chegaram a uma cidadezinha onde palafitas estavam reservadas para eles. As enchentes periódicas do rio obrigavam os habitantes a morar no alto enquanto embaixo, entre as estacas das palafitas, os porcos se comprimiam. Franz dormia num cômodo com outros quatro professores universitários. O grunhido dos porcos, vindo de baixo, invadia seu sono enquanto ao lado roncava um matemático ilustre.

De manhã, todo mundo entrou nos ônibus novamente. A dois quilômetros da fronteira, o tráfego estava proibido. Havia somente uma pequena estrada que levava ao posto de controle da fronteira, guardado pelo Exército. Os ônibus pararam. Quando desceram, os franceses constataram que os americanos tinham tomado a dianteira mais uma vez e já os esperavam à frente do desfile. Foi o momento mais delicado. De novo, o intérprete teve que intervir numa longa discussão. Enfim, chegaram a um acordo: um americano, um francês e um intérprete cambojano abriram a marcha. Em seguida vinham os médicos e, depois, todos os outros; a atriz americana ficou no final.

A estrada era estreita e cercada de campos minados. A cada dois minutos, encontravam um obstáculo: dois blocos de cimento cobertos de arame farpado e, entre os blocos, uma passagem estreita. Era preciso andar em fila indiana.

Cinco metros adiante de Franz marchava um célebre poeta e cantor pop alemão que já escrevera novecentas e trinta canções pela paz e contra a guerra. Levava na ponta de uma vara comprida uma bandeira branca que combinava muito com sua espessa barba preta, distinguindo-o dos outros.

Fotógrafos e cinegrafistas iam e vinham ao longo do desfile. Acionavam suas máquinas, corriam na frente, paravam, recuavam, agachavam-se, depois recomeçavam a correr de lá para cá. De vez em quando gritavam o nome de um homem ou de uma mulher célebre; o interpelado se virava maquinalmente em direção a eles e, nesse momento, ouviam-se mil cliques.

18

Havia alguma coisa no ar. As pessoas diminuíam o passo e olhavam para trás.

A estrela americana, que fora colocada no final do desfile, recusou-se a suportar por mais tempo aquela humilhação e decidiu reagir. Desatou a correr. Era como numa prova de cinco mil metros, em que um corredor que poupara forças e ficara até então entre os últimos disparasse e ultrapassasse todos os concorrentes.

Os homens sorriam constrangidos e abriam passagem para a vitória da ilustre corredora, mas as mulheres começaram a gritar: "Volte para a fila! Isto aqui não é um desfile de artistas de cinema!".

A atriz não se deixou intimidar e continuou a correr, acompanhada de cinco fotógrafos e dois cinegrafistas.

Uma francesa, professora de linguística, agarrou a atriz pelo pulso e lhe disse (num inglês pavoroso): "Aqui estão médicos que desfilam para salvar cambojanos moribundos. Isto não é um espetáculo para artistas de cinema!".

O pulso da atriz estava preso na mão da professora de linguística como entre tenazes, e ela não tinha forças para se soltar.

Disse (em excelente inglês): "Foda-se! Já participei de centenas de manifestações! Em todos os lugares, é preciso que se vejam artistas! É nosso trabalho! É nosso dever moral!".

"Merda!", disse a professora de linguística (em excelente francês).

A atriz americana entendeu e se debulhou em lágrimas.

"Não se mexa", disse um cinegrafista e se ajoelhou diante dela.

A atriz fixou demoradamente a objetiva; as lágrimas lhe escorriam pelo rosto.

19

A professora de linguística acabou soltando o pulso da estrela americana. O cantor alemão de barba preta que carregava a bandeira branca chamou a atriz pelo nome.

A estrela jamais ouvira falar dele, mas naquele momento de humilhação estava mais sensível do que nunca às manifestações de simpatia e correu em sua direção. O poeta-cantor passou o pau da bandeira para a mão esquerda para poder enlaçar com o braço direito os ombros da atriz.

Fotógrafos e cinegrafistas saltavam em torno da atriz e do cantor. Um célebre fotógrafo americano queria na sua objetiva os dois rostos e a bandeira, o que não era fácil, dada a altura do pau. Começou a recuar, de costas, para um arrozal. Foi assim que pisou numa mina. Houve uma explosão e seu corpo dilacerado voou em pedaços, salpicando com sangue a intelligentsia internacional.

O cantor e a atriz, apavorados, não saíram do lugar. Os dois levantaram os olhos para a bandeira. Estava manchada de sangue. A princípio, tal espetáculo só aumentou seu terror. Depois, ensaiaram mais alguns olhares tímidos para cima e começaram a sorrir. Sentiam um orgulho estranho, até então desconhecido, pela ideia de que a bandeira que carregavam estava santificada pelo sangue. E retomaram a marcha.

20

A fronteira consistia num riacho, mas não era possível vê-lo, pois ao longo dele se erguia um muro de um metro e meio de altura coberto de sacos de areia para proteger os atiradores tailandeses. O muro era interrompido num só lugar. Ali, uma ponte curva ligava as duas margens do riacho. Ninguém devia ultrapassar aquele ponto. As tropas vietnamitas de ocupação estavam postadas do outro lado do riacho, mas também não era possível vê-las. Suas posições estavam perfeitamente camufladas. Não havia dúvida, porém, de que vietnamitas invisíveis abririam fogo se alguém tentasse atravessar a ponte.

Alguns integrantes do cortejo se aproximaram do muro e ficaram na ponta dos pés. Franz colocou-se numa brecha entre dois sacos de areia e tentou olhar. Não viu nada, pois foi empurrado por um fotógrafo que se achava no direito de tomar seu lugar.

Olhou para trás. Sete fotógrafos estavam sentados sobre os galhos de uma árvore solitária, parecendo um bando de gralhas enormes, os olhos fixos na outra margem.

Nesse momento, o intérprete que ia na frente do grupo colocou um grande alto-falante na boca e se pôs a gritar em língua khmer para a outra margem do rio: aqui estão médicos que exigem penetrar em território cambojano para prestar socorros médicos; a ação deles não tem nenhuma conotação política; o que os traz aqui é somente a preocupação com a vida humana.

A resposta da outra margem foi um silêncio inacreditável. Um silêncio tão absoluto que todo mundo ficou angustiado. Só os cliques dos aparelhos fotográficos ressoavam em meio ao silêncio como o canto de um inseto exótico.

Subitamente, Franz teve a impressão de que a Grande Marcha chegava ao fim. As fronteiras do silêncio se fechavam sobre a Europa, e o espaço onde acontecia a Grande Marcha era apenas um pequeno palco no centro do planeta. As multidões que se aglomeravam antigamente à beira do palco tinham virado a cabeça havia muito tempo, e a Grande Marcha prosseguia na solidão e sem espectadores. É, pensava Franz, a Grande Marcha continua, apesar da indiferença do mundo, mas está se tornando nervosa, febril, ontem contra a ocupação americana no Vietnã, hoje contra a ocupação vietnamita no Camboja, ontem a favor de Israel, hoje a favor dos palestinos, ontem a favor de Cuba, amanhã contra Cuba, e sempre contra a América, às vezes contra os massacres e outras vezes para defender outros massacres, a Europa desfila e para poder seguir o ritmo dos acontecimentos sem perder nenhum deles, seu passo se acelera cada vez mais, de tal maneira que a Grande Marcha se torna um desfile de pessoas apressadas, que correm desenfreadas, e o cenário vai se encolhendo cada vez mais, até que um dia será apenas um ponto sem dimensões.

21

O intérprete gritou seu apelo no megafone pela segunda vez. Como na primeira, teve como única resposta um enorme silêncio infinitamente indiferente.

Franz olhava. O silêncio da outra margem os agredia como uma bofetada. Até mesmo o cantor com a bandeira branca e a atriz americana estavam perturbados e hesitantes.

Franz entendeu de repente como eles estavam sendo ridículos, ele e os outros, porém essa tomada de consciência não o afastava deles, não lhe inspirava nenhuma ironia, ao contrário, sentia por eles um amor infinito, como aquele que sentimos pelos condenados. É, a Grande Marcha está chegando ao fim, mas será essa uma razão para que Franz a traia? Sua própria vida também não estaria chegando ao fim? Deveria desprezar o exibicionismo dos que acompanharam até a fronteira os corajosos médicos? Aquelas pessoas poderiam fazer alguma coisa além de um espetáculo? Teriam outra opção?

Franz tem razão. Penso no jornalista que organizava, em Praga, a campanha de assinaturas pela anistia dos presos políticos. Ele sabia perfeitamente que a campanha não ajudaria os presos. O verdadeiro objetivo não era libertar os presos, mas mostrar que ainda havia pessoas que não tinham medo. Aquilo que fazia era como um espetáculo. Mas não havia outra possibilidade. Entre a ação e o espetáculo, ele não tinha escolha. Tinha apenas uma escolha: dar um espetáculo ou não fazer nada. Existem situações em que o homem é *condenado* a dar um espetáculo. Seu combate contra o poder silencioso (contra o poder silencioso do outro lado do rio, contra a polícia representada por microfones mudos escondidos na parede) é o combate de um grupo de teatro que enfrenta um exército.

Franz viu seu amigo da Sorbonne levantar o punho e desafiar o silêncio da outra margem.

22

Pela terceira vez, o intérprete gritou seu apelo no megafone.

Mais uma vez, o silêncio respondeu, transformando de repente a angústia de Franz em raiva frenética. Estava a alguns passos da ponte que separava a Tailândia do Camboja e foi possuído pelo desejo imenso de correr em direção a ela, gritar aos céus injúrias terríveis e morrer no estrépito descomunal da fuzilaria.

Esse desejo repentino de Franz nos lembra alguma coisa; sim, ele nos faz lembrar o filho de Stálin, que se atirou nos fios eletrificados porque não podia suportar ver os polos da existência humana se aproximarem a ponto de se tocarem, anulando a diferença entre o nobre e o abjeto, o anjo e a mosca, Deus e a merda.

Franz não podia admitir que a glória da Grande Marcha se reduzisse à vaidade cômica de pessoas que desfilavam, e que a algazarra grandiosa da história europeia desaparecesse num silêncio infinito, anulando a diferença entre a história e o silêncio. Gostaria de pôr sua própria vida na balança para provar que a Grande Marcha pesava mais do que a merda.

Mas coisas dessa natureza não podem ser provadas. Num dos pratos da balança, havia merda, o filho de Stálin pôs seu corpo no outro prato e a balança não saiu do lugar.

Em vez de se deixar matar, Franz baixou a cabeça e voltou com os outros, em fila indiana, para o ônibus.

23

Todos nós temos necessidade de ser olhados. Podemos ser classificados em quatro categorias, segundo o tipo de olhar sob o qual queremos viver.

A primeira procura o olhar de um número infinito de olhos anônimos, em outras palavras, o olhar do público. É o caso do cantor alemão e da estrela americana, é também o caso do jornalista de queixo comprido. Estava habituado com seus leitores, e quando a revista foi fechada pelos russos, teve a impressão de que vivia numa atmosfera mil vezes rarefeita. Para ele, ninguém podia substituir o olhar dos olhos desconhecidos. Sentia-se sufocar. Até que, um dia, compreendeu que estava sendo seguido a cada passo pela polícia, que estava sendo escutado quando falava ao telefone e até mesmo discretamente fotografado na rua. De repente, olhos anônimos o seguiam por toda parte, e ele pôde respirar de novo!

Ficou feliz! Interpelava em tom teatral os microfones escondidos na parede. Encontrara na polícia o público perdido.

Na segunda categoria, estão aqueles que não podem viver sem o olhar de numerosos olhos familiares. São os organizadores incansáveis de coquetéis e jantares. São mais felizes que os da primeira categoria, que, quando perdem seu público, imaginam que a luz se apagou na sala de suas vidas. É o que acontece a quase todos, mais dia, menos dia. As pessoas da segunda categoria, pelo contrário, sempre conseguem arrumar quem as olhe. Marie-Claude e a filha pertencem a ela.

Em seguida, vem a terceira categoria, a dos que têm necessidade de viver sob o olhar do ser amado. A situação deles é tão perigosa quanto a daqueles do primeiro grupo. Basta que os olhos do ser amado se fechem para que a sala fique mergulhada na escuridão. É entre essas pessoas que devemos colocar Tereza e Tomas.

Por fim, existe a quarta categoria, a mais rara, a dos que vivem sob os olhares imaginários dos ausentes. São os sonhadores. Por exemplo, Franz. Se chegou até a fronteira do Camboja, foi unicamente por causa de Sabina. O ônibus chacoalha na estrada da Tailândia e ele sente que os olhos de Sabina estão pousados nele.

O filho de Tomas pertence à mesma categoria. Vou chamá-lo de Simon. (Ele se alegrará de ter, como o pai, um nome bíblico.) O olhar a que aspira é o de Tomas. Comprometido na campanha pelas assinaturas, foi expulso da universidade. A moça que namorava era sobrinha de um padre do interior. Casou-se com ela, tornou-se tratorista numa cooperativa, católico praticante e pai de família. Soube que Tomas também estava morando no interior e ficou feliz com isso. Graças ao destino, suas vidas se tornavam simétricas! Foi o que o incentivou a lhe escrever uma carta. Não pedia resposta. Só desejava uma coisa: que Tomas pousasse o olhar na sua vida.

24

Franz e Simon são os sonhadores deste romance. Ao contrário de Franz, Simon não gostava da mãe. Desde a infância, procurava o pai. Queria acreditar que uma ofensa feita a seu pai precedia e explicava a injustiça que este lhe cometera. Nunca o odiara, recusando-se a ser aliado da mãe, que passava o tempo todo caluniando Tomas.

Morou com ela até os dezoito anos e, depois do curso secundário, foi continuar os estudos em Praga. Nessa ocasião, Tomas já era lavador de vidraças. Muitas vezes Simon o esperava para provocar um encontro acidental na rua. Mas seu pai nunca parava.

Tinha se apegado ao jornalista de queixo comprido unicamente porque seu destino lhe lembrava o destino do pai. O jornalista nunca ouvira falar no nome de Tomas. O artigo sobre Édipo já estava esquecido e ele só soubera da existência dele por intermédio de Simon, que lhe propôs irem juntos pedir a Tomas que assinasse o manifesto. O jornalista aceitou só para satisfazer o rapaz, de quem gostava muito.

Quando Simon pensava nesse encontro, envergonhava-se do medo que tivera. Certamente não tinha agradado ao pai. Já o pai tinha lhe agradado muito. Lembrava-se de cada uma de suas palavras e cada vez mais lhe dava razão. Uma frase sobretudo ficou gravada em sua memória: "Castigar aqueles que não sabem o que fazem é uma barbárie". Quando o tio da namorada colocou uma Bíblia em suas mãos, impressionou-se com as palavras de Jesus: "Perdoai-os, pois não sabem o que fazem". Sabia que o pai era ateu, mas a semelhança entre as duas frases era para ele um sinal secreto: o pai aprovava o caminho que ele escolhera. Já fazia dois anos que morava no interior quando recebeu uma carta de Tomas o convidando para visitá-lo. O encontro foi amistoso, Simon se sentiu à vontade, e não gaguejou mais.

Sem dúvida não percebeu que eles não se entendiam muito bem. Depois de cerca de quatro meses, recebeu um telegrama. Tomas e sua mulher haviam morrido esmagados sob um caminhão.

Foi nessa ocasião que ouviu falar de uma mulher que em outros tempos fora amante de seu pai e que vivia na França. Procurou o endereço dela. Como precisava desesperadamente de um olho imaginário que continuasse a observar sua vida, de vez em quando lhe escrevia longas cartas.

25

Até o fim de seus dias, Sabina continuará a receber cartas desse triste correspondente provinciano. Muitas nunca serão abertas, pois seu país de origem cada vez lhe interessa menos.

O velho senhor morreu e Sabina foi viver na Califórnia. Cada vez mais em direção ao oeste, cada vez mais distante da Boêmia.

Seus quadros vendem bem e ela gosta muito da América. Mas apenas na superfície. Abaixo, há um mundo que lhe é estranho. Ela não tem sob essa terra nem avô nem tio. Teme ser fechada num caixão e penetrar na terra da América.

Assim, escreveu um testamento determinando que seu cadáver seja cremado e as cinzas espalhadas ao vento. Tereza e Tomas morreram sob o signo do peso. Ela quer morrer sob o signo da leveza. Será mais leve que o ar. Segundo Parmênides, é a transformação do negativo em positivo.

26

O ônibus parou diante de um hotel de Bangkok. Ninguém tinha mais vontade de organizar reuniões. As pessoas saíam em pequenos grupos pela cidade, algumas para ver os templos, outras para ir ao bordel. O amigo da Sorbonne sugeriu a Franz que saíssem juntos, mas ele preferiu ficar só.

A noite caía e ele saiu. Pensava sem cessar em Sabina e sentiu que seus olhos o fitavam, levando-o como sempre a duvidar de si próprio, pois não sabia em que Sabina estaria pensando de fato. Ainda uma vez esse olhar o deixava confuso. Estaria caçoando dele? Acharia ridículo o culto que lhe devotava? Estaria dizendo que era melhor que ele finalmente se portasse como adulto e se dedicasse por inteiro à moça que ela mesma lhe enviara?

Tentou imaginar o rosto com os grandes óculos redondos. Compreendia como era feliz com sua estudante. A viagem ao Camboja de repente lhe pareceu ridícula e insignificante. No fundo, por que tinha vindo? Agora sabia. Fizera aquela viagem para compreender enfim que sua vida verdadeira, sua única vida real, não eram nem as passeatas nem Sabina, mas a estudante de óculos! Fizera aquela viagem para se convencer de que a realidade é mais que o sonho, muito mais que o sonho!

De repente uma silhueta saiu da penumbra e lhe dirigiu algumas palavras numa língua desconhecida. Olhou para ela com um misto de surpresa e compaixão. O desconhecido se curvava, sorria e não parava de gaguejar num tom bastante insistente. O que estaria dizendo? Achou que ele pedia que o seguisse. O homem o pegou pela mão para conduzi-lo. Franz imaginou que estivesse precisando da sua ajuda. Talvez a viagem não tivesse sido inútil. Talvez estivesse sendo chamado para socorrer alguém!

Logo depois, outros dois sujeitos surgiram ao lado do homem que gaguejava e um deles pediu, em inglês, que Franz lhes desse dinheiro.

Nesse momento a jovem de óculos desapareceu do campo de consciência de Franz. Lá estava novamente Sabina, que o olhava, a Sabina irreal do destino grandioso, a Sabina diante da qual ele se sentia pequeno. Seus olhos estavam pousados nele com uma expressão de ira e descontentamento: teria se deixado enganar mais uma vez? estariam abusando de sua estúpida bondade mais uma vez?

Com um gesto brusco, desvencilhou-se do homem que lhe segurava a manga. Sabia que Sabina sempre admirara sua força. Pegou o braço que o segundo homem levantara para ele. Apertou-o firmemente e lhe aplicou um golpe perfeito de judô, fazendo-o rodar acima da sua cabeça.

Agora, estava contente consigo mesmo. Os olhos de Sabina não saíam de cima dele. Ela não o veria mais humilhado! Ela não o veria mais recuar! Franz não seria nunca mais fraco e sentimental!

Sentia um ódio quase alegre dos homens que tinham tentado se aproveitar de sua ingenuidade. Mantinha-se ligeiramente curvado e não tirava os olhos daqueles sujeitos. De repente, porém, alguma coisa pesada bateu em sua cabeça e caiu. Ainda percebeu, vagamente, que o carregavam para outro lugar. Depois caiu no vazio. Sentiu um choque violento e perdeu a consciência.

Acordou muito depois num hospital de Genebra. Marie-Claude estava debruçada na cabeceira da cama. Queria lhe dizer que não desejava a presença dela. Queria que avisassem imediatamente a estudante de óculos grandes. Só pensava nela e em mais ninguém. Queria gritar que não suportaria nenhuma outra pessoa à sua cabeceira. Mas constatou, apavorado, que não podia falar. Olhava para Marie-Claude com um ódio infinito e queria se virar contra a parede para não vê-la. Mas não conseguia mexer o corpo. Tentou desviar ao menos a cabeça. Mas não conseguia fazer o menor movimento nem com a cabeça. Então fechou os olhos para não vê-la.

27

Franz morto pertence enfim à sua legítima mulher como nunca antes lhe pertencera. Marie-Claude decide tudo, encarrega-se de organizar o enterro, envia as participações, encomenda coroas, manda fazer um vestido preto que é na realidade um vestido de noiva. Sim, para a esposa, o enterro do marido é enfim o verdadeiro casamento; o coroamento de sua vida; a recompensa de todos os sofrimentos.

Aliás, o pastor entendeu bem isso e, no túmulo, falou do indefectível amor conjugal, que teve que atravessar muitas provas mas que foi para o falecido, até o fim de seus dias, um porto seguro para o qual pôde voltar no último momento. Mesmo o colega de Franz, a quem Marie-Claude pedira que dissesse algumas palavras, homenageou sobretudo a corajosa esposa do falecido.

Em algum lugar ao fundo, encolhida, amparada por uma amiga, estava a jovem dos óculos grandes. Sufocou tantas lágrimas e tomou tantos comprimidos que teve convulsões antes do fim da cerimônia. Curvou-se sobre si mesma, segurando o ventre, e a amiga teve que ajudá-la a sair do cemitério.

28

Logo que recebeu o telegrama do presidente da cooperativa, subiu na moto e se pôs a caminho. Encarregou-se do enterro. Na lápide, mandou gravar o nome do pai e a seguinte inscrição: "Desejava o Reino de Deus na terra".

Bem sabia que o pai nunca teria empregado tais palavras. Mas estava certo de que a inscrição expressava exatamente o que o pai queria. O Reino de Deus significa a justiça. Tomas tinha sede de um mundo onde reinasse a justiça. Simon não teria o direito de expressar a vida do pai com seu próprio vocabulário? Não seria esse desde tempos imemoriais o direito de todos os herdeiros?

"Depois de um longo afastamento, o retorno", lê-se no túmulo de Franz. Essa inscrição pode ser interpretada como um símbolo religioso: o afastamento na vida terrestre, o retorno para os braços de Deus. Mas os iniciados sabem que a frase tem também um sentido profano. Aliás, Marie-Claude fala nisso todos os dias:

Franz, esse querido e bom Franz, não suportou a crise dos cinquenta anos. Caiu nas garras de uma pobre moça! Não era nem mesmo bonita (notaram aqueles óculos enormes atrás dos quais mal se podia vê-la?). Mas um homem de cinquenta anos (todos nós o sabemos!) venderia a alma por um pedaço de carne jovem. Só sua própria mulher pode saber como ele sofreu. Para ele, era uma verdadeira tortura moral! Porque Franz, no fundo da alma, era um homem honesto e bom. De que outra maneira explicar a absurda e desesperada viagem a um canto perdido da Ásia? Foi lá procurar a morte. Sim, Marie-Claude está certa: Franz procurou deliberadamente a morte. Em seus últimos dias, quando estava agonizando e já não precisava mentir, queria ver só a ela. Não podia falar, mas lhe agradecia pelo menos com os olhos. Seus olhos lhe pediam perdão. E ela o perdoou.

29

O que restou dos agonizantes do Camboja?

Uma grande foto da estrela americana com uma criança amarela nos braços.

O que restou de Tomas?

Uma inscrição: Desejava o Reino de Deus na terra.

O que restou de Beethoven?

Um homem carrancudo com uma cabeleira inverossímil que pronuncia com voz soturna: "Es muß sein!".

O que restou de Franz?

Uma inscrição: Depois de um longo afastamento, o retorno.

E assim por diante, e assim por diante. Antes de sermos esquecidos, seremos transformados em kitsch. O kitsch é a estação intermediária entre o ser e o esquecimento.

Sétima parte
O SORRISO DE KARENIN

1

A janela dava para uma encosta coberta de troncos tortos de macieiras. No topo da encosta, a floresta encerrava o horizonte, e o perfil das colinas se estendia ao longe. À noite, uma lua branca apontava no céu pálido e era esse o momento em que Tereza aparecia na soleira da porta. A lua suspensa no céu ainda não inteiramente escuro era como uma lâmpada que tivessem esquecido de apagar de manhã e que continuava acesa o dia todo no quarto dos mortos.

As macieiras tortas cresciam na encosta e nenhuma delas poderia sair do lugar onde tinha se enraizado, assim como Tereza e Tomas não poderiam nunca mais deixar aquela aldeia. Tinham vendido o carro, a televisão, o rádio para poder comprar de um camponês que se mudara para a cidade uma casinha com jardim.

Viver no interior era a única possibilidade de evasão que lhes restava, pois no interior sempre faltavam braços mas não faltavam casas. Ninguém se interessava pelo passado político daqueles que aceitavam trabalhar no campo e nas florestas e ninguém os invejava.

Tereza estava feliz por ter deixado a cidade e por estar longe do bar com seus fregueses bêbados, longe das mulheres desconhecidas que deixavam cheiro de sexo nos cabelos de Tomas. A polícia já não se interessava por eles e como a história do engenheiro se confundia em sua memória com o episódio do monte Petrin, ela quase não distinguia o sonho da realidade. (Aliás, o engenheiro estaria realmente a serviço da polícia secreta? Talvez sim, talvez não. São muitos os homens que usam apartamentos emprestados para encontros íntimos e que não gostam de dormir mais de uma vez com a mesma mulher.)

Assim, Tereza estava feliz e acreditava ter atingido seu objetivo: ela e Tomas estavam juntos e sozinhos. Sozinhos? Devo ser mais preciso: o que chamo de solidão significa que tinham cortado o contato com antigos amigos e conhecidos. Tinham cortado sua vida passada como se corta a ponta de uma fita com uma tesoura. Mas se sentiam bem em companhia dos camponeses com quem trabalhavam, que visitavam de vez em quando e que convidavam para ir à casa deles.

No dia em que conheceu o presidente da cooperativa na estação de águas cujas ruas haviam sido batizadas de nomes russos, Tereza descobriu em si de repente a imagem do interior, que ficara de suas lembranças de leituras ou de seus antepassados: um mundo harmonioso cujos elementos formam uma grande família com interesses e hábitos comuns: todos os domingos a missa na igreja, a hospedaria, onde os homens se encontram sem as mulheres, e a sala da mesma hospedaria, onde aos sábados há uma orquestra e onde toda a cidade vai dançar.

Mas sob o comunismo a aldeia não se parecia em nada com essa imagem secular. A igreja ficava numa comunidade vizinha e ninguém ia até lá, a hospedaria se transformara em escritório, os homens não sabiam onde se encontrar para tomar cerveja, os jovens não sabiam aonde ir dançar. Não podiam se festejar os dias santos, as festas oficiais não interessavam a ninguém. O cinema mais próximo ficava na cidade, a vinte quilômetros. Depois de um dia de trabalho, durante o qual as pessoas interpelavam umas às outras alegremente e aproveitavam uma folga para conversar, todos se fechavam entre as quatro paredes das pequenas casas com mobília moderna, cujo mau gosto soprava como uma corrente de ar, e mantinham os olhos grudados na tela iluminada da televisão. Ninguém se visitava, de tempos em tempos, a muito custo alguém ia trocar algumas palavras com um vizinho antes do jantar. Todo mundo sonhava sair dali e ir morar na cidade. O interior não oferecia nada que pudesse dar um pouco de interesse à vida.

Talvez fosse porque ninguém quisesse se fixar ali que o Estado havia perdido a autoridade sobre o interior. O agricultor que não é mais proprietário de sua terra e que não passa de um operário que trabalha no campo não tem mais apego nem à paisagem nem ao seu trabalho, não tem nada a perder, nada que tema perder. Graças a essa indiferença, o interior conservou uma considerável margem de autonomia e liberdade. O presidente da cooperativa não é imposto de fora (como costumam ser todos os dirigentes nas cidades), é eleito pelos camponeses e é um deles.

Como todo mundo queria partir, Tereza e Tomas estavam em posição privilegiada: tinham vindo espontaneamente. Os outros aproveitavam todas as oportunidades para passar um dia nas cidades vizinhas, mas Tereza e Tomas só queriam saber de ficar onde estavam e não demoraram a conhecer os habitantes do lugar melhor do que estes conheciam uns aos outros.

O presidente da cooperativa se tornou grande amigo deles. Tinha mulher, quatro filhos e um porco que treinara como a um cachorro. O porco se chamava Mefisto e era a glória e atração principal da cidadezinha. Obedecia a ordens faladas, era muito limpo e rosado e saltitava sobre seus pequenos cascos como uma mulher de grossas barrigas da perna em cima de saltos altos.

A primeira vez que Karenin viu Mefisto ficou desconcertada e passou um bom tempo andando em volta dele e o cheirando. Mas bem depressa ficou amiga do porco, que preferia aos cachorros do lugar, sempre presos em suas casinhas, latindo sem razão o tempo todo. Karenin apreciava a originalidade do porco e — sou tentado a dizer — prezava muito a amizade dele.

O presidente da cooperativa estava ao mesmo tempo feliz em poder ajudar seu antigo médico e infeliz em não poder fazer mais por ele. Tomas era motorista de caminhão, levava os agricultores para o campo ou transportava material.

A cooperativa tinha quatro galpões grandes para criação de gado e um pequeno estábulo para quarenta novilhas. Elas eram confiadas a Tereza, que as levava para o pasto duas vezes por dia. Como os prados vizinhos, de fácil acesso, eram destinados à fenação, Tereza devia conduzir seu rebanho para os morros próximos. As novilhas pastavam em lugares cada vez mais distantes e Tereza, no decorrer do ano, percorria com elas toda a vasta região em torno da aldeia. Como outrora em sua cidadezinha, tinha sempre um livro na mão; assim que chegava ao pasto, começava a ler.

Karenin ia sempre com ela. Aprendera a latir para as vacas jovens quando ficavam agitadas demais e começavam a se distanciar das outras; sentia grande prazer com isso. De todos os três, era a mais feliz. Nunca sua função de "guardião das horas" fora tão escrupulosamente respeitada quanto ali, onde não havia nenhum espaço para a improvisação. Ali, o tempo em que Tereza e Tomas viviam se aproximava da regularidade do tempo de Karenin.

Um dia, depois do almoço (quando os dois tinham uma hora de folga), estavam dando um passeio com Karenin na encosta de uma colina atrás da casa.

"Não estou gostando do jeito como ela corre", disse Tereza.

Karenin mancava da pata esquerda. Tomas se abaixou e lhe apalpou a pata. Descobriu um pequeno caroço em sua coxa.

No dia seguinte, colocou-a ao lado dele no banco do caminhão e a levou ao veterinário, que morava na aldeia vizinha. Depois de uma semana foi vê-la novamente e voltou com a notícia de que Karenin estava com câncer.

Três dias depois, ele próprio a operou com o veterinário. Quando voltou para casa, Karenin ainda não despertara da anestesia. Estava deitada no tapete, tinha os olhos abertos e gemia. Na coxa, os pelos foram raspados e havia uma ferida com seis pontos.

Um pouco mais tarde, tentou se levantar. Não conseguiu. Tereza teve medo: e se ela não pudesse mais voltar a andar?

"Não se preocupe", disse Tomas, "ela ainda está sob efeito da anestesia."

Tereza tentou levantá-la, mas ela mostrou os dentes. Era a primeira vez que ameaçava mordê-la!

"Ela não sabe quem é você", disse Tomas. "Não a está reconhecendo."

Deitaram-na ao lado da cama, onde ela adormeceu rapidamente. Eles também dormiram.

Foram acordados de repente lá pelas três horas da manhã. Karenin abanava o rabo e pisava sobre Tereza e Tomas. Esfregava-se neles selvagemente, insaciavelmente.

Também era a primeira vez que os acordava! Sempre ficava esperando que um dos dois acordasse para subir na cama.

Mas, dessa vez, não conseguiu se controlar quando de repente, no meio da noite, recobrou a consciência. Quem poderia saber de que distância estava voltando! Quem poderia saber que fantasmas tinha enfrentado! E agora, ao perceber que estava em casa e ao reconhecer aqueles que lhe eram mais próximos, não podia deixar de lhes comunicar sua terrível alegria, a alegria que sentia com a volta e com o novo nascimento.

2

No começo do Gênese, está escrito que Deus criou o homem para que ele reine sobre os pássaros, os peixes e os animais. É claro, o Gênese foi escrito por um homem e não por um cavalo. Nada nos garante que Deus quisesse realmente que o homem reinasse sobre as outras criaturas. É mais provável que o homem tenha inventado Deus para santificar o poder que usurpou sobre a vaca e o cavalo. O direito de matar um veado ou uma vaca é a única coisa sobre a qual a humanidade inteira manifesta acordo fraterno, mesmo durante as guerras mais sangrentas.

Esse direito nos parece natural porque nós é que estamos no topo da hierarquia. Mas bastaria que um terceiro se intrometesse no jogo, por exemplo, um visitante vindo de um outro planeta a quem Deus tivesse dito: "Tu reinarás sobre as criaturas de todas as outras estrelas", para que toda a evidência do Gênese fosse posta em dúvida. O homem atrelado a uma carroça por um marciano, eventualmente grelhado no espeto por um habitante da Via Láctea, talvez se lembrasse da costeleta de vitela que tinha o hábito de cortar em seu prato e pediria (tarde demais) desculpas à vaca.

Tereza acompanha seu rebanho de novilhas, toca-as para a frente, mas há sempre uma a ser repreendida, pois as vacas jovens são travessas e se afastam do caminho para correr pelo campo. Karenin está com ela. Já faz dois anos que a acompanha dia após dia à pastagem. Em geral, diverte-se muito em se mostrar severa com as novilhas, latindo e ralhando com elas (seu Deus a encarregou de reinar sobre as vacas e ela se orgulha disso). Mas, hoje, está andando com muita dificuldade, saltando sobre três patas; na quarta, tem uma ferida que sangra. A cada dois minutos, Tereza se abaixa e lhe acaricia o pelo. Quinze dias depois da cirurgia, torna-se evidente que o câncer não foi debelado e que Karenin só irá piorar.

No caminho encontram uma vizinha que está indo para o estábulo, calçada com galochas. A vizinha para: "O que aconteceu com seu cachorro? Parece que está mancando!". Tereza responde: "Está com câncer. Está condenado!", e sente a garganta se apertando, quase não consegue falar. A vizinha percebe as lágrimas de Tereza e fica indignada: "Pelo amor de Deus, você não vai chorar por causa de um cachorro, vai?". Não disse isso por maldade, é uma boa mulher, foi mais para consolar Tereza. Tereza sabe disso, mora na aldeia há tempo suficiente para entender que se os camponeses gostassem de seus coelhos como ela gosta de Karenin, não poderiam matá-los e acabariam morrendo de fome junto com seus bichos. No entanto, a observação da vizinha lhe parece hostil. "Não, não vou", responde sem protestar, mas se apressa em lhe dar as costas e seguir seu caminho. Sente-se sozinha em seu amor pelo cão. Pensa com um sorriso melancólico que deve escondê-lo mais secretamente do que se escondesse uma infidelidade. O amor que se tem por um cachorro escandaliza as pessoas. Se a vizinha ficasse sabendo que ela enganava Tomas, daria tapinhas em suas costas com ar cúmplice!

Assim, segue seu caminho com as novilhas, que se esfregam umas nas outras, e diz consigo mesma que são bichos muito simpáticos. Pacíficos, sem malícia, às vezes de uma alegria pueril: parecem mulheres gordas, cinquentonas, fingindo ter catorze anos. Não existe nada mais tocante do que vacas brincando. Tereza olha para elas com ternura e diz consigo mesma (é uma ideia que lhe ocorre sem cessar há dois anos) que a humanidade é parasita da vaca, assim como a tênia é parasita do homem: agarrou-se às suas tetas como uma sanguessuga. O homem é um parasita da vaca: essa é, sem dúvida, a definição que um não homem poderia dar do homem em sua zoologia.

Pode-se tomar essa definição como um simples gracejo e sorrir com indulgência. Mas Tereza a leva a sério, fica numa posição arriscada: essas ideias são perigosas e a distanciam da humanidade. Já no Gênese, Deus encarregou o homem de reinar sobre os animais, mas podemos explicar isso dizendo que ele apenas lhe *emprestou* esse poder. O homem não era o proprietário mas apenas o gerente do planeta, e um dia teria que prestar contas de sua gestão. Descartes foi mais longe: fez do homem "le maître et le possesseur de la nature". E há com certeza uma lógica profunda no fato de que seja precisamente ele quem nega que os animais tenham alma. O homem é o proprietário e o senhor enquanto o animal, diz Descartes, não passa de um autômato, uma máquina animada, uma "machina animata". Quando um animal geme, não é uma queixa, é apenas o ranger de um mecanismo que funciona mal. Quando a roda de uma charrete range, não quer dizer que a charrete sofra, mas que ela não está lubrificada. Devemos interpretar da mesma maneira as queixas do animal e não lamentar o destino de um cachorro que é dissecado vivo num laboratório.

As novilhas pastam no prado, Tereza está sentada num tronco e Karenin estendida a seus pés, a cabeça recostada em seus joelhos. E Tereza lembra de uma notícia de duas linhas que lera no jornal fazia uns dez anos: dizia que numa cidade da Rússia todos os cachorros haviam sido mortos. Essa notícia, discreta e aparentemente sem importância, fizera-a sentir pela primeira vez o horror que emanava desse grande vizinho.

Era uma antecipação de tudo o que viria depois; nos dois primeiros anos que se seguiram à invasão russa, não se podia ainda falar em terror. Já que toda a nação desaprovava o regime de ocupação, era preciso que os russos encontrassem entre os tchecos homens novos e os levassem ao poder. Mas onde encontrá-los, uma vez que a fé no comunismo e o amor pela Rússia eram coisa morta? Foram procurar entre aqueles que alimentavam intimamente o desejo de se vingar da vida. Era preciso amalgamar, conservar a agressividade deles, mantê-la alerta. Era preciso primeiro voltá-la contra um alvo provisório. Esse alvo foram os animais.

Os jornais começaram então a publicar séries de artigos e a organizar campanhas sob a forma de cartas de leitores.

Exigia-se, por exemplo, o extermínio dos pombos nas cidades. Os pombos foram exterminados. Mas a campanha visava sobretudo os cachorros. As pessoas estavam ainda traumatizadas com a catástrofe da ocupação, porém os jornais, o rádio, a televisão, só falavam nos cachorros, que sujavam as calçadas e os jardins públicos, ameaçavam assim a saúde das crianças e que não serviam para nada mas tinham que ser alimentados. Fabricou-se uma verdadeira psicose, e Tereza teve medo de que a população excitada se voltasse contra Karenin. Um ano mais tarde, o rancor acumulado (experimentado primeiro nos animais) foi apontado para o seu alvo verdadeiro: o homem. As demissões, as prisões, os processos começaram. Os animais puderam enfim respirar.

Tereza acaricia a cabeça de Karenin, que descansa tranquilamente em seus joelhos. Segue mais ou menos este raciocínio: Não existe nenhum mérito em sermos corretos com nossos semelhantes. Tereza é forçada a ser correta com os outros moradores da aldeia, ou não poderia viver ali, e mesmo com Tomas é *obrigada* a se portar como mulher amorosa, pois precisa de Tomas. Nunca se poderá determinar com certeza em que medida nosso relacionamento com o outro é o resultado de nossos sentimentos, de nosso amor ou não amor, de nossa benevolência ou de nosso ódio, e em que medida ele é determinado de antemão pelas relações de força entre os indivíduos.

A verdadeira bondade do homem só pode se manifestar com toda a pureza e com toda a liberdade em relação àqueles que não representam nenhuma força. O verdadeiro teste moral da humanidade (o mais radical, situado num nível tão profundo que escapa a nosso olhar) são as relações com aqueles que estão à nossa mercê: os animais. E foi aí que se produziu a falência fundamental do homem, tão fundamental que dela decorrem todas as outras.

Uma novilha se aproxima de Tereza, para e olha para ela demoradamente com seus grandes olhos castanhos. Tereza a conhece. Chama-se Marketa. Gostaria de ter dado um nome a cada uma das novilhas, mas não pôde. São muitas. Cerca de trinta anos atrás certamente teria sido assim, todas as vacas do lugar teriam um nome. (E se o nome é o sinal da alma, posso dizer que elas tinham uma, goste ou não Descartes.) Mas a aldeia se tornou uma grande usina cooperativa e as vacas passam a vida em dois metros quadrados de estábulo. Não têm mais nome e não passam de "machine animatae". O mundo deu razão a Descartes.

Tenho sempre diante dos olhos Tereza sentada num tronco, acariciando a cabeça de Karenin e pensando na falência da humanidade. Ao mesmo tempo, surge para mim uma outra imagem: Nietzsche está saindo de um hotel em Turim. Vê diante de si um cavalo e um cocheiro lhe dando chicotadas. Nietzsche se aproxima do cavalo, abraça-lhe o pescoço sob o olhar do cocheiro e explode em soluços.

Isso aconteceu em 1889 e Nietzsche já estava, também ele, distanciado dos homens. Em outras palavras: foi precisamente nesse momento que se declarou sua doença mental. Mas, para mim, é justamente isso que confere ao gesto seu sentido profundo. Nietzsche veio pedir ao cavalo perdão por Descartes. Sua loucura (portanto, seu divórcio com a humanidade) começa no instante em que chora pelo cavalo.

É esse Nietzsche que amo, da mesma maneira que amo Tereza, acariciando em seus joelhos a cabeça de um cachorro mortalmente doente. Vejo-os lado a lado: os dois se afastam do caminho em que a humanidade, "proprietária e senhora da natureza", prossegue sua marcha adiante.

3

Karenin dera à luz dois croissants e uma abelha. Olhava com espanto sua estranha prole. Os croissants estavam tranquilos mas a abelha, aturdida, cambaleava; daí a pouco, voou e desapareceu.

Era um sonho que Tereza acabara de ter. Ao acordar, contou-o a Tomas e ambos se sentiram consolados: esse sonho transformava a doença de Karenin em gravidez e o drama do nascimento tinha uma solução ao mesmo tempo cômica e enternecedora: dois croissants e uma abelha.

Mais uma vez Tereza foi tomada por uma absurda esperança. Levantou-se e se vestiu. Na aldeia também, seu dia começava com as compras: ia à mercearia comprar leite, pão, croissants. Mas nesse dia, quando chamou Karenin para acompanhá-la, a cachorra mal pôde levantar a cabeça. Pela primeira vez se recusava a participar da cerimônia que sempre tinha reivindicado teimosamente.

Foi sem ela. "Onde está Karenin?", perguntou a vendedora, que já tinha um croissant pronto para ela. Dessa vez, foi Tereza quem levou o croissant na sacola. Assim que entrou em casa, pegou o croissant para mostrá-lo a Karenin. Queria que viesse buscá-lo. Mas ela ficou deitada, sem se mexer.

Tomas via como Tereza estava triste. Segurou o croissant na boca e se pôs de quatro em frente a Karenin. Depois se aproximou lentamente.

Karenin olhava para ele, um vislumbre de interesse pareceu se acender em seus olhos, mas ela não se levantou. Tomas chegou o rosto bem perto de seu focinho. Sem sair do lugar, o cachorro mordeu um pedaço do croissant, que saía da boca de Tomas. Depois Tomas largou o croissant para deixá-lo inteiro para Karenin.

Tomas, sempre de quatro, recuou, encolheu-se e começou a rosnar. Fingia querer brigar pelo croissant. O cachorro respondeu a seu dono rosnando de volta. Enfim! Era isso que esperavam! Karenin tinha vontade de brincar! Karenin tinha amor pela vida.

Esse rosnar era o sorriso de Karenin e eles queriam fazer

esse sorriso durar o máximo possível. Novamente, Tomas, sempre de quatro, aproximou-se dela e segurou a extremidade do croissant que lhe saía da boca. Suas caras estavam muito próximas, Tomas sentia o hálito da cachorra, e os pelos compridos que cresciam em volta do focinho de Karenin lhe faziam cócegas no rosto. A cachorra deu ainda um rosnado e sacudiu o focinho bruscamente. Cada um tinha uma metade de croissant entre os dentes. Karenin cometeu seu velho erro. Largou seu pedaço de croissant e tentou pegar o pedaço que o dono segurava na boca. Como sempre, esquecera que Tomas não era cachorro e tinha mãos. Tomas não largou o croissant que segurava na boca e apanhou a metade que caíra no chão.

"Tomas", gritou Tereza, "não tire o croissant dela!"

Tomas deixou as duas metades caírem diante de Karenin, que engoliu rápido uma mas guardou a outra na boca, ostensivamente e durante muito tempo, para mostrar orgulhosamente aos donos que ganhara a partida.

Olhavam para ela e repetiam consigo mesmos que Karenin sorria e que, enquanto sorrisse, teria ainda uma razão para viver, mesmo estando condenada.

No dia seguinte, parecia estar um pouco melhor. Tomaram café. Era o momento em que os dois tinham uma hora de folga e levavam a cachorra para dar um passeio. Ela já sabia e, normalmente, alguns minutos antes, ficava pulando em volta deles com ar inquieto, mas dessa vez, quando Tereza apanhou sua guia e sua coleira, olhou para eles demoradamente sem se mexer. Estavam os dois plantados diante dela, esforçando-se para parecer alegres (por causa dela e para ela) a fim de lhe transmitir um pouco de bom humor. Depois de um momento, como se estivesse com pena deles, a cachorra se aproximou mancando sobre três patas e deixou que lhe pusessem a coleira.

"Tereza", disse Tomas, "sei que você brigou com sua máquina fotográfica. Mas, hoje, leve-a!"

Tereza obedeceu. Abriu um armário para procurar a máquina que estava esquecida num canto. Tomas continuou: "Um dia, ficaremos muito contentes de termos essas fotos. Karenin foi uma parte da nossa vida".

"Como, *foi*?", disse Tereza, como se tivesse sido mordida por uma cobra. A máquina estava diante dela, no fundo do armário, mas ela não fazia nenhum gesto. "Não vou levá-la. Não quero pensar que Karenin não estará mais aqui. Você já está falando no passado!"

"Não fique com raiva!", disse Tomas.

"Não estou com raiva", disse Tereza suavemente. "Quantas vezes eu também não me surpreendo pensando nela no passado! Quantas vezes não me repreendi por isso! É por isso que não vou levar a máquina!"

Andavam pelo caminho sem falar. Não falar era a única maneira de não pensar em Karenin no passado. Não a perdiam de vista e não saíam de perto dela. Esperavam o momento em que sorrisse. Mas ela não sorria; apenas andava, e sempre sobre três patas.

"Está fazendo isso só por nós", disse Tereza. "Não estava com vontade de sair. Veio só para nos dar prazer."

O que ela dizia era triste, mas eles estavam felizes sem se dar conta disso. Estavam felizes, não a despeito da tristeza que sentiam, mas exatamente por causa dela. Estavam de mãos dadas e tinham ambos a mesma imagem diante dos olhos: um cachorro manco que encarnava dez anos da vida deles.

Andaram ainda um pouco mais. Depois Karenin, para grande decepção de ambos, parou e deu meia-volta. Tiveram que voltar.

Naquele dia ou talvez no dia seguinte, entrando inesperadamente no quarto, Tereza viu que Tomas lia uma carta. Quando ele ouviu o barulho da porta, colocou a carta entre outros papéis. Ela percebeu. E saindo do cômodo, viu que ele enfiava uma carta no bolso. Mas esquecera o envelope. Quando ficou sozinha em casa, ela foi procurá-lo. O endereço estava escrito numa letra desconhecida, muito bem feita, parecendo letra de mulher.

Mais tarde, quando se encontraram, ela lhe perguntou, com ar inocente, se tinha recebido alguma correspondência.

"Não", disse Tomas, e o desespero tomou conta de Tereza, um desespero ainda mais cruel por ter ela se desacostumado dele. Não, não acreditava que Tomas tivesse uma mulher em segredo. Era praticamente impossível. Sabia o que fazia em todos os seus momentos de folga. Mas na certa deixara em Praga uma mulher em quem pensava e que era importante para ele mesmo sem deixar o cheiro de sexo em seus cabelos. Tereza não acreditava que Tomas fosse trocá-la pela outra mulher, mas tinha o pressentimento de que a felicidade dos dois últimos anos no interior seria, como no passado, aviltada pela mentira.

Uma antiga ideia retornava: seu lar não era Tomas, mas Karenin. Quem marcaria as horas de seus dias quando ela já não estivesse lá?

Tereza pensava no futuro, futuro sem Karenin, e se sentia abandonada.

Karenin estava deitada num canto e gemia. Tereza foi até o jardim. Examinou a grama entre duas macieiras e disse consigo mesma que ali enterrariam Karenin. Enfiou o salto na terra para marcar um retângulo na grama. Seria o lugar do túmulo.

"O que é que você está fazendo?", perguntou Tomas, surpreendendo-a tão inesperadamente quanto ela o surpreendera antes, quando lia a carta.

Ela não respondeu. Ele viu que suas mãos tremiam; fazia muito tempo que isso não acontecia. Segurou-as. Ela se soltou.

"É o túmulo de Karenin?"

Ela não respondeu.

Seu silêncio irritou Tomas. Ele explodiu: "Você me repreendeu por pensar nela no passado. E você, o que está fazendo? Já quer enterrá-la!".

Ela lhe deu as costas e entrou.

Tomas foi para o quarto e bateu a porta.

Tereza a abriu e disse: "Em vez de pensar só em você, poderia ao menos pensar nela neste momento. Estava dormindo e você a acordou. Vai começar a gemer de novo".

Sabia que estava sendo injusta (o cachorro não estava dormindo), sabia que estava se comportando como uma mulher vulgar, que quer ser má e sabe como.

Tomas entrou na ponta dos pés no cômodo onde Karenin estava deitada. Mas ela não queria deixá-lo a sós com o cachorro. Debruçaram-se sobre o bichinho, um de cada lado. Esse movimento em comum não era um gesto de reconciliação. Ao contrário. Cada um estava só. Tereza com seu cachorro, Tomas com seu cachorro.

Tenho medo de que fiquem assim com Karenin até o último momento, os dois separados, sós.

4

Por que a palavra *idílio* é tão importante para Tereza?

Nós, que fomos educados na mitologia do Velho Testamento, poderíamos dizer que o idílio é a imagem que ficou conosco como uma lembrança do Paraíso: A vida no Paraíso não era semelhante ao caminho em linha reta que nos leva ao desconhecido, não era uma aventura. Ela se movia em círculos entre coisas conhecidas. Sua monotonia não era feita de tédio mas de felicidade.

Enquanto o homem vivia no campo, no meio da natureza, cercado por animais domésticos, dentro da regularidade da mudança das estações, nele restava sempre pelo menos um reflexo desse idílio paradisíaco. Por isso, quando Tereza encontrou na estação de águas o presidente da cooperativa, viu surgir diante dos olhos a imagem do campo (o campo em que nunca vivera, que não conhecia) e ficou encantada. Era como olhar para trás, em direção ao Paraíso.

No Paraíso, quando se debruçava na fonte, Adão ainda não sabia que aquele que via era ele. Não teria compreendido Tereza, que, quando menina, postava-se diante do espelho e se esforçava para ver sua alma através do corpo. Adão era como Karenin. Muitas vezes, para se divertir, Tereza o levava para a frente do espelho. Ele não reconhecia a própria imagem e olhava para ela distraído, com uma indiferença incrível.

A comparação entre Karenin e Adão me leva à ideia de que no Paraíso o homem ainda não era o homem. Mais exatamente: o homem ainda não tinha se lançado na trajetória do homem. Nós outros já nos lançamos nela há muito tempo e voamos no vazio do tempo, que se consuma em linha reta. Mas existe ainda em nós um fino cordão que nos liga ao Paraíso distante e nebuloso, em que Adão se debruça na fonte e, ao contrário de Narciso, não suspeita que a pálida mancha amarela que vê aparecer seja ele. A nostalgia do Paraíso é o desejo do homem de não ser homem.

Quando ela era pequena e encontrava as toalhas higiênicas da mãe manchadas de sangue menstrual, ficava enojada e detestava a mãe por não ter tido o pudor de escondê-las. Mas Karenin, que era uma cadela, também tinha menstruação. Ela chegava a cada seis meses e durava quinze dias. Para que não sujasse o apartamento, Tereza lhe enfiava um pedaço grande de algodão entre as pernas e lhe vestia uma de suas velhas calcinhas prendendo-a ao corpo com uma fita comprida. Durante quinze dias, ficava rindo do traje ridículo.

Por que motivo a menstruação de uma cadela lhe despertava tanta ternura enquanto a sua própria lhe repugnava? A resposta me parece fácil: o cão jamais fora expulso do Paraíso. Karenin ignora tudo sobre a dualidade entre o corpo e a alma e não sabe o que é o nojo. É por isso que Tereza se sente tão bem e tão tranquila a seu lado. (E é por isso que é tão perigoso transformar o animal em máquina animada e fazer da vaca um autômato produtor de leite: assim o homem corta o fio que o ligava ao Paraíso, e nada mais pode detê-lo nem reconfortá-lo em seu voo através do vazio do tempo.)

Do caos confuso dessas ideias, germina na mente de Tereza uma ideia blasfematória de que ela não consegue se desvencilhar: o amor que a liga a Karenin é melhor que o amor que existe entre ela e Tomas. Melhor, mas não maior. Tereza não quer acusar ninguém, nem a ela, nem a Tomas, não quer afirmar que poderiam se amar *mais*. Parece-lhe apenas que o casal humano é criado de tal forma que o amor entre o homem e a mulher é a priori de uma natureza inferior à do que pode existir (pelo menos na melhor de suas versões) entre o homem e o cachorro, essa esquisitice da história do homem que o Criador certamente não planejou.

É um amor desinteressado: Tereza não quer nada de Karenin. Nem mesmo amor ela exige. Nunca precisou fazer as perguntas que atormentam os casais humanos: será que ela me ama? será que gosta mais de mim do que eu dela? terá gostado de alguém mais do que de mim? Todas essas perguntas que interrogam o amor, avaliam-no, investigam-no, examinam-no, talvez o destruam no instante em que nasce. Se somos incapazes de amar, talvez seja porque desejamos ser amados, quer dizer, queremos alguma coisa do outro (o amor), em vez de chegar a ele sem reivindicações, desejando apenas sua simples presença.

E mais uma coisa: Tereza aceitou Karenin tal qual é, não procurou transformá-la para que ficasse semelhante a si própria, aceitou de antemão seu universo de cachorra, não quer lhe confiscar nada, não sente ciúme de seus desejos secretos. Se a educou, não foi para mudá-la (como um homem quer mudar sua mulher e uma mulher seu homem), mas apenas para lhe ensinar a linguagem elementar que lhes permitisse se compreender e conviver.

E mais: seu amor ao cão é um amor espontâneo, não foi forçado por ninguém. (Mais uma vez, Tereza pensa na mãe, e sente um grande pesar: se ela fosse uma daquelas mulheres desconhecidas da aldeia, sua alegre grosseria talvez lhe fosse simpática! Ah! se ao menos sua mãe fosse uma estranha! Desde a infância Tereza tinha vergonha de que os traços da mãe ocupassem seu rosto, confiscando seu eu. E o pior é que o imperativo milenar "Ame seu pai e sua mãe!" a obrigava a aceitar essa ocupação, a chamar de amor essa agressão! Não era culpa da mãe se Tereza rompera com ela. Não rompera com a mãe porque ela era como era, mas porque era sua mãe.)

Mas sobretudo: nenhum ser humano pode oferecer a outro o idílio. Só o animal pode fazê-lo, porque não foi expulso do Paraíso. O amor entre o homem e o cão é idílico. É um amor sem conflitos, sem cenas dramáticas, sem evolução. Em torno de Tereza e de Tomas, Karenin traçava o círculo da sua vida, baseada na repetição, e esperava a mesma coisa deles.

Se Karenin fosse um ser humano em vez de um animal, certamente já teria dito a Tereza muito tempo antes: "Escute, não acho graça de ter que levar todos os dias um croissant na boca. Não poderia descobrir alguma coisa nova?". Essa frase contém toda a condenação do homem. O tempo humano não gira em círculos, mas avança em linha reta. É por isso que o homem não pode ser feliz, pois a felicidade é o desejo de repetição.

Sim, a felicidade é o desejo de repetição, pensa Tereza.

Quando o presidente da cooperativa ia passear com Mefisto depois do trabalho e encontrava Tereza, nunca deixava de dizer: "Dona Tereza! Se ao menos eu e ele tivéssemos nos conhecido antes! Teríamos saído juntos atrás de garotas! Nenhuma mulher resiste a dois porcos!". Ouvindo tais palavras, o porco grunhia; tinha sido treinado para isso. Tereza ria, apesar de saber de antemão o que o presidente ia lhe dizer. A repetição não tirava o encanto da brincadeira. Ao contrário. No contexto do idílio, até o humor obedece à doce lei da repetição.

5

Os cães não têm muitos privilégios sobre o homem, mas um deles é apreciável: para eles, a eutanásia não é proibida por lei; o animal tem direito a uma morte misericordiosa. Karenin andava com apenas três patas e passava a maior parte do tempo deitada num canto. Gemia. Tereza e Tomas concordavam: não tinham o direito de deixá-la sofrer inutilmente. Mas o acordo sobre esse princípio não os poupava de uma incerteza angustiante: como saber em que momento o sofrimento se torna inútil? como determinar o instante em que não vale mais a pena viver?

Se pelo menos Tomas não tivesse sido médico! Poderia então se esconder atrás de uma terceira pessoa. Poderia procurar um veterinário e pedir que desse uma injeção na cadela.

É tão duro assumir o papel da morte! Por muito tempo, Tomas declarara enfaticamente que ele não aplicaria a injeção e que chamaria o veterinário. Mas afinal compreendeu que poderia conceder a Karenin um privilégio que não está ao alcance dos seres humanos: a morte chegaria para ela sob a máscara daqueles que amava.

Karenin passou a noite inteira gemendo. De manhã, depois de auscultá-la, Tomas disse a Tereza: "Não devemos esperar mais".

Teriam que sair para o trabalho em pouco tempo. Tereza foi buscar Karenin no quarto. Até então ela estava deitada na mais completa indiferença (mesmo alguns minutos antes, quando era examinada por Tomas, não prestara nenhuma atenção), mas agora, ouvindo a porta se abrir, levantou a cabeça e olhou para Tereza.

Ela não pôde suportar aquele olhar, quase lhe deu medo. Nunca olhava assim para Tomas, só para ela. Mas nunca com a intensidade de agora. Não era um olhar desesperado nem triste. Era um olhar de uma assustadora, de uma insustentável confiança. Aquele olhar era uma pergunta ansiosa. Durante toda a vida, Karenin havia esperado pela resposta de Tereza e agora queria dizer a ela (com mais insistência ainda que antes) que continuava a postos para ouvir dela a verdade (já que tudo o que vem de Tereza é para ela a verdade: se ela diz "sentada!" ou "deitada!", são verdades com as quais se identificava e que davam sentido à sua vida).

Aquele olhar de assustadora confiança foi breve. Logo deitou a cabeça sobre as patas. Tereza sabia que ninguém nunca mais olharia para ela *assim*.

Nunca lhe davam doces, mas uns dias antes ela comprara tabletes de chocolate. Tirou-os do papel de alumínio, partiu-os em pedacinhos e os espalhou em volta dela. Pôs também uma vasilha com água perto dela para que não lhe faltasse nada durante as horas em que ficaria sozinha em casa. Mas o olhar que pousara em Tereza parecia tê-la fatigado. Embora cercada de pedaços de chocolate, não levantou mais a cabeça.

Ela se deitou ao seu lado no chão e a tomou nos braços. Karenin a cheirou bem lentamente e, aparentando cansaço, lambeu-a uma ou duas vezes. Ela recebeu essa carícia de olhos fechados, como se quisesse gravá-la para sempre na memória. Virou a cabeça para que ela lhe lambesse o outro lado do rosto.

Depois teve que sair para cuidar das novilhas. Só voltou depois do almoço. Tomas ainda não tinha chegado. Karenin continuava deitada, cercada de pedaços de chocolate, e não levantou mais a cabeça quando viu Tereza se aproximar. A perna doente estava inchada e o tumor estourara em outro lugar. Uma gotinha avermelhada (que não parecia sangue) havia aparecido entre os pelos.

Como de manhã, deitou-se junto dela. Passara um braço em torno de seu corpo e fechara os olhos quando ouviu bater. "Doutor, doutor! O porco está aqui, o porco e seu presidente!" Sentia-se incapaz de falar com alguém. Não se moveu e continuou de olhos fechados. Ouviu ainda uma vez: "Doutor, os porcos vieram lhe fazer uma visita", depois se fez silêncio de novo.

Tomas chegou cerca de meia hora mais tarde. Sem dizer uma palavra, foi à cozinha preparar a injeção. Quando voltou ao quarto, Tereza estava de pé e Karenin fazia força para se levantar. Ao ver Tomas, abanou o rabo fracamente.

"Olhe!", disse Tereza, "ainda sorri."

Disse isso em tom de súplica, como se quisesse com essas palavras pedir uma breve prorrogação, mas não insistiu.

Lentamente, estendeu um lençol na cama. Era um lençol branco estampado com pequenas violetas. Aliás, já tinha tudo preparado, já tinha pensado em tudo, como se dias antes já estivesse imaginando a morte de Karenin. (Ah! que horror! imaginamos com antecipação a morte daqueles que amamos!)

Ela não tinha mais força para subir na cama. Pegaram-na nos braços e a levantaram juntos. Tereza a deitou de lado e Tomas lhe examinou a pata. Procurava um lugar onde a veia estivesse saliente e bem visível. Com uma tesoura, cortou os pelos nesse local.

Tereza estava ajoelhada ao lado da cama e com as mãos segurava a cabeça de Karenin de encontro a seu rosto.

Tomas lhe pediu que segurasse firme a pata traseira, logo acima da veia em que ia aplicar a injeção. Ela segurou a pata de Karenin, mas sem afastar o rosto da cabeça dela. Ela lhe falava com voz suave e só pensava nela. O cão não mostrava medo. Lambeu-lhe o rosto ainda duas vezes. E Tereza sussurrava: "Não tenha medo, não tenha medo, lá você não sofrerá, lá você verá esquilos e lebres, haverá vacas, e Mefisto também, não tenha medo...".

Tomas enfiou a agulha na veia e empurrou o êmbolo. Um ligeiro estremecimento percorreu a pata de Karenin, sua respiração se acelerou, depois parou de repente. Tereza estava ajoelhada ao lado da cama e apertava o rosto contra a cabeça dela.

Tiveram que voltar ao trabalho e o cão ficou deitado na cama, sobre o lençol branco enfeitado de violetas.

Chegaram em casa à noite. Tomas foi para o jardim. Encontrou, entre as duas macieiras, as quatro linhas do retângulo que Tereza tinha marcado com o salto do sapato alguns dias antes. Começou a cavar. Observou rigorosamente as dimensões traçadas. Queria que tudo se passasse como Tereza imaginara.

Ela estava dentro de casa com Karenin. Tinha medo de enterrá-la viva. Encostou o ouvido em seu focinho e achou que sentia um sopro leve. Afastou-se e viu que seu peito se mexia um pouco.

(Não, a respiração que ouvia era a sua, a qual imprimia um movimento imperceptível em seu corpo, levando-a a acreditar que era o peito do cão que se mexia!)

Apanhou um espelho na bolsa e o colocou diante do focinho do cão. O espelho estava tão sujo que julgou estar vendo o vapor deixado pela respiração de Karenin.

"Tomas, ela está viva", gritou, quando Tomas voltou do jardim com os sapatos cobertos de lama.

Ele se debruçou e balançou a cabeça negativamente.

Seguraram, cada um de um lado, o lençol em que Karenin repousava. Tereza do lado das patas, Tomas do lado da cabeça. Levantaram-na e a carregaram para o jardim.

Tereza sentiu nas mãos que o lençol estava molhado. Ela nos molhou na chegada e nos molha na partida, pensou. Estava contente de sentir nos dedos aquela umidade, o último adeus do cão.

Levaram-na até as duas macieiras e a depositaram no fundo da vala. Ela se debruçou para arrumar o lençol a fim de que a envolvesse inteira. Não podia suportar a ideia de que a terra que jogariam sobre ela pudesse tocar seu corpo *nu*.

Depois entrou em casa e voltou com a coleira, a guia e o punhado de pedaços de chocolate que desde a manhã haviam ficado intactos, espalhados no chão. Jogou tudo no túmulo.

Ao lado da vala, havia um monte de terra fresca. Tomas pegou a pá.

Tereza se lembrou do sonho: Karenin tinha dado à luz dois croissants e uma abelha. De repente, essa frase parecia um epitáfio. Imaginou, entre as macieiras, um monumento com a inscrição: "Aqui descansa Karenin. Deu à luz dois croissants e uma abelha".

A penumbra se adensava no jardim, não era dia nem noite, no céu havia uma lua pálida, como uma lâmpada esquecida no quarto dos mortos.

Os dois estavam com os sapatos cheios de terra e levaram a enxada e a pá para o alpendre onde estavam guardadas as ferramentas: ancinhos, picaretas, enxadões.

6

Estava sentado à mesa do quarto, onde sempre sentava para ler um livro. Nesses momentos, Tereza se aproximava e se debruçava sobre ele, encostando o rosto no seu. Ao fazer esse gesto, nesse dia, percebeu que Tomas não estava lendo um livro. Havia uma carta diante dele, e embora fossem apenas cinco linhas datilografadas, Tomas a contemplava fixamente, com um olhar demorado e imóvel.

"O que foi?", perguntou Tereza com angústia.

Sem se virar, Tomas lhe estendeu a carta. Estava escrito

que ele devia comparecer naquele mesmo dia ao aeroporto da cidade vizinha.

Quando finalmente virou a cabeça para Tereza, ela leu no olhar dele o mesmo horror que acabara de sentir.

"Vou com você", disse ela.

Ele balançou a cabeça: "Essa convocação diz respeito só a mim".

Ela insistiu: "Não, vou com você", e subiram no caminhão de Tomas.

Alguns minutos depois, chegaram ao campo de aviação. Havia neblina. Diante deles, muito vagamente, distinguiam-se as silhuetas dos aviões. Andaram de um lado para o outro, mas as portas de todos aqueles aviões estavam fechadas, não havia como entrar neles. Acabaram encontrando um cuja porta estava aberta e no qual havia uma escada encostada. Subiram os degraus, um comissário de bordo surgiu à porta e lhes fez sinal para que continuassem. Era um avião pequeno, com uns trinta lugares, e estava completamente vazio. Foram andando pelo corredor entre as poltronas, segurando-se um no outro e sem se interessar pelo que se passava em torno. Sentaram-se lado a lado em duas poltronas e Tereza encostou a cabeça no ombro de Tomas. O horror inicial se dissipava, transformando-se em tristeza.

O horror é um choque, um instante de cegueira total. O horror é desprovido de qualquer traço de beleza. Só vemos a luz violenta do acontecimento desconhecido que esperamos. Ao contrário dele, a tristeza supõe o conhecimento. Tomas e Tereza sabiam o que os esperava. O brilho do horror se apagava e se descobria o mundo sob uma luz azulada e suave que tornava as coisas mais belas do que eram antes.

No instante em que lera a carta, Tereza não sentira amor por Tomas, sentira apenas que não o devia deixar nem por um minuto: o horror sufocava todos os outros sentimentos, todas as outras sensações. Agora que se abraçava nele (o avião voava nas nuvens), o medo tinha passado e ela sentia amor e sabia que era um amor sem limites e sem medida.

O avião aterrissou finalmente. Levantaram-se e se dirigiram à porta que o comissário tinha aberto. Abraçados pela cintura, ficaram de pé no alto da escada. Embaixo, viram três homens mascarados com fuzis nas mãos. Era inútil hesitar, pois não havia maneira de fugir. Desceram lentamente e quando puseram o pé na pista, um dos homens levantou o fuzil, mirando-o neles. Não houve detonação, mas Tereza sentiu que Tomas, que um segundo antes a apertava e abraçava pela cintura, estava caindo no chão.

Tentou segurá-lo mas não aguentou. Ele caiu no cimento da pista de aterrissagem. Ela se abaixou. Quis se atirar sobre ele para cobri-lo com o corpo, mas aconteceu uma coisa estranha: o corpo dele começou a diminuir rapidamente diante dela. Era tão inacreditável que ela ficou petrificada e pregada no chão. O corpo de Tomas encolhia cada vez mais, não se parecia mais com Tomas, só sobrava algo minúsculo, e essa coisa ínfima começou a se mexer e depois a correr e a fugir no campo de aviação.

O homem que atirara arrancou a máscara e sorriu para Tereza com um ar afável. Depois se virou e se lançou atrás daquela coisa minúscula que corria ziguezagueando, como se procurasse desesperadamente um abrigo. A perseguição durou algum tempo, até que o homem se jogou de repente no chão e a caçada terminou.

Ele se levantou e se dirigiu a Tereza. Trazia alguma coisa nas mãos. A coisa tremia de medo. Era uma lebre. Entregou-a a Tereza. Nesse momento, o medo e a tristeza desapareceram e ela ficou feliz de segurar nos braços o animalzinho, um animalzinho que era dela e que podia apertar contra o corpo. Desmanchou-se em lágrimas de felicidade. Chorava, não conseguia parar de chorar, não via mais nada através das lágrimas e carregava a lebre para casa, dizendo consigo mesma que finalmente estava perto de seu objetivo, que chegara ao ponto em que sempre quisera chegar, onde não havia mais razão para se evadir.

Foi pelas ruas de Praga e achou com facilidade sua casa. Ali vivera com os pais quando pequena. Nem o pai nem a mãe moravam mais lá. Foi recebida por dois velhos que nunca vira antes mas que sabia serem seu bisavô e sua bisavó. Ambos tinham o rosto enrugado como a casca de uma árvore e Tereza se alegrava de morar com eles. Só que, naquele momento, queria ficar sozinha com seu animalzinho. Encontrou sem dificuldade o quarto em que dormira a partir dos cinco anos, quando seus pais decidiram que já merecia ter um cômodo só para ela.

O quarto tinha um divã, uma mesinha e uma cadeira. Em cima da mesa, havia uma lâmpada acesa, esperando por ela todo aquele tempo. E na lâmpada estava pousada uma borboleta cujas asas, que estavam abertas, eram enfeitadas com dois grandes olhos pintados. Tereza sabia que atingira seu objetivo. Deitou-se no divã e apertou a lebre contra o rosto.

7

Estava sentado à mesa onde sempre sentava para ler livros. Tinha diante de si um envelope aberto e uma carta. Disse a Tereza: "Recebo de vez em quando cartas que não queria comentar com você. É meu filho que me escreve. Fiz tudo para evitar qualquer contato entre a minha vida e a dele. E veja como o destino se vingou de mim. Foi expulso da universidade há alguns anos. É tratorista numa cidadezinha do interior. É verdade, não existe contato entre a minha vida e a dele, mas elas se desenrolam lado a lado na mesma direção como duas linhas paralelas".

"E por que você não queria comentar comigo essas cartas?", perguntou Tereza, profundamente aliviada.

"Não sei. Achava desagradável."

"Ele escreve sempre?"
"De vez em quando."
"E para falar de quê?"
"Dele."
"E é interessante?"
"É. A mãe dele, como você sabe, era uma comunista militante. Há muito tempo brigou com ela. Ligou-se a pessoas que estavam na mesma situação que nós. Tentaram exercer uma atividade política. Alguns estão hoje na prisão. Mas se desentendeu também com eles. Afastou-se deles. Qualifica-os de 'eternos revolucionários'."

"Ele se reconciliou com o regime?"
"Não, absolutamente. Ele é religioso e acha que essa é a chave de tudo. Segundo ele, cada um de nós deve levar a vida de cada dia seguindo as normas da religião, sem levar em conta o regime. Devemos ignorá-lo. Segundo ele, se acreditamos em Deus, somos capazes de instaurar com nossa conduta, em qualquer situação, o que chama de 'Reino de Deus na terra'. Explica-me que a Igreja é, em nosso país, a única associação voluntária que escapa ao controle do Estado. Pergunto-me se ele é praticante para melhor resistir ao regime ou se de fato crê."

"Pois bem, pergunte isso a ele!"
Tomas continuou: "Sempre admirei os que têm fé. Acho que possuem o dom especial da percepção extrassensorial, que me foi recusado. Mais ou menos como os videntes. Mas percebo agora, por meio do exemplo do meu filho, que na realidade é muito fácil ter fé. Quando se viu em dificuldade, os católicos cuidaram dele e o levaram a descobrir de repente a fé. Talvez tenha se convertido por gratidão. As decisões humanas são horrivelmente fáceis".

"Você nunca respondeu às cartas dele?"
"Ele nunca me mandou o endereço."
Em seguida acrescentou: "É claro que o nome da aldeia

está marcado no selo do correio. Bastaria mandar uma carta para a cooperativa local".

Tereza sentia vergonha pelas suspeitas que tivera de Tomas e queria reparar seu erro com um súbito rasgo de generosidade em relação ao filho dele: "Então, por que você não escreve para ele? Por que não o convida para vir aqui?".

"Ele se parece comigo", disse Tomas. "Quando fala, tem exatamente o mesmo tique que eu no lábio superior. Olhar minha própria boca falando do Reino de Deus me parece um pouco esquisito demais."

Tereza desatou a rir.

Tomas riu com ela.

Tereza disse: "Tomas, não seja infantil! É uma história tão velha. Você e sua primeira mulher. O que essa história tem a ver com este rapaz? Se você teve mau gosto quando jovem, será isso motivo para maltratar alguém?".

"Para ser sincero, esse encontro me dá medo. É sobretudo por isso que não tenho vontade de vê-lo. Não sei por que fui tão teimoso. Um dia, tomamos uma decisão, sem nem mesmo saber por quê, e essa decisão tem sua própria força de inércia. A cada ano que passa, fica mais difícil mudá-la."

"Convide-o!", disse ela.

À tarde, voltando do estábulo, ouviu vozes. Ao se aproximar, viu o caminhão de Tomas. Ele estava abaixado, desmontando uma roda. Em volta, havia um pequeno grupo esperando que terminasse o conserto.

Ficou imóvel, sem conseguir desviar o olhar: Tomas estava envelhecido. Tinha os cabelos grisalhos, e a falta de jeito que demonstrava não era a de um médico que se tornara motorista de caminhão, mas a de um homem que não é mais jovem.

Lembrou-se de uma conversa que tivera não fazia muito tempo com o presidente. Ele lhe dissera que o caminhão de Tomas se achava num estado lamentável. Disse isso por brincadeira, não era uma reclamação, mas estava mesmo preocupado. "Tomas conhece melhor o que se passa no corpo de um homem do que num motor", disse ele rindo. Em seguida lhe confidenciou que já fizera várias tentativas junto à administração para que Tomas pudesse exercer a medicina no cantão. Ficou sabendo que a polícia jamais concordaria com isso.

Ela se escondeu atrás de um tronco de árvore para não ser vista pelos homens que estavam em volta do caminhão, mas não tirava os olhos dele. Tinha o coração pesado de remorsos: por causa dela ele deixara Zurique e voltara a Praga. Por causa dela deixara Praga! E, mesmo ali, ela continuou a aborrecê-lo, até diante de Karenin agonizante ela o atormentou com suspeitas inconfessas.

Em seu foro íntimo, ela sempre o culpara de não a amar o bastante. Achava que seu amor por ele estava acima de qualquer restrição, mas que o amor dele era uma simples condescendência.

Percebia agora como tinha sido injusta: Se realmente tivesse amado Tomas com um grande amor, teria ficado no exterior com ele! Lá, Tomas era feliz, uma vida nova se abria diante dele! E ela o havia deixado, ela partira! Claro, convencera-se de que agia daquele modo por generosidade, para não ser um peso para ele! Mas o que era essa generosidade senão um subterfúgio? Na verdade, sabia que ele voltaria, que viria procurá-la! Ela o tinha chamado, ela o tinha puxado mais e mais para baixo, como as fadas que atraem os camponeses para os pântanos e os deixam ser tragados. Aproveitara o momento em que ele sentia dores no estômago para extrair a promessa de que iriam morar no interior! Como havia sido astuta! Toda vez que o aliciava, era para pô-lo à prova, para se assegurar de que ele a amava, ela o tinha conduzido até que ficasse assim: grisalho e cansado, com dedos rígidos que nunca mais poderiam segurar o bisturi de cirurgião.

Tinham chegado ao fim. Dali, para onde poderiam ir ainda? Nunca mais os deixariam sair do país. Não poderiam nunca mais voltar a Praga, lá ninguém os empregaria. Quanto a mudar para uma outra aldeia, para quê?

Meu Deus, tinha sido preciso chegar a esse ponto para ter certeza de que ele a amava!

Ele conseguiu finalmente recolocar a roda do caminhão. Os homens pularam na carroceria e o motor roncou.

Ela entrou e preparou um banho. Estava imersa na água quente e pensava que a vida inteira usara da própria fraqueza contra Tomas. Temos todos tendência a ver na força um culpado e na fraqueza uma vítima inocente. Mas, agora, Tereza se dava conta: no caso deles, era o contrário! Mesmo seus sonhos, como se conhecessem a única fraqueza desse homem forte, ofereciam-lhe o espetáculo do sofrimento de Tereza para constrangê-lo a recuar! A fraqueza de Tereza era uma fraqueza agressiva que o forçava toda vez a capitular, até o momento em que ele deixou de ser forte e se metamorfoseou em seus braços. Pensava sem parar nesse sonho.

Saiu da banheira e foi procurar um vestido de festa. Queria usar sua roupa mais bonita para lhe agradar, para lhe dar prazer.

Estava acabando de abotoar o último botão quando Tomas irrompeu bruscamente casa adentro, acompanhado do presidente da cooperativa e de um jovem camponês visivelmente pálido.

"Rápido", gritou Tomas. "Aguardente, alguma coisa bem forte!"

Tereza foi correndo buscar uma garrafa de aguardente. Despejou o álcool num copo e o rapaz bebeu de um só trago.

Explicaram o que acontecera: o rapaz tinha deslocado o ombro no trabalho e urrava de dor. Ninguém sabia o que fazer e chamaram Tomas, que, com um único gesto, recolocou o ombro no lugar.

O rapaz virou um segundo copo e disse a Tomas:

"Sua mulher está bonita demais hoje!"

"Imbecil", disse o presidente, "dona Tereza está sempre bonita."

"Sei que ela está sempre bonita", disse o rapaz, "mas é que, além disso, hoje ela pôs um vestido bonito. Nunca a vimos com essa roupa. Vai fazer alguma visita?"

"Não. Pus este vestido para Tomas."

"Você tem sorte, doutor", falou o presidente. "Minha patroa nunca iria se enfeitar para me agradar."

"É por isso que você sai com seu porco e nunca com sua mulher", disse o rapaz, e riu demoradamente.

"O que aconteceu com Mefisto?", perguntou Tomas. "Faz..." (parou para pensar) "uma hora que não o vejo!"

"Está enjoado de mim", respondeu o presidente.

"Quando a vejo com esse vestido me dá vontade de dançar", disse o rapaz a Tereza. "Você a deixaria dançar comigo, doutor?"

"Vamos todos dançar", disse Tereza.

"Você vai?", perguntou o rapaz para Tomas.

"Mas onde?", perguntou Tomas.

O rapaz mencionou um lugarejo das vizinhanças onde havia um hotel com bar e pista de dança.

"Venha conosco", disse o rapaz ao presidente, num tom imperativo. E como estava no terceiro copo de aguardente, acrescentou: "Se Mefisto estiver triste, leve-o também! Assim teremos dois porcos conosco! As mulheres vão cair para trás quando virem dois porcos chegando!". E deu de novo uma longa risada.

"Se Mefisto não os incomoda, eu também vou", disse o presidente, e todo mundo subiu no caminhão de Tomas.

Tomas sentou ao volante, Tereza sentou ao lado dele e os dois homens atrás com a garrafa de aguardente pela metade. Já tinham saído da aldeia quando o presidente lembrou que tinham esquecido Mefisto em casa. Gritou a Tomas que voltasse.

"Não vale a pena, um porco só já basta", disse o rapaz, e o presidente se acalmou.

O dia terminava. A estrada subia em zigue-zague.

Chegaram à cidade e pararam em frente ao hotel. Tereza e Tomas nunca tinham estado ali. Uma escada conduzia ao subsolo, onde ficava o bar, a pista de dança e algumas mesas. Um homem de uns sessenta anos tocava piano, e uma mulher mais ou menos da mesma idade estava ao violino. Tocavam músicas de uns quarenta anos atrás. Quatro ou cinco casais dançavam na pista.

O rapaz olhou em volta da sala. "Aqui não tem ninguém para mim", disse e tirou Tereza para dançar.

O presidente sentou com Tomas a uma mesa vazia e pediu uma garrafa de vinho.

"Não posso beber. Estou dirigindo!", protestou Tomas.

"E daí?", disse o presidente. "Vamos passar a noite aqui. Vou reservar dois quartos."

Quando Tereza voltou da pista com o rapaz, o presidente a tirou para dançar; depois, finalmente ela dançou com Tomas.

Enquanto dançavam, ela lhe falou: "Tomas, em sua vida eu fui a causa de todos os males. Foi por minha causa que você veio parar aqui. Foi por minha causa que você desceu tão baixo, mais baixo é impossível".

"Você está divagando", replicou Tomas. "Em primeiro lugar, o que significa *tão baixo*?"

"Se tivéssemos ficado em Zurique, você estaria operando seus doentes."

"E você estaria fotografando."

"Não se pode comparar", disse Tereza. "Para você, o trabalho era a coisa mais importante do mundo, enquanto eu, eu poderia fazer qualquer coisa, não me importaria. Não perdi nada. Você perdeu tudo."

"Tereza", disse Tomas, "você não notou que me sinto feliz aqui?"

"Sua missão era operar!"

"*Missão*, Tereza, é uma palavra idiota. Eu não tenho missão. Ninguém tem missão. E é um alívio enorme perceber que somos livres, que não temos missão."

Pelo tom da voz, era impossível duvidar de sua sinceridade. Reviu a cena da manhã: ele estava consertando o caminhão e ela achou que ele estava velho. Tinha chegado aonde queria: sempre desejara que ele ficasse velho. Pensou ainda mais uma vez na lebre que apertava contra o rosto em seu quarto de criança.

O que significa ser transformado em lebre? Significa esquecer a força. Significa que dali por diante um não é mais forte que o outro.

Eles iam e vinham, improvisando passos de dança ao som do piano e do violino; Tereza colocou a cabeça no ombro dele. Como no avião que os transportava através da neblina. Sentia agora a mesma felicidade estranha, a mesma tristeza estranha de então. Essa tristeza significava: estamos na última parada. Essa felicidade significava: estamos juntos. A tristeza era a forma, e a felicidade o conteúdo. A felicidade preenchia o espaço da tristeza.

Voltaram para a mesa. Ela dançou mais duas vezes com o presidente e uma vez com o rapaz, que já estava tão bêbado que caiu com ela na pista.

Depois os quatro subiram para os quartos.

Tomas girou a chave na fechadura e acendeu a luz. Ela viu duas camas, uma junto da outra, e perto de uma delas uma mesa de cabeceira com um abajur. Uma borboleta grande, assustada com a luz, fugiu do abajur e ficou esvoaçando pelo quarto. Lá de baixo chegava o eco amortecido do piano e do violino.

MILAN KUNDERA nasceu em Brno, na República Tcheca, em 1929, e emigrou para a França em 1975, onde vive como cidadão francês. Romancista e pensador de renome internacional, é autor, entre outras obras, de *A identidade*, *A brincadeira*, *Risíveis amores*, *A ignorância*, *A cortina*, *O livro do riso e do esquecimento*, *A arte do romance*, *A valsa dos adeuses*, *A lentidão*, *A vida está em outro lugar*, *A festa da insignificância* e *A imortalidade*, publicadas no Brasil pela Companhia das Letras.

1ª edição Companhia das Letras [1999] 9 reimpressões
1ª edição Companhia de Bolso [2008] 33 reimpressões

Esta obra foi composta pela Verba Editorial em Janson Text
e impressa pela Gráfica Bartira em ofsete sobre
papel Pólen Natural da Suzano S.A.

A marca FSC® é a garantia de que a madeira utilizada na fabricação do papel deste livro provém de florestas que foram gerenciadas de maneira ambientalmente correta, socialmente justa e economicamente viável, além de outras fontes de origem controlada.